Käte Lubowski

Der Übel größtes …

Roman

Käte Lubowski: Der Übel größtes … Roman

Erstdruck: Werdau i. Sa., Verlag von Oskar Meister, als Band 41 der Reihe »Meisters Buch-Roman«, 1919.

Neuausgabe
Herausgegeben von Karl-Maria Guth
Berlin 2021

Der Text dieser Ausgabe wurde behutsam an die neue deutsche Rechtschreibung angepasst.

Umschlaggestaltung von Thomas Schultz-Overhage

Gesetzt aus der Minion Pro, 11 pt

Die Sammlung Hofenberg erscheint im Verlag
Henricus - Edition Deutsche Klassik GmbH, Berlin
Herstellung: Books on Demand, Norderstedt

ISBN 978-3-7437-3887-4

Bibliografische Information der Deutschen Nationalbibliothek:
Die Deutsche Nationalbibliothek verzeichnet diese Publikation in der Deutschen Nationalbibliografie; detaillierte bibliografische Daten sind im Internet über www.dnb.de abrufbar.

Henricus - Edition Deutsche Klassik GmbH, Berlin
Herstellung: Books on Demand GmbH, Norderstedt

1.

Um die elfte Vormittagsstunde war derjenige Teil des Öynhausener Kurparkes, dem die Gäste den Namen »Schweiz« gegeben hatten, von Rollstühlen und Spaziergängern nahezu frei. Die meisten ruhten nach den Bädern vorschriftsmäßig aus. Jene aber, die es mit der Kur nicht so streng nahmen, lustwandelten in möglichster Nähe der Musik. Nur eines der bequemen Wägelchen glitt, fast zu eilig für den wundervollen Frieden dieser Einsamkeit an der romantischen Schlucht vorüber, welche der silberhelle Hambkebach in jahrzehntelanger Kleinarbeit mit Frische segnete. Es war keine der gewöhnlichen Lenkerinnen, die ihn vorwärts stieß. Die Hände erschienen gepflegt und schmal. Die feingliedrige Gestalt zeigte eine stolze Haltung. Der schlanke, sehr weiße Hals trug einen Kopf mit auffallend schönen Gesichtszügen. Zuweilen schob sich die Fülle des braunschwarzen lockigen Haares, von einem Sommerlüftchen gehoben, zu den langbewimperten Lidern hinunter, die zwei ausdrucksvolle, samtdunkle Augen bargen.

Als die Fahrt noch an Schnelligkeit zunahm, wandte sich der Kopf der grauhaarigen Frau im Rollstuhl zu der Führerin herum.

»Fräulein Eva von Ostried, der Gaul, den Ihre Fantasie seit geraumer Zeit zu reiten belieben, gefällt mir nicht«, klang es dazu in frischem, scherzhaftem Ton. »Er ist zu hitzig. Steigen Sie sofort ab.«

Die junge Lenkerin ging bereitwillig auf die gütige Zurechtweisung ein: »Hochverehrte Frau Landgerichtspräsident Hanna Melchers aus Berlin-Grunewald, Wangenheimstraße 10, ich kann Ihrem Wunsch nicht nachkommen, denn … er geht, leider, mit mir durch!«

Ein leichtes Seufzen ertönte.

»Schon wieder? – Was haben Sie, Kind? Ich merke seit einigen Tagen, dass Sie verändert sind. Zum Verlieben bietet sich hier kein Anlass. Der männlichen Jugend ist ja kaum in unversehrtem Zustande zu begegnen und ich weiß doch zur Genüge von Ihrer durchaus verständlichen Freude an der Gesundheit …«

»Nein … verliebt … bin ich nicht!«

»Was aber ist's dann? Wir leben nun drei Jahre miteinander und ich kenne Sie allmählich genau. Spukt in dem Köpfchen wieder der alte Traum?«

»Ja«, sagte Eva von Ostried und ihre Lippen pressten sich zusammen, als müsse sie den Schrei der Sehnsucht ersticken, »ich möchte singen … singen …«

»Als ob Ihnen das verwehrt würde, Eva. In dem kleinen Unterhaltungszimmer unserer Pension Messing steht ein ausgezeichneter Flügel und eine andächtige und dankbare Zuhörerschaft ist Ihnen ebenfalls sicher. Trotzdem haben Sie mir das feierliche Versprechen abgenommen, dass ich töricht genug war, Ihnen zu geben. Warum verheimlichen Sie hier ängstlich Ihr Talent?«

»Soll ich wirklich vor der herzensguten, aber doch bereits unstreitig etwas kindisch gewordenen Frau la chaise, die mit ihrem seligen Fritzchen zwölfmal in Brasilien war und daneben lediglich Tabak und höchstens noch ihre ›beste‹ Olga von daheim gelten lässt – oder vor diesem fürchterlichen, alten Baron, der beständig die Hände bewegt, als beabsichtige er seine Zuhörerschaft zu kitzeln, damit sie über seine Witzchen auch lachen kann, singen? – Verlangen Sie *das* von mir?«

»Verlangen würde ich es wohl nur von meiner leiblichen Tochter.«

Der Rollstuhl stand plötzlich still. Zwei weiche, heiße Lippen pressten sich auf die Hände der Präsidentin.

»Ich bin egoistisch und schlecht. Verdanke ich Ihnen doch alles. Was wäre damals aus mir geworden, wenn Sie mich, die ohne langjährige Zeugnisse auf Ihr Gesuch kam, nicht den vielen andern, vorzüglich Empfohlenen vorgezogen hätten?«

»Lassen wir diese Fragen, mein Kind. Ich bilde mir ein, eine gute Menschenkennerin zu sein.«

»Und nun habe ich Sie im Laufe der Zeit oft genug enttäuschen müssen.«

»Auch diese Wahrscheinlichkeit blieb damals nicht unberücksichtigt. Sie hatten mich deutlich in Ihrer Seele lesen lassen.«

»Obwohl ich zuerst von meinen Kämpfen und Enttäuschungen schwieg?«

»Die kargen Tatsachen verrieten mir genug. – Sie waren auf den Wunsch eines Jugendfreundes Ihres verstorbenen Vaters von dem nach seinem Tode in andere Hände übergegangenen Majorat nach Berlin gekommen und ließen Ihre wundervolle Stimme unentgeltlich von ihm ausbilden. Dass er, ein Jahr später, bei dem grausamen Eisenbahnunglück ums Leben kam und Sie, die völlig Mittellose, danach vergeblich den Vormund und früheren Gutsnachbar um ein Darlehn zum Weiterstudium anflehten, verhehlten Sie mir nicht. Das andere – die harten Enttäuschungen, die Sie in dem ungewohnten Kampf ums tägliche Brot in den verschiedenen aus Not angenommenen Stellungen zu bestehen hatten, las ich deutlich aus ihrem schmalen Gesicht und dem ängstlichen Ausdruck der Augen. Ihre spätere Beichte vervollständigte nur diese Geschichte ...«

»Aber Sie haben nicht angenommen, dass ich rückfällig werden könnte.«

»Ich habe es gewusst! – Sehnsucht stirbt schwer. Und Sie sollen Ihr Sehnen ja auch behalten und pflegen. Nur Geduld müssen Sie üben. Erst fester werden, mein Kind. Erst noch diese heiße Eitelkeit abstreifen, die fiebernd nach Ruhm und Huldigung verlangt.«

Der dunkle Kopf senkte sich schuldbewusst.

»Sie sind unaussprechlich gut zu mir.«

»Keine Übertreibungen! Hundertmal haben Sie, in zorniger Aufwallung, anders gedacht, wenn ich Ihrem Verlangen entgegenstand. Ich begreife auch das voll.«

»Wenn ich doch wüsste, womit ich Ihnen dies alles jemals vergelten könnte.«

Frau Melchers lächelte leise.

»Das Wort ›Vergeltung‹ ist niemals von einem hässlichen Beigeschmack frei, Eva. Sie sollen nur stets ganz offen zu mir sein ... und mich weiter lieb haben. Anderes verlange und erwarte ich nicht.«

»Das glaube ich. Es ist ja so leicht.«

Ein prüfender Blick streifte das schöne Gesicht. Die kluge Frau kannte die größte Schwäche ihrer Hausgenossin, die sie wie eine Tochter lieben gelernt, sehr genau. Wenn die reiche Fantasie spielte und die ungestüme Eitelkeit den Kritiker abgab, konnte es leicht geschehen, dass Eva von Ostried sich über die von der Präsidentin geforderte Wahrhaftigkeit hinwegsetzte, ohne sich eines Unrechts bewusst zu werden.

»Und nun hören Sie mir einmal aufmerksam zu, Eva«, forderte die gütige Stimme. »Es kommen nicht sehr viel Stunden, die sich dafür eignen. Sie sollen etwas wissen, was Sie – vielleicht längst geahnt haben. – Sie werden demnächst das einundzwanzigste Jahr vollendet haben. Der Vormund, der nach dem jähen Tode Ihres Gönners seine Erlaubnis zur Wiederaufnahme Ihrer Studien, auch mir gegenüber, brieflich versagte, verliert dann seine Gewalt über Ihr Handeln. Im Herbst dürfen Sie also über sich verfügen. Aber ... wir wollen erst noch Weihnachten und Ostern in aller Stille zusammen feiern. So traut und gänzlich der Häuslichkeit gehörend, wie die andern Jahre. Nichtwahr, mein Kind?«

»Ich begreife nicht, wie Sie das meinen. Soll ich dann fort von Ihnen?«

»Ja, Eva, dann verliere ich Sie. In meinem Heim werden Sie allerdings weiterleben, aber für mich selbst kaum noch Zeit finden. Denn Sie werden wieder als einzige Beschäftigung Musik studieren. Ihre Sehnsucht darf neue Befriedigung suchen. Ihr Fleiß muss eisern werden. – Die nötigen Mittel gewähre ich Ihnen. Gegenleistungen verlange ich freilich auch. Ich muss, solange ich lebe, über Ihnen wachen dürfen, Eva. Fühlen Sie, wie ich das meine?«

Eva von Ostried warf sich mit ausgebreiteten Armen über die kluge Frau. Sie konnte nicht sprechen. Ihr Körper bebte von einem Schluchzen des Glückes.

Endlich aber schob sie die Präsidentin sanft zurück.

»So und jetzt zum Theater! Denn, nicht wahr, darum nahmen wir doch jenes Eiltempo? – Heute Abend wird also Mignon gegeben? Obschon ich es mir von dieser Stelle aus nicht als reinen Genuss denken kann ... sollen Sie Ihren Willen haben. Ob daraus nicht für Sie, die jeden Ton dieser Oper genau kennen und die Partie des Mädchens aus der Fremde ausgezeichnet wiederzugeben wissen, eine arge Enttäuschung wird?«

Das schöne Mädchengesicht strahlte wieder.

»Wie herrlich ist es, dass Sie, die schwer zu Befriedigende, mir dieses Lob schenken. Ja ... ich freue mich unsagbar auf den heutigen Abend. Zu denken, dass ... ich selbst ... es besser machen könnte ... Ist das nicht vielleicht der höchste Genuss?«

Ein leichter Schatten glitt über das feine, alte Gesicht.

»Darin werden wir uns niemals verstehen! Mir ist immer weh zumute, wenn jemand eine übernommene Aufgabe mangelhaft erfüllt. – Aber jetzt muss ich zur Eile mahnen. Der letzte Ton der Kurmusik ist verhallt.«

Und der Rollstuhl glitt wieder durch den Dom satten, frischen Grüns dem kleinen neuerbauten Theater entgegen.

»Kommen Sie doch auch mit«, bat Eva, ehe sie zur Kasse ging.

Die Präsidentin schüttelte den Kopf.

»Haben Sie ganz vergessen, dass der Geheimrat meinem rebellischen Herzen die allergrößeste Schonung und vor allen Dingen frühzeitige Bettruhe anbefohlen hat? Nein, das ist ausgeschlossen.«

Eva von Ostried wurde rot. Dann aber fand sie eine Entschuldigung für ihre Vergesslichkeit. Wie konnte ein junges, gesundes Wesen beständig daran denken, dass eine Leidende unausgesetzt der Rücksicht bedürfe?

»Nur etwas aus der Sonne können Sie mich zuvor noch schieben«, forderte die Präsidentin ohne Empfindlichkeit, »denn aus den für Sie heiligen Räumen finden Sie nicht so schnell zurück.«

Es währte aber diesmal sogar für die Langmut der Präsidentin zu lange. Die dünnen Glöckchen der Kirche und des Salzwerkes verkündeten die zwölfte Stunde. Vom Königshof herüber erscholl das melodisch abgestimmte Tamtam, das eine Viertelstunde vor Beginn der Hauptmahlzeit, die überall zur gleichen Zeit festgesetzt war, die Gäste zusammenrief und immer noch ließ sich Eva von Ostrieds helles Gewand nicht erblicken. Schon wollte die an Pünktlichkeit streng Gewöhnte eine ihr vom Ansehen bekannte, gerade des Weges daherkommende Rollstuhllenkerin bitten, ihren Wagen in die Pension zu bringen, als endlich, atemlos vor Erregung, die Säumige kam. Die Präsidentin vergaß die beabsichtigte scharfe Zurechtweisung. Der Anblick des jungen, schönen Geschöpfes, dessen ausdrucksvolle Augen begeistert strahlten, entzückte sie, wie er es stets tat. Das reuige Betteln um Vergebung dieser neuen, kleinen Nachlässigkeit würde genügt haben, um ihre Empörung in mildes Begreifen umzuwandeln. – Sie wartete umsonst darauf. Eva von Ostried saß im tiefsten, goldensten Land ihrer Zukunftsträume und klagte Mignons Steyrisches Lied heraus:

> Kam ein armes Kind von fern
> Zigeuner brachten es eben
> Traurig bleich … seine Glieder beben …

Das riss die Geduld der Gütigen.

»Beeilen Sie sich, Eva«, sagte sie streng und kurz, »oder ich werde, so matt ich mich gerade heute auch fühle, der ärztlichen Vorschrift entgegen, aussteigen und versuchen, im Laufschritt noch pünktlich zu Tisch zu erscheinen.« In dem nämlichen Augenblick erwachte Eva

7

von Ostried zur Wirklichkeit. Sie erblasste und in ihre Augen kam der Ausdruck einer großen Hilflosigkeit.

»Das werden Sie mir nicht antun«, schmeichelte sie. »Schelten Sie tüchtig ... aber sprechen Sie nicht in diesem unerträglich kühlen Ton zu mir, wenn ich ihn auch verdient habe ... Gewiss – ich vergaß meine Pflicht. Sobald Sie die Ursache erfahren, werden Sie mich begreifen ...«

»Sie können mir später berichten. Jetzt ... vorwärts, Eva.«

Der geräumige Speisesaal, in welchen die beiden, heute als letzte Mittagsgäste, eintraten, war fast zu sehr besetzt. Alle Plätze ohne Rücksicht auf die Wohlbeleibten, erschienen gleich schmal, sodass der Hüne unter den Anwesenden, ein alter früherer Oberst der Garde, vor seinem gefüllten Teller in zorniger Ungeduld des Augenblickes wartete, in dem sich seine rechte Nachbarin, einstweilen befriedigt, zurücklehnte. Zu seiner Linken nahm Eva von Ostried Platz. Das milderte seinen Zorn. Obwohl er unvermählt geblieben, schätzte er Frauenschönheit über allem andern.

Als Eva nicht wie sonst auf seine neckenden Fragen in dem gleichen Ton antwortete, neigte er den mächtigen Kopf ein wenig zur Seite und sah sie mit schlauem, verständnisvollen Blinzeln an:

»Strafpauke intus, mein gnädiges Fräulein?«

»Ja«, nickte sie und setzte leise hinzu: »aber verdient.«

»Zu toll geflirtet?«

»Ist das hier überhaupt möglich?«

»Na, erlauben Sie mal. Wenn Sie von uns elenden Bürgern schon absehen, der Paul Karlsen, der erste Liebhaber und Opernsänger ist doch noch da ... Und Sie gehören zu den eifrigsten Besuchern des Theaters ...«

Den Namen des jungen Menschen, der ein großer Künstler zu werden verhieß, hatte er im Gegensatz zu dem andern nur Geflüsterten stark betont.

Das scharfe Ohr seiner schon wieder auf den nächsten Gang lüsternen rechten Nachbarin fing ihn auf, sie nickte lebhaft und begann, froh, endlich einen Gesprächsstoff gefunden zu haben:

»Ja, dieser Karlsen. Denken Sie doch, er soll auch heute im Mignon den Wilhelm singen!«

Ein Backfisch, der seiner hochgradigen Bleichsucht und des daraus entstandenen nervösen Herzens wegen hier war, mischte sich mit allerliebster Wichtigkeit ein:

»Leider wird er ihn nicht singen können. Die schöne Mignon, auf die wir uns einen halben Monat lang gefreut haben – der Gast – hat vor einer Stunde einen bösen Unfall gehabt.«

Die Neuigkeit pflanzte sich fort, denn sie hatten fast alle hingehen wollen.

»Wie jammerschade«, wehklagten die jungen Mädchen.

»Wir werden das Geld natürlich zurückerhalten«, freuten sich die praktischen Mütter.

»Keine trügerischen Hoffnungen, meine Damen«, spöttelte ein alter Gichtiker, »soviel ich vor kaum zehn Minuten gehört habe, soll bereits ein vollwertiger Ersatz gefunden sein.«

Lebhafte Fragen bestürmten ihn von allen Seiten.

»Woher wissen Sie es? Das wird nicht ohne Weiteres geglaubt.«

»Mir hat es der Theaterdirektor in eigenster Person anvertraut. Eine berühmte, große Sängerin, die zufällig hier zur Kur weilt, wird einspringen. Er tat sehr geheimnisvoll und verriet nichts weiter, sosehr ich auch in ihm drang.«

Frau Melchers wandte sich leise an Eva von Ostried.

»War es das, was Sie mir erzählen wollten, Eva?«

Die langen dunklen Wimpern lagen fast auf der rosigen, weichen Haut der Wangen.

»Ja«, sagte sie, »das und ... noch etwas. Die Aufregung über das plötzliche Missgeschick war so groß – dass ... ich oben ... nicht ... früher fortkonnte ...« Frau Melchers nickte ihr freundlich zu.

»Schon gut, Eva. – Nun freuen Sie sich natürlich doppelt auf den heutigen Abend, nicht wahr?«

»Ich ... fürchte ... mich ... aber daneben auch ...«

»So hat sich der kleine Teufel des Neides schon wieder von seiner Kette befreit?«

»Noch nicht ...«

»Ich werde das Weitere von Ihnen hören. – Später. – Erst muss ich ruhen. Ich weiß nicht, in meinen Gliedern ist eine sonderbare Mattigkeit. Sie schmerzt fast. Am liebsten verschliefe ich die ganze zweite Hälfte des Tages ...«

»Soll ich nachher den Geheimrat rufen«, fragte Eva angstvoll.

»Was soll er mir, Kind? – Ich habe es mir allein ausgeprobt. Wenn das Herz matt und doch unruhig hüpft, brauche ich viel Ruhe. Niemand soll sprechen. Am besten auch jedes Geräusch vermieden werden. – Sie dürfen darum heute einen ganz freien Nachmittag haben. Genießen Sie ihn nach Herzenslust. – Soll ich die jungen Mädchen am Tisch fragen, ob vielleicht ein gemeinsamer Ausflug nach der Porta zustande käme. Zum Beginn des Theaters können Sie, trotzdem, pünktlich zurück sein.«

Eva von Ostrieds Hände legten sich bittend auf die Rechte der Präsidentin.

Aus ihrer Stimme klang ängstliche Abwehr.

»Bitte, bitte, tun Sie das nicht. Ich bin viel lieber allein. Diese jungen Mädchen bleiben mir fremd und unverständlich in all ihren Reden und Empfindungen. Und schließlich würde ich doch nur die Geduldete unter ihnen sein.«

»Weil Sie mir … dienen, Eva?«

»Nicht … weil ich Ihnen diene … Was gäbe es wohl Schöneres für eine Waise. Nur, dass ich es überhaupt tun muss, begreifen diese vom Glück verwöhnten nicht. Das richtet eine Scheidewand zwischen ihnen und mir auf. – Wirklich …«

»Sie sind ein großes Kind …«

»Ich wollte, ich wäre es! Als Kind habe ich niemals einschlafen können, wenn irgendetwas Geheimnisvolles auf mir lastete.«

»Soll das heißen, dass es damit anders geworden ist?«

»Ich verstehe mich selbst manchmal nicht mehr. – Was mir einen Augenblick als ein unfassbares Glück erscheinen will, jagt mir im nächsten bereits Furcht und Schrecken ein.«

»Eva, Kind, das sind Nerven! Jawohl, so melden sie sich an.«

»Nein – nein, es ist etwas anderes …«

»Dann könnte es nur ein böses Gewissen sein. Und davon halte ich Sie frei.«

Der dunkle Kopf senkte sich tief. Eva von Ostried wurde der Antwort überhoben – das Gespräch noch allgemeiner und lebhafter, sodass an eine weiter unbeachtet geführte Zwiesprache nicht zu denken war.

– –

»Womit also werden Sie diesen sonnigen Nachmittag ausfüllen, Eva«, fragte die Präsidentin, als sie, sorglich gebettet, sich mit einem Seufzer des Behagens in dem kühlen Zimmer ausstreckte.

»Wenn Sie mich wirklich nicht brauchen können, lege ich mich in einen einsamen dunklen Winkel und träume ...«

»Und kommen vor dem Theater noch einmal kurz zu mir, damit ich Sie in dem neuen, weißen Kleide sehe, ja? – Das Abendessen werde ich heute auf dem Zimmer nehmen, bitte, sagen Sie es an. Und morgen bin ich wieder ganz frisch.«

Fühlte sie das Zögern des jungen Wesens? Eva von Ostried blieb noch einige Minuten neben ihrem Lager stehen, als laste etwas Schweres auf ihrer Seele. Las sie das Geheimnis in den sprechenden Augen, das sich zuerst offenbaren wollte und nun doch plötzlich dies Vorhaben als so ungeheuerlich empfand, dass die Ausführung nicht gewagt wurde?

Sie deutete die offenbare Unsicherheit anders.

»Machen Sie nicht länger ein so reueerfülltes Gesicht, Evalein. Ich hab's längst vergessen, dass Sie mich ungebührlich lange warten ließen. Im Übrigen, Kind, nicht wahr, Sie wissen doch, dass ich Sie mit dem Gefühl einer Mutter lieb habe?«

Eva von Ostried schluchzte an der Brust der Gütigen.

»Ja, das weiß ich und darum ...« Frau Melchers unterbrach sie schnell.

»Darum jetzt heraus in die Sonne. Vergolden und durchwärmen lassen, was dunkel und geheimnisvoll erscheinen will. Gehen Sie, Eva, ich bin sehr müde ...«

Eva von Ostrieds Pulse klopften in fieberhafter Erregung, als sie, zu der Stunde der allgemeinen Mittagsrast, den Weg zum Kurtheater einschlug. Ihr Vorwärtshasten wirkte wie ein beständiger Kampf. Nach wenigen Laufschritten blieb sie stehen, sah rückwärts, zögerte, als riefe sie eine mahnende Stimme zur Umkehr und jagte dann doch weiter, als müsse sie um jeden Preis die versäumte Zeit einholen. Einmal sprach sie ganz laut zu sich, weil ihre zitternde Seele dies dumpfe Schweigen nicht länger zu ertragen vermochte.

»Und ... ich werde es ihr doch sagen! Sie ist so gut.« Gleich darauf huschte ein ängstlicher Schein über ihr Gesicht. – »Wenn sie es mir aber nicht gestattet? Oh, sie kann auch hart und fest bleiben, sofern sie etwas nicht billigt.«

Die Mittagssonne goss auf jedes Blatt einen großen, goldenen Tropfen. Unzählige, bis zum Rande gefüllte Becher schwebten auf allen

Zweigen. Einer strömte seinen kostbaren Inhalt über Eva von Ostrieds schlanke, schöne Gestalt aus und überfunkelte sie mit verschwenderischen Glänzen. Ihre Augen waren geblendet. Unsanft stieß sie mit dem Eiligen zusammen, der ihr entgegenlief.

»Hoppla ... Fräulein von Ostried ... wohin des Weges? Sie wollen mir doch nicht etwas ins Handwerk pfuschen.«

Der Geheime Sanitätsrat Schwemann war es, der die Präsidentin behandelte.

»Nein, das wage ich nur in äußerster Not; etwa, wenn Frau Präsident absolut nichts von Ihnen oder Ihresgleichen wissen will, Herr Geheimrat«, sagte sie frisch.

»S' wär schon besser gewesen, sie hätte sich früher an einen von unserer Zunft gewandt«, brummte er halblaut.

»Steht es schlecht mit ihr, Herr Geheimrat?«

»Habe ich das etwa behauptet? – Fällt mir gar nicht ein. Ist übrigens irgendetwas nahes Verwandtes vorhanden?«

»Sie ist ganz einsam in der Welt.«

»Na, dann hören Sie mal einen Augenblick zu. Sie gefällt mir nämlich immer weniger. Ist körperlich viel zu sehr für dies ernsthafte Herzleiden herunter. Und schont sich dabei nicht gehörig, was die Geschichte natürlich verschlimmert.«

»O Gott, was soll ich tun. Sagen Sie mir alles, Herr Geheimrat?«

»Sie? – Sehr viel ist dagegen nicht zu machen. Sie können ihr höchstens jede Aufregung fernhalten und sie gehörig päppeln. – Also ... es ist nicht so einfach, meine Liebe. Kann sehr wohl mal kommen, dass eines Tages, scheinbar ohne neue Ursache, etwas Menschliches eintritt. – Das wollte ich Ihnen doch unter vier Augen sagen, ehe Sie abreisen. In zwei Tagen soll die Reise ja wohl heimwärts gehen.«

Eva von Ostrieds Lippen bebten.

»Ich habe niemand mehr als sie«, klagte sie erschüttert.

»Weil ich mir etwas Ähnliches gedacht habe, sage ich Ihnen das auch hauptsächlich. Nun aber keine vorzeitige Leichenbittermiene. Das würde sie selbst am meisten betrüben. – Sie kann sich natürlich auch noch längere Zeit halten. Wie gesagt ... auch dem Gesundesten geschieht zuweilen ein rasches Unglück. Sehen Sie die Sängerin an. Fällt vor ein paar Stunden einfach auf dem ebenen Fußboden hin und bricht sich ein Bein. Dabei nicht etwa glatt und anständig. Es wird eine langweilige Geschichte werden. Grade komme ich von ihr. Na ja

... sollten sich übrigens auch besser nach dem Essen aufs Ohr legen. Die Sonne sticht gewaltig ...« –

Gegenüber der Seitenpforte des Theaters, durch welche die Schauspieler mehr oder minder pünktlich, zu schlüpfen pflegten, stand eine kühngeschweifte Bank. Darauf ruhten sie nach den Proben aus und belustigten sich damit, über die vorüberkommenden Kurgäste, sofern sie nicht zu den eifrigen Verehrern ihrer Kunst zählten, zu spötteln. Denn sie kannten fast jeden Einzelnen ihrer treuen Gemeinde, die höchstens alle Monat einmal ihr Aussehen änderten. Zur Zeit war diese Bank leer. Eva von Ostried nahm darauf Platz. In ihrem Gesicht lag der Ausdruck tiefen Kummers. Die Unterredung mit dem Geheimrat hatte vorübergehend die eigenen Interessen erstickt. Bittere Selbstvorwürfe stürmten auf sie ein.

Während ihre Wohltäterin nach den vorangegangenen Anzeichen einer großen Mattigkeit, sicherlich wieder von einem jener tapfer ertragenen Anfälle gequält wurde, stand sie im Begriff sie zu hintergehen.

Die mütterliche Güte und Nachsicht der Präsidentin, die ihr der Unbekannten, als sie zerbrochen und matt in ihr Haus kam, wieder die Kraft zur Lebensfreude schenkte, rührte sie von Neuem.

Durfte sie diesen Schritt tun, obgleich sie genau wusste, dass die Präsidentin ihn missbilligen, wenn nicht gar auf das Strengste untersagen würde?

In ihrem Gesicht zuckte ein harter Kampf. Eitelkeit und Dankbarkeit rangen miteinander. Das berauschende Vorempfinden uneingeschränkter Bewunderung maß sich mit der überwältigenden Freude, dass sie sich in absehbarer Zeit ihren geliebten Studien wieder gern voll widmen und sie ohne drückende Sorgen zu Ende bringen sollte. In diesem Augenblick lief ein barfüßiger Junge an der Bank vorüber. Sie empfand sein Erscheinen als die Bekräftigung der guten Vorsätze und winkte ihm stehen zu bleiben.

»Ich will schnell einen Zettel schreiben«, sagte sie freundlich, »und du trägst ihn mir hinein, ja?« Er nickte bereitwillig und setzte sich zu ihr. Ein aus dem Taschenbuch herausgerissenes Blatt bedeckte sich mit ihren feinen, klaren Schriftzeichen.

»Mein Versprechen war übereilt«, schrieb sie, »ich kann es leider nicht halten. Teilen sie dies bitte, Herrn Direktor mit.«

Schon hatte sie ihn zusammengefaltet und den Wartenden beauftragt, ihn an Herrn Paul Karlsen abzugeben, als drinnen eine umfangreiche, wenn auch etwas scharfe Stimme, Philines halb spöttisches, halb mitleidsvolles Lied zum Gehör brachte:

Holla, mein werter Herr
Mögt Ihr uns nicht erst sagen
Wer ist das arme Kind
Des Antlitz scheint zu klagen.

Wie mit einem Zauberschlage änderte sich der Ausdruck in Eva von Ostrieds Zügen. Alle weiche, kindliche Dankbarkeit schwand daraus. Ihre Lippen öffneten sich, als tränken sie jeden einzelnen Ton durstig auf. Ihre Augen flammten. Mechanisch zerpflückte sie das Geschriebene und reichte dem erstaunt und neugierig blickenden Jungen ein Geldstück hin.

»Ich werde selbst gehen. Es ist gut!«

Und doch fühlte sie dumpf und schwer, dass der Schritt, den sie im Begriff stand zu tun, besser unterbleibe. Aber es war für alle Erwägungen zu spät geworden. Aus der kleinen Seitentür trat in diesem Augenblick, eine schlanke Männergestalt und lief in freudiger Erregtheit auf sie zu.

»Wo in aller Welt bleiben Sie? Schnell hinein. Niemand im Städtchen ahnt, dass Sie der vom Himmel gefallene, göttliche Ersatz sein wollen. Es wird erhaben werden.«

Und sie folgte in willenloser Mattigkeit dem voranschreitenden Karlsen, von dem das Publikum auch hier behauptete, dass er ein großer Künstler zu werden verspreche.

Die dünngewordenen Stimmchen der Glocken hatten schon die vierte Morgenstunde verkündet, als Eva von Ostried endlich einschlafen konnte. Ihr Zimmer lag neben demjenigen der Präsidentin. Nachdem sie gegen elf Uhr heimgekehrt war, hatte sie durch die Verbindungstür schlüpfen wollen, um alles, was ihr widerfahren war, getreulich zu beichten. Ihr scharfes Ohr erlauschte aber zuvor die tiefen, regelmäßigen Atemzüge, die einen friedvollen Schlummer verrieten. Wie wertvoll dieser für die Präsidentin war, wusste sie genau. Darum verschob sie alles bis zum nächsten Morgen.

Der zog strahlend und schöner, wie die der gesamten letzten Wochen herauf. Eva von Ostried wurde nicht wie sonst, durch den ersten

Strahl des großen Lichts zu ihren Pflichten geweckt. Die ungeheure Erregung des verflossenen Tages hatte eine bleischwere Müdigkeit auf sie gesenkt. Nun schläft sie, die sonst, pünktlich um sieben Uhr, das erste Frühstück der Präsidentin ans Bett brachte, mit dem unbewussten Behagen gesunder, kraftvoller Jugend. Fräulein Messing, die Inhaberin der Pension, freute sich darüber. Die große Neuigkeit machte sie doppelt unruhig und geschäftig. Darum trug sie auch eigenhändig das Brettchen mit der ersten Tagesmahlzeit zu der Präsidentin herein. Mit einem verständnisvollen Lächeln wies sie dabei zu der fest geschlossenen Verbindungstür hinüber.

»Wir wollen ihr heute ausnahmsweise den langen Schlaf gönnen, nicht wahr Frau Präsident?«

Frau Melchers hatte mit Rücksicht auf den gestrigen Theaterbesuch, bisher die Klingel nicht gerührt. Trotzdem billigte sie diese Versäumnis durchaus nicht. Mit leicht gerunzelten Brauen gab sie zur Antwort:

»Sie wollen doch nicht behaupten, dass ein Aufbleiben bis zur zehnten oder elften Abendstunde für ein junges, kräftiges Mädchen eine Anstrengung bedeutet?«

Fräulein Messing wiegte den Kopf hin und her und lächelte, als wollte sie sagen: »Halte mich doch nicht für ganz ahnungslos« … Weil ihr die laute Äußerung aber zu wenig respektvoll vorgekommen wäre, milderte sie dieselbe und sagte triumphierend:

»Wir wissen es natürlich jetzt alle und beglückwünschen auch Sie in herzlicher Mitfreude.«

Frau Melchers begriff vorläufig nichts, als dass sich am verflossenen Abend ein Vorgang abgespielt haben musste, der ihr ein Geheimnis war und der doch auf das Innigste mit ihrer Begleiterin verknüpft blieb.

»Sie sprechen für mich in Rätseln, Fräulein Messing. Darf ich um eine klarere Fassung ihrer sicherlich gut gemeinten Wünsche bitten?«

Wäre Fräulein Messing weniger erfüllt von dem überraschenden Ereignis gewesen, hätte sie den Ausdruck großen Erschreckens auf dem Gesicht der alten Dame wahrgenommen. So aber merkte sie lediglich, dass hier ein Geheimnis vorliege und freute sich, die Erste zu sein, die es der Nichtsahnenden enthüllte. In ehrlicher Verwunderung schlug sie die Hände zusammen.

»Frau Präsident sind also wirklich ahnungslos? Nein, so etwas! Da will ich gern berichten. – Als wir uns gestern Abend an Mignon erfreuen wollten, wurde uns die große Überraschung zuteil, Fräulein von Ostried als solche zu erleben. Gnädige Frau, es war einfach himmlisch. Solche Stimme habe ich noch niemals gehört. Das Publikum raste vor Begeisterung. Und unsere gesamte Pension hat in aller Eile – das ›wie‹ ist mir freilich bis jetzt verborgen geblieben – einen herrlichen Aufbau aus lauter roten Rosen gestiftet, den Herr Oberst selbst im Namen aller überreicht hat.«

Die Präsidentin hatte sich aufgerichtet und rang mühsam nach Atem. Sie war lange unfähig zu einer Entgegnung. Endlich stieß sie hervor:

»Gehen Sie, bitte ... und senden Sie ... mir sofort ... Fräulein von Ostried.«

Das soeben Gehörte war ein harter Schlag für sie. Zwar hatte sie gewusst, dass Eva ehrgeizig und eitel zugleich sein konnte – war auch wiederholt gegen deren Anwandlungen von kräftiger Selbstsucht zu Felde gezogen ... dass sie aber jemals imstande sein könnte, hinter ihrem Rücken, den ersten Schritt in die Öffentlichkeit zu wagen, empfand sie, besonders nach den heute gemachten Zusicherungen, nicht nur als Undankbarkeit, sondern als eine Unaufrichtigkeit, die sie schmerzhaft quälte.

Gewiss – sie verhehlte sich nicht, dass ihre wiederholt geäußerte Mattigkeit Eva von Ostried das Befragen und Beichten erschwert hatte. Immerhin – würde sie bei ernstlichem Willen die Möglichkeit dazu gefunden haben. Sie suchte sie aber nicht, weil sie im Voraus wusste, dass ihr unter gar keinen Umständen die Erlaubnis zu diesem verfrühten Auftreten erteilt worden wäre. Denn die Präsidentin war eine von denen, die es viel zu ernst und heilig mit der Ausübung der Kunst nehmen, um sie zu einer Entweihung durch fiebernde Eitelkeit missbrauchen zu lassen. Mochte für all diese Ohren Eva von Ostrieds Stimme noch so wunderschön geklungen haben, ihr fehlte doch noch unendlich viel, um sich öffentlich hören zu lassen. Um sie auch vorher innerlich reifen zu machen, hatte sie die Beschränkung der Musikstudien bisher durchgesetzt. Was sie ihr gestattete, war lediglich ein wöchentlich einmaliger Unterricht durch einen der ersten Stimmbildner. Solange Eva ihrem Einfluss zugänglich blieb, hatte sie die berechtigte Hoffnung, sie für alle Gefahren, die ihr um der Schönheit halber viel mehr als den späteren Genossinnen drohen würden, zu festigen. Sobald sie sich erst völlig in jenen Kreis der anders Denkenden einfügte,

wurde ihr erziehlicher Einfluss geringer, um fraglos sehr bald aufzu-
hören.

Dass Eva sich bei der ersten Versuchung als schwach erzeigt hatte,
erfüllte sie mit einer dumpfen Zukunftsangst. Denn sie liebte das
junge Geschöpf!

Eva von Ostried kam bleich und verweint herein. Sie zeigte nichts
von dem Glanz einer überwältigenden Freude. Fräulein Messings
überstürzte Mitteilung, aus der sie entnehmen musste, dass Frau
Melchers alles wisse, hatte sie tief gedemütigt. Zudem blieb die andere
Erfahrung, von welcher außer ihr bisher – gottlob – nur der andere
etwas wusste, mit grausamer Härte auf sie ein. Sie warf sich vor dem
Lager auf die Knie und barg schluchzend den Kopf in die Kissen. Die
Stimme der Präsidentin klang ungewohnt hart an ihr Ohr:

»Stehen Sie auf! Nur jetzt kein Theater!«

Diese Worte schmerzten mehr als ein Schlag. Sie zuckte zusammen
und stammelte etwas.

»Es ist mir schwer genug geworden – aber ich konnte … nicht anders«, sollte es heißen.

»Warum nicht? Was hielt Sie zurück, der Stimme Ihres Gewissens
zu folgen. Denn ich hoffe, dass es sich geregt hat.«

»Ja – das tat es. Ich hatte mich bereits zur schriftlichen Absage
durchgerungen. Da hörte ich den Gesang der Philine. Das reizte mich,
der zu Unrecht auf ihr Können Eingebildeten ihre Mängel zu beweisen.
– Sie hatte mich am Vormittag wie ein Kind behandelt, das nicht
ernst zu nehmen ist.«

Die Präsidentin zwang sich zur Ruhe.

»Es bleibt mir unerklärlich, wie man dort überhaupt von Ihrem
Talent erfahren hat oder sollten Sie anlässlich der häufigen Theaterbesuche, längst innige Freundschaft mit den Verschiedenen gepflegt haben, von welcher ich natürlich ebenfalls nichts wissen durfte?«

Eva von Ostried richtete sich empor. An dem offenen Blick merkte
die Präsidentin, dass diese Annahme falsch sei.

»Ich kannte bis gestern persönlich nur Herrn Karlsen, der mir auch
jedes Mal die Karte für die Vorstellungen ausgehändigt hat.«

»Dann berichten Sie, wie man auf Sie als Ersatz der eigentlichen
Mignon kommen konnte.«

»Herr Karlsen teilte mir heute Mittag in höchster Aufregung den
Unfall des Gastes mit, als ich mir die Karte zur Abendvorstellung be-

sorgen wollte. Gleichzeitig schilderte er mir den großen Ausfall für die Schauspieler, weil die gezahlten Preise zurückerstattet werden mussten. Erfahrungsgemäß werde an einem der alten und ältesten Lustspiele wenig verdient, sondern lediglich mit einer guteingeübten Oper. Der Direktor aber müsse nun noch außerdem der anspruchsvollen Philine das vereinbarte Spielhonorar zahlen. Dies traurige Ereignis vernichte wiederum die stille Hoffnung aller auf eine endliche Aufbesserung ihrer Verhältnisse.«

»Nun wurde Ihr Mitleid wach und Sie boten sich an.«

»Nein, das tat ich wirklich nicht. – Ich sagte nur, dass ich bei ernstlichen Bemühungen sehr wohl an einen guten Ersatz der Mignon glaube.«

»Damit reizten Sie natürlich Karlsens Widerspruch?«

»Er wusste mich schnell von der Unrichtigkeit zu überzeugen, indem er behauptete, die kleinen erreichbaren Vertretungen benachbarter Städte seien ohne wiederholte Proben überhaupt nicht imstande, die Partie zu übernehmen.«

»Da konnte Ihre Eitelkeit nicht länger stumm bleiben?«

»War ich eitel? Ich fühlte nur ein eigentümlich wundervolles Behagen, dass ich ihn widerlegen konnte, stellte mich einfach hin und sang ihm die wenigen Strophen aus dem ersten Akt vor.«

»Und da war er sogleich starr vor Bewunderung!«

»Ich weiß es nicht! – Plötzlich umringten sie mich alle. Der Direktor – der alte Jarne – die neidische Philine ... Mein Widerspruch verhallte ... Sie zwangen mich einfach zu einem festen Versprechen.«

»Haben Sie wenigstens gewusst, was Sie mir damit antaten, Eva, indem Sie mich hintergingen?«

»Ich habe es schwer gefühlt. Die ganze stolze Freude meines ersten Erfolges hat es mir verbittert ...«

»Sie übertreiben. Daran zu glauben vermag ich beim besten Willen nicht.«

»Und doch ist es so. Bei jedem Hervorruf lastete die Reue auf mir. Ich musste an irgendeine Strafe denken.«

»Die ich über Sie verhängen würde?«

»Nein – an eine andere. Und sie ist gekommen. Ich möchte Ihnen so gern davon sprechen.«

»Um mich zu versöhnen, Eva?«

»Um mich zu erleichtern. Mein Herz ist sehr schwer.«

Da wallte das Muttergefühl an diesem fremden Kinde von Neuem warm in der Präsidentin auf. Ihre Hand legte sich auf den geneigten Scheitel.

»Glücklich sehen Sie freilich nicht. Also, was ist geschehen?«

Eva von Ostried schlug beide Hände vor das erglühende Gesicht, weil sie sich vor dem klaren, tiefen Blick schämte.

»Der Karlsen hat mich nach der Vorstellung geküsst«, stammelte sie.

Die Präsidentin erschrak.

»Und Sie lieben ihn?« Eva schüttelte den Kopf.

»Bisher war er mir gleichgültig. Seitdem er das gewagt hat, verachte ich ihn. Dass er es tun durfte – hat mir das Glücksgefühl nach dem gestrigen Abend vollends ausgelöscht. Sagen Sie mir, dass so etwas nie – nie wieder möglich sein wird. – Ich ertrüge es kein zweites Mal.«

»Damit würde ich etwas behaupten, an das ich selbst nicht einen Augenblick glaube.«

»Sie sind also überzeugt, dass die Kunst, wenn sie auch als etwas Reines und Hohes empfunden und ausgeübt wird, vor solchen Übergriffen nicht schützt?«

»Ich hätte Sie für reifer gehalten, Eva! – Das sind die Fragen eines Kindes.«

»Wissen Sie, was ich bei diesem entsetzlichen Kuss gefühlt habe? Dass ich imstande wäre, meine geliebte Kunst zu opfern – wenn mir später das Gleiche geschehen würde.«

Und sie legte, wie ein furchtsames Kind erschauernd ihr heißes Gesicht in die weichen Hände der Präsidentin.

2.

»Niemals erschien mir die Welt ähnlich reich gesegnet wie in diesem Jahr«, sagte Frau Präsident Melchers und wies zu den Obstbäumen ihres Gärtchens hinüber, die unter den silbernen Tauschleiern eines frühen Septembermorgens tiefgeneigt ihre Lasten trugen.

Eva von Ostried stand, für einen Ausgang bereit, ebenfalls auf der offenen Veranda. Sie empfand keine staunende Dankbarkeit beim Anblick dieser Wunder. Aus ihren Blicken sprach etwas Unruhvolles. Nur für kurze Zeit hatte ihr der Segen dieser Stille, die – obschon nahe dem großen Getriebe Berlins – dennoch aller Unrast fern und fremd zu bleiben schien, wohlgetan. Jetzt fühlte sie sich wieder von dieser Abgeschlossenheit gepeinigt. Jede Stunde bedeutete ihr etwas Verlorenes. Jeder Tag einen unersetzlichen Verlust. Heimlich durchkostete sie die rieselnden Wonnen ihres ersten Erfolges und wusste nichts mehr von Reue oder Empörung.

Sagten es ihr nicht immer aufs Neue die bewundernden Blicke fremder Menschen, dass sie ungewöhnlich schön ist?

War es darum nicht auch verzeihlich, wenn die Leidenschaft eines Mannes und Künstlers sich an ihrem Anblick entflammte und vergaß?

Die Präsidentin beobachtete heimlich den wechselnden Ausdruck auf Eva von Ostrieds Zügen. Sie wusste richtig in diesem jungen Gesicht zu lesen. Die Sorge um Evas Zukunft verringerte sich nicht. Der Wunsch, neben ihr bleiben zu dürfen, bis die Selbstzucht oder eine harte Enttäuschung alle Schlacken fortgefegt haben würde, war auch heute in ihr. Sie fühlte, wie sich die junge Seele ihr seit der Rückkunft aus Öynhausen mehr und mehr verschloss. Aber sie unterdrückte tapfer alle Bitterkeit.

War es nicht auch das Los der leiblichen Mutter allmählich das Kind der Schmerzen an irgendeine fremde Freude zu verlieren? Und hatte der kommende Tag wirklich die große Bedeutung, die sie ihm zumaß?

»Nun gehen Sie, Eva und besorgen die Kleinigkeiten zu unserm Mahle«, sagte sie und zwang damit ihre Gedanken zu fröhlicheren Dingen. »Mein alter Freund, Justizrat Doktor Weißgerber, hat mir versprochen, das Fest Ihrer Volljährigkeit mit uns zu feiern.«

»Ach«, meinte Eva lachend, »was soll er mir? Er ist alt, bedenklich und weise.«

Ein rascher Blick streifte sie.

War sie wirklich so harmlos, nicht die tiefe Bedeutung seines Besuches gerade an ihrem Ehrentage zu ahnen? – Der junge Mund plauderte sorglos weiter.

»Am liebsten würde ich morgen Abend in das große Wohltätigkeitskonzert gehen, zu dem mir ein liebenswürdiger, leider unbekannter Spender eine Karte zugesandt hat ...«

»Und ich?« Nun klang doch eine leichte Bitterkeit aus der gütigen Stimme.

Eva wurde rot.

»Sie erfreuen sich doch auch gern an guter Musik ...«

»Freilich tue ich das! Aber ich ermüde jetzt zu sehr dabei.«

»Wenn Herr Justizrat bei Ihnen bleiben würde?« Der Eigenwunsch besiegte alle anderen Bedenken.

»Seine Zeit ist kostbar, das wissen Sie. Opfert er mir schon die Mittagszeit, wage ich nicht noch weiteres von ihm zu fordern.«

Eva schwieg. Aber ihr war es, als laste eine Kette auf ihr, welche die Schönheit des Lebens für sie fesselte. – Unfreudig wandte sie sich nach kurzem Zaudern, um die aufgetragenen Besorgungen zu erledigen.

Die Präsidentin blickte ihr nach, solange etwas von ihr sichtbar blieb. Dann sah sie die durch die alte Pauline hereingebrachte Frühpost durch, vermisste dabei die Zusage des aufmerksamen Freundes und ging zum Telefon, um ihn zu befragen, wann er morgen frühestens kommen könnte. Der Vorsteher seines Büros antwortete an seiner statt, dass der Justizrat seit gestern leider mit einer heftigen Erkältung zu Bette liege und hohes Fieber habe. – Das beunruhigte sie auch wegen des andern. Gar zu gern hätte sie nun endlich ihrem längst ordnungsmäßig aufgesetzten Testament jene Nachschrift angefügt, die Eva von Ostrieds Zukunft sicherstellte. Einem ausdrücklichen Wunsch ihres verstorbenen Gatten entsprach es, dass sie vor Ausführung jeden größeren Entschlusses den Rat seines als treu und klug erprobten Jugendfreundes hörte.

Bisher war sie seinem Wunsch stets gefolgt. Für die beabsichtigten Stiftungen, denen, mangels Erbberechtigter, ihr großes Vermögen neben reichen Legaten bestimmt war, hatte sie auch eines klugen, juristischen Beistandes bedurft. Nun hieß es ein Teilchen von dem bereits Verfügten abzustreichen und diesem neuen Zweck zuzuführen. Der Gedanke an ein Hinausschieben wollte sie unruhig machen. Die Gewöhnung an klares, ruhiges Überlegen siegte jedoch.

Schließlich kam es auf ein paar Tage des Wartens dabei nicht an.

Sie war damit beschäftigt, den Gaben, die Eva von Ostried morgen erfreuen sollten, ein möglichst festliches Aussehen zu verleihen, als die alte Pauline, die bereits der jungen Frau Assessor Melchers treu gedient hatte, hereinkam und den Besuch eines fremden Herrn meldete. Es war kaum zehn Uhr vormittags. Die Stunde dafür also ungewöhnlich. Deshalb ließ ihn die Präsidentin nicht eher hereinbitten, bis er sein Anliegen genannt hatte.

Das war in kurzen Worten geschehen.

»Er käme wegen unserm Fräulein«, berichtete Pauline und die anfängliche Missbilligung war aus ihrem Gesicht verschwunden.

Der bald darauf Eintretende war ein Mann von ungefähr fünfzig Jahren. Seine breitschultrige Gestalt zeigte die Kraft und Frische eines Menschen, der einem gesunden Beruf nachgeht. Sein Gesicht war tief gebräunt. Unter den buschigen Brauen blickten die Augen treu und klar. Er gefiel der Präsidentin, noch ehe sie ihn angehört hatte. Das anfängliche Unbehagen, es könne sich um einen der vielen heimlichen Verehrer ihres schönen Schützlings handeln, wandelte sich in eine Art behaglicher Neugier. Von diesem ehrenhaft Wirkenden konnte ihrem Liebling unmöglich eine Gefahr drohen. Als er seinen Namen nannte, streckte sie ihm herzlich die Rechte entgegen.

»Amtsrat Wullenweber aus Hohen-Klitzig, Regierungsbezirk Köslin, Hinterpommern«, wiederholte sie mit einem warmen Lächeln. »Also – Eva von Ostrieds Vormund! Wie es mich freut, Sie persönlich kennenzulernen. Unser Briefwechsel war damals kurz und gestaltete sich unerfreulich, nicht wahr?«

»Ja«, sagte er, »ich bildete mir fest ein, dass Sie, Frau Präsident, den unglücklichen Gedanken meines Mündels kräftig unterstützten.«

»Warum bezeichnen Sie ihn als unglücklich, Herr Amtsrat?«

»Das lässt sich nicht in ein paar Worten sagen.«

»Soll dies heißen, dass die Zeit zu einer richtiggehenden, sogar für eine Frau begreiflichen Erklärung, Ihnen auch heute fehlt?«

»Zeit hätte ich schon, Frau Präsident. Mein Zug geht erst in vier Stunden. Mein Hauptgeschäft, der Ankauf einer landwirtschaftlichen Maschine, ist bestens besorgt.«

»Ach«, machte sie enttäuscht, »und ich dachte, dass Sie zu mir kämen, weil doch morgen Eva von Ostried selbstständig wird.«

Er lächelte. Das gab seinem ernsten, stillen Gesicht etwas unendlich Gutes und Liebenswertes.

»Ich glaube, Sie unterschätzen die Sorgen und Lasten des Landmannes in dieser jetzigen, bösen Zeit, Frau Präsident. Sobald er den Rücken wendet, geschieht bestimmt eine Dummheit. Ich will mich also nicht als einer hinstellen, der allein von der Verantwortung seiner Vormundschaft getrieben wird. Wennschon ich nicht verhehlen kann, dass mir Eva von Ostried viel Sorge gemacht hat.«

»Lieber Herr Amtsrat, das Schicksal teile ich mit Ihnen! Wer sie lieb hat, wird ewig mit einer gewissen Unruhe im Herzen ihrer Entwicklung zusehen.«

»Eigentlich lieb ist sie mir nie gewesen«, gestand der Amtsrat freimütig ein, »dazu hatte sie zu viel von ihrem Vater.«

Ein verstehendes Lächeln erschien auf dem Frauenantlitz.

»Dann haben Sie ihrer Mutter sicher sehr nahegestanden.«

»Woher wissen Sie das, Frau Präsident?« Er sah sie erstaunt und unsicher an.

»Ich ahne es mit dem Gefühl der reifen Frau. – Der Vater war augenscheinlich niemals Ihr wahrer Freund. Die Tochter steht Ihrem Herzen nicht sonderlich nahe und dennoch wehrten Sie sich mit einem fast leidenschaftlichen Grimm gegen die Fortsetzung ihrer einst vom Vater gebilligten musikalischen Ausbildung, nachdem der berühmte Gönner tot war. Da muss also entweder das höchste Gefühl von Verantwortung und dieses haben Sie mir ja soeben abgestritten – oder das, einer geliebten Verstorbenen gegebene Versprechen zugrunde liegen.«

»So ist es wirklich. Evas Mutter war die beste und edelste Frau!«

»Sie sind unvermählt geblieben, Herr Amtsrat?« Er nickte wehmütig.

»Ein paarmal habe ich später aus dieser Einsamkeit herauswollen und es doch nie über kläglich gescheiterte Versuche gebracht. Das heißt: verstehen Sie mich nicht falsch. Der andere Teil merkte nichts davon. Nur mit mir allein brachte ich die Geschichte in Ordnung. Das genügte. – Ich konnte Evas Mutter nicht vergessen.«

»Verzeihen Sie, wenn ich forsche. Unzartheit ist es nicht. Wie konnte es kommen, dass Sie sich nicht – war selbst anfangs keine Gegenliebe vorhanden – von so viel Tiefe und Treue rühren ließen?«

Sein grauer Kopf neigte sich auf die Brust.

»Als ich sie kennenlernte, gehörte sie schon dem andern. Und ich war sein Freund und nächster Nachbar. Wissen Sie ... kein Freund, wie Sie und auch ich jetzt, ihn verlangen. Dazu waren wir beide viel zu verschieden. Ich eines schlichten Vaters vierter und jüngster Junge, zur strengsten Arbeit und Pflichterfüllung seit den ersten Hosen an, erzogen – er, der Einzige des schönen, flotten und leichtsinnigen Majoratsherrn auf Waldesruh. Springt man aber jahrelang zusammen barfuß über die Stoppeln, lauert im Erlenbusch auf die nistende Rohrdommel oder Nachtigall, weil irgendein Landbezopftes dem dummen Jungen den Kopf verdreht hat – na, dann macht sich so was von selbst. Mein Vater hat zudem dem flotten alten Herrn auf Waldesruh des Öfteren ausgeholfen, ohne sonderlich streng auf die Zinsen zu sehen. So kam's, dass er, der sonst reichlich hochmütig sein konnte, auch mich als Spielgefährten seines Sohnes gnädig duldete. Meine Brüder sind in andern Provinzen untergekrochen. Bis auf einen, der sich glücklich bis zum Major durchgehungert hat und, nachdem ihm ein Jagdunglück, das kriegerische Handwerk gelegt, hier in Berlin mit seinen beiden Kindern kein beneidenswertes Dasein hatte. Die Landwirte saßen auf guten, kleinen Höfen, die Mann, Weib und Kind ernähren. Sie sind schon verstorben. – Ich kam durch das Erbteil einer Muhme in die Lage, die väterliche Domäne zu übernehmen, nachdem mein alter Herr sich zum Sterben hingelegt hatte. – Ein Jahr später schoss sich der schöne, tolle, leichtsinnige Vater Ostried eine Kugel durch den Kopf. Sein Sohn, der bei den Pasewalker Kürassieren stand, musste die Uniform ausziehen. Das verlangte eine Familienbestimmung. Er tat es ungern, wenngleich er sich trotzdem so viel Vergnügen, wie nur irgend möglich, bereitete. Kaum war das Trauerjahr zu Ende, jagte ein Fest das andere. Der Acker kam dabei natürlich nicht zu seinem Recht. Aber, ich merke schon, ich erzähle zu langatmig, Frau Präsident.« Sie wehrte ab.

»Mich interessiert auch das Kleinste in Ihrer Geschichte, Herr Amtsrat. Und Zeit haben wir reichlich. Der Blick, den Sie soeben nach der Tür warfen, soll wohl die Frage nach Eva von Ostried ausdrücken, nicht wahr?«

»Stimmt wieder. Sie ist doch noch bei Ihnen?«

»Sonst wüssten Sie es längst anders. Sie besorgt jetzt nur allerhand für ihren Geburtstag. Ich bin leider für körperliche Anstrengungen nicht mehr tauglich. – Nachher hoffe ich, werden Sie sie noch bestimmt sehen können.«

Er wiegte bedächtig den Kopf hin und her.

»Darauf lege ich keinen Wert, Frau Präsident. Ich würde ihr gegenüber entweder gerührt – oder hilflos sein. Beides könnte den mangelnden Respekt nicht bringen. – Nein, lassen Sie nur! Will es der Zufall, dass sie kommt, solange ich da bin, drücke ich mich natürlich nicht.«

Sie verstand ihn wieder.

»Und nun weiter«, drängte sie.

»Ja und zu einem dieser stolzen Feste kam denn auch eine vergrämt aussehende Baronin mit ihrer Tochter. Mich hatte er auch geladen, und – weiß Gott – wie es kam, ich erschien, obwohl ich zuvor dutzende von Malen abgesagt hatte. – Bis dahin wusste ich nicht viel davon, wie lieblich eine Frau sein kann. Denn die Langbezopften in unserm Dorf hatten fast durchgängig Regennasen und derbe, rote Gesichter. Ich war auch sonst keiner von den Redseligen. Aber an dem Tage konnte ich überhaupt keinen Ton rausbringen. Nicht mal einen Glückwunsch fand ich zusammen, als mir mein Freund – Hasso von Ostried – die mir unirdisch schön erscheinende Tochter der alten Baronin als seine Braut vorstellte. – Ich habe sie dann auch noch singen hören. Mein Gott – zu Musik hat bei uns nie die Zeit gereicht. Darum wusste ich vorher nichts von ihrem Zauber. Er hat alles in mir wach und groß gerüttelt. Aber es durfte doch nicht leben. Als ich lange nach Mitternacht heimgestolpert bin, wusste ich, dass ich Hasso von Ostrieds Braut liebte – und wollte nie, nie wieder in sein Haus. Ihr nie – nie wieder begegnen. Und bin nachher doch, ganz freiwillig, hingegangen, weil ich wusste, dass sie bald einen nötig hatte, der es treu und gut mit ihr meinte. Auf den sie unbedingt zählen konnte, wenn das unbarmherzige Kreuz für ihre schwachen Schultern zu schwer würde. – Denn er, der von Gottes und Rechts wegen dazu bestimmt gewesen, kümmerte sich bloß die ersten Jahre um sie. Nachher war anderes genug da. – Die Jagd – schöne Gäule – auch ein paar Frauen, die seiner nicht das Wasser reichen konnten. Auch wollte er es nicht verwinden, dass das endlich geborene Kind ein Mädchen war und keinen Bruder bekam. – Sie – Evas Mutter – wurde blasser und elender von Jahr zu Jahr. Er hat gelacht, wenn ihn einer warnend darauf hinwies. Ihre Tröster waren die Musik und – ich! Das hat sie mir gestanden – drei Tage vor ihrem Tode, der ganz leise und sanft gewesen sein muss, denn niemand im Schloss hat etwas früher davon gemerkt, als bis alles vorüber gewesen ist.«

»Und sie hat nicht gewollt, dass Eva, wenn sich die schöne Begabung auf sie übertrüge, sie jemals öffentlich ausübe«, fragte die Präsidentin, als er einen Augenblick schwieg.

»Sie hat mein Versprechen mit ins Grab genommen, Frau Präsident.«

»Darf ich wissen, worin dies bestand, Herr Amtsrat?«

»Das ist ja die Hauptsache, damit Sie mich und meine damalige Schroffheit endlich verstehen. Sie müssen wissen, dass sie sich niemals zu mir über ihren Mann beklagt hat. Darum hat mich dies Letzte auch so erschüttert. Für sich und ihre Schönheit wollte sie nichts. Jahraus – jahrein ging sie in einem weißen Kleide und ich glaube nicht, dass sie etwas anderes anzuziehen hatte. Manch einer riss seine Witze drüber und hat gemeint, sie spare heimlich, um dem teuren Gatten alle Jahr ein paar Flaschen echten Sekt zu schenken, von dem die Buddel damals schon 30 Mark gekostet hat. Ich als Einziger habe die Wahrheit erfahren dürfen. Ganz zuletzt – wie schon gesagt. Ich will Ihnen ihre Worte wiederholen. ›Sie sollen über meiner Tochter wachen‹, hat sie gebeten und als ich leise auf Evas Vater hinweisen musste, nur geflüstert: ›Sie wird ihm bald genug eine Last sein, denn er ist noch jung und will viel vom Leben. Die Ostried'schen Familiengesetze verlangen aber, dass den unmündigen Töchtern bei einer zweiten Eheschließung ein Vormund gesetzt werde. In gewisser Weise hängt er an ihr‹, hat sie dann weiter gesagt, ›denn sie wird einst sehr, sehr schön sein. Das macht ihn stolz. Sonst aber – innerlich – empfindet er dauernd ein Unbehagen, Eva und er gleichen einander zu sehr. Sie ist eitel und egoistisch wie er – schon jetzt – und …‹ Hier hat sie ihr Gesicht in den Händen verborgen, als schäme sie sich ihrer Geständnisse, ›ich glaube beinahe, käme sie nicht in sehr feste, treue Hände, dass auch sie es mit den Begriffen der Ehre nicht so ganz genau nähme. Darum – solange Sie Gewalt über sie haben, erlauben Sie nicht, dass sie das Talent, das ich ihr vererben musste, – die Stimme, deren Schönheit sich meinem Ohr längst angekündet hat, zum Beruf ausbilde. Er würde ihr zum Unsegen werden. – Ich selbst dachte niemals an etwas Derartiges. Schon der Gedanke, mich öffentlich zeigen zu sollen, mich von jedem bewundern und anstarren zu lassen – machte mir Schmerzen. – Entwickelt sie sich aber weiter zur Tochter ihres Vaters, wird sie gerade dies glühend ersehnen …‹ Ja, so hat sie gesprochen, Frau Präsident. Zuletzt händigte sie mir noch ein Päckchen ein, das ich ihrer Tochter bei deren Volljährigkeit übergeben müsse. Es waren fünfhundert Mark. Wie viel Entbehrungen mochten daran hängen? Bedenken Sie, aus der Hauswirtschaft nahm sie keinen Pfennig ein. Was der Garten abwarf, bekam der Schlossherr gleich auf den Schreibtisch – wenn die Kaufleute die Erzeugnisse nicht schon zuvor für längst gelieferte Waren mit Beschlag belegt hatten. Einzig hundert Mark im Jahr erhielt sie aus einer Stiftung vonseiten der verstorbenen Mutter her. Davon also hat sie dies zusammengerafft. – Ich hab's gut angelegt und hier ist es. Es sind tausend Mark draus geworden. Nicht viel. Ich habe mir erzählen lassen, dass nach ihrem Tode der Witwer einer schönen Schauspielerin einen einzigen Mantel für das Dreifache gekauft habe. – Aber, es ist doch viel mehr wert wie Millionen. Das Herz dieser seltenen, tapferen Frau hängt daran. Wollen Sie das alles ihrer Tochter erzählen? – Ich kann's nicht so. Ich würde wieder und wieder denken müssen ... das ist Hasso Ostrieds Tochter ... und würde das Bild vor mir sehen, das ich oft in Wirklichkeit hatte. Obschon der zwei Jahre nach ihrem Tod von dem Ostried'schen Kuratorium zwangsweise eingesetzte Verwalter des Majorats ihnen später jeden Kohlkopf und Groschen zugezählt hat und die Eva mit ihren siebzehn Jahren auch nicht mehr gänzlich blind und taub durch die Tage ging – hat sie die Feste, die er – wer weiß – aus welchen Mitteln, schließlich wieder veranstaltete, mitgemacht – sich allerlei bunte Fähnchen gekauft und mitgelacht ...«

»Vergessen Sie ihre Jugend nicht, Herr Amtsrat.«

»Ihre Mutter ist auch jung gewesen und schön wie ein Engel und rein und hochbegabt«, murrte er.

»Vielleicht auch glücklich. – Wissen Sie denn, Herr Amtsrat, ob es ihr nicht ein tiefes großes Glücksempfinden brachte, dass Sie ihr ergeben waren?«

»Daran habe ich niemals gedacht.«

»Und es liegt doch so nahe! Ich denke mir, dass sie Ihre feine, starke Liebe immer fühlte und das unbegrenzte Vertrauen zu Ihnen fasste, weil Sie sich im Zaum hielten. Eine Frau geht nicht dauernd an tiefstem Mannesempfinden vorbei. Vielleicht wäre sie sonst unter ihrer Last zusammengebrochen.«

Er saß ganz still. Seine breiten, sonnverbrannten Hände lagen schwer auf den Knien.

»Wenn es wahr wäre«, sagte er ein paarmal vor sich hin, »das wäre schön.«

»Es ist wahr«, bekräftigte die Präsidentin. »Wie stellte sich übrigens Evas Vater später zu Ihnen?«

»Er war auffallend kurz und unfreundlich, wenn wir uns zufällig an den Grenzen trafen. Sein Haus betrat ich nicht wieder.«

»Merken Sie jetzt, dass ich im Recht bin? Obgleich er die Tote nicht mit wirklicher Treue liebte, war seiner Eitelkeit der Gedanke, dass Sie ihr mehr, als er, bedeutet hatten, unerträglich.«

»Er bestimmte sogar in einem hinterlassenen Brief ausdrücklich einen andern Vormund, wie mich, im Falle ich ihn überleben sollte, und seine Tochter zu diesem Zeitpunkt noch unmündig wäre. Dabei war er von dem Wunsch der Toten genau unterrichtet.«

»Wie kam es also, dass Sie es dennoch geworden sind?«

»Nun, er war im Laufe der Jahre den Herren vom Gericht bekannt geworden. Seine zahlreichen Gläubiger wurden durch seine Gleichgültigkeit stets gezwungen, sich letzten Endes an die große Stelle für das öffentliche Recht zu wenden. Auch war sein Leumund schlechter geworden, seitdem er allein mit der Tochter lebte. Derjenige aber, den er als Vormund für seine Eva vorgeschlagen hatte, war genauso ein leichtsinniger, loser Vogel wie er selbst.«

»An seinen verhältnismäßig frühen Tod muss er doch gedacht haben. Wie wäre sonst jener Brief zustande gekommen?«

»Ein toller Ritt nach durchzechter Nacht brachte ihm die schwere Lungenentzündung, an deren Folgen er nach ein paar Wochen auch gestorben ist. Seine Natur hat sich erstaunlich lange gegen den Sensenmann gewehrt. In dieser Zeit der Langeweile und vielleicht auch der Nachdenklichkeit ist das erwähnte Schriftstück, das sonst keinerlei Wichtiges enthält, entstanden.«

»War er eigentlich mit dem Entschluss seiner Tochter und dem hochherzigen Anerbieten seines Freundes, des bekannten Königlichen Kammersängers, sofort einverstanden? Evas Ansicht, die dies lebhaft bejaht, ist mir in dieser Beziehung nicht maßgebend?«

»Doch, ich glaube es auch! Das Messer saß ihm an der Kehle. Allmählich sahen auch die Gläubigsten unter seinen Kreditgebern, dass das Kuratorium ihn unerbittlich beschränkte. Sie zogen sich mehr und mehr von ihm zurück, um zu den alten Dummheiten keine neuen anzufügen. Denn er hatte etwas bestrickend Liebenswürdiges, das auch die Vernünftigsten oft genug blendete. – An mich hat er sich niemals gewandt. Und das ist das Einzige, was ich ihm hoch anrechne. – Er kannte die ungeheuren Einnahmen des Kammersängers, der, gleich ihm aus einer altadligen Familie stammte, und mag wohl – bestimmt durch die glanzvolle Aussicht für die Tochter, durch welche sich auch seine Lage endlich wieder heben musste, die erbetene Erlaubnis zu ihrer Übersiedlung nach Berlin bereitwilligst gegeben haben. Eva soll dort übrigens ganz zur Familie gehört haben. Die Gattin des Künstlers wurde mir seinerzeit als gute Hausfrau gerühmt. – Davon werden Sie natürlich mehr wissen, wie ich?«

»Eva ist damals ganz in ihrer Kunst aufgegangen und hat sich scheinbar um die ihr reichlich prosaisch dünkende Frau des Gönners wenig gekümmert. Jedenfalls hat der Umstand, dass die nach dem Tode ihres Mannes sofort den Haushalt auflöste und – ohne Rücksicht auf Eva – nach München übersiedelte und sich niemals seitdem durch eine Zeile nach ihr erkundigt hat, zur Genüge bewiesen, wie lose das Band eines Zusammenhaltes zwischen ihnen gewesen ist …«

»Alles in allem wird Eva von Ostried aber inzwischen eingesehen haben, dass ich es gut mit ihr gemeint habe?«

»Leider kann ich das nicht bejahen!«

»Ich nahm die Tatsache, dass sie keinen weiteren Versuch zu meiner Umstimmung machte, für weise Einsicht an.«

»Wie wenig kennen Sie die Tochter Ihrer geliebten Toten! Ihr Schweigen hatte einen andern Grund. Ich machte ihr klar, dass ich Ihnen keine schnelle Änderung einmal gefasster Ansichten zutraue und vertröstete sie auf die Zukunft. Da war sie klug genug, sich einstweilen zu bescheiden.«

»Danach scheinen Sie also ihre Wünsche zu unterstützen, Frau Präsident? Das ist mir nach dem starken Eindruck, den ich von Ihnen empfing, unbegreiflich.«

»Auch Sie wären andern Sinnes geworden, hätten Sie sich, gleich mir, von dem Ernst ihrer Bestrebungen, überzeugen müssen. Und nun gar die eigene Mutter. Ich habe kein Kind besessen. Und doch fühle ich, dass eine jede von uns zurücktreten kann und auch will, wird sie inne, dass sie der wahren Befriedigung des Kindes hinderlich ist.«

»Darin sollen Sie recht behalten. Frau von Ostried war wohl eine scheue, stille Frau für sich selbst. Hätte sie aber einsehen müssen, dass die Tochter schwer unter der Versagung ihrer Erlaubnis litt, wäre sie fraglos nachgiebig geworden.«

»Nun begreife ich Sie immer weniger.«

»Das ist auch schwer für Sie. Wir leben in zu verschiedenen Verhältnissen. Für Sie ist die Grenze, die ich als Horizont achte, nur ein Scheinbegriff geblieben, hinter dem sich die Unendlichkeit ausdehnt. Und Wachstum gibt es in Ihrem Leben auch wohl ohne Segen und

Regen. Ich sah nur mein ganzes Leben hindurch klare Luft, den Horizont und die Entwicklung jeglichen Dinges durch Sonne und Regen … Einmal bin ich im Theater gewesen und danach nie wieder. Es hat mich abgestoßen. Lachen Sie ruhig darüber. Eine Frau stand auf der Bühne und hat alles das vor fremden Ohren preisgegeben, was sie sonst schamhaft mit sich allein abmacht. – Mir kam sie dadurch wie entkleidet vor. – Dies Gefühl hat mir die Richtschnur gegeben. Schön und gut! Es mag viel Kunst dabei sein können. Das verstehe ich nicht. Viel Unwahrhaftigkeit und Übertreibung aber auch. Dazu kommt, dass in der Familie meines einzig noch lebenden Bruders eine Tochter, die viel Hang zur Musik und zur Künstlerschaft hatte, verloren gegangen ist. Es ist mir sehr nahe gegangen. Die Kinder meiner andern Brüder, von denen ich Ihnen auch sagte, sind frühzeitig gestorben. Nun habe ich nur noch einen Neffen, mit dem ich nie recht warm werden konnte.«

Dass ein Mann, der das Leben mit all seinen Härten, Entsagungen und Verlockungen kannte, ein öffentliches Auftreten von dieser Warte beurteilte, rührte die Präsidentin. Freilich mochte es reichlich unmodern sein – ja, in den Augen der meisten wohl gar lächerlich wirken. Ihr zeigte es den hohen, sittlichen Wert dieses Mannes, dessen unbewusste, kinderreine Keuschheit sich gegen Schaustellungen der Gefühle heftig sträubten.

»Was hätte ich dagegen tun wollen«, sagte sie nach einer Weile des Schweigens. »Es wurzelt zu tief bei ihr. Ich hätte sie ganz verloren. Nun darf ich sie wenigstens noch eine Zeit lang behalten.«

»Sie besitzt aber nichts, als das Geld, das ich vorher in Ihre Hand gelegt habe, Frau Präsident, und ich habe mir erzählen lassen, wie hoch die Kosten einer gründlichen Ausbildung sind. Damit sollen aber die Ausgaben noch nicht aufhören. Eine erhebliche Summe, sozusagen als Daseinssicherheit, muss außerdem vorhanden sein. Mal gibt's keine Einnahmen. Mal kosten die Kleider mehr, wie das gesamte Spielhonorar beträgt …« Sie musste unwillkürlich über seinen Eifer, hinter dem sich ein Stückchen Triumph barg, lächeln.

»Ich bin reich«, gestand sie endlich. »Sehr reich sogar und habe für niemand leiblich Verwandtes zu sorgen. Das hat mir oft bitter wehgetan. Ich meinte, die gnädige Vorsehung schickte mir Eva von Ostried als Ausgleich für mancherlei Entbehrtes. Nun, Enttäuschungen kamen auch hinterher. In gewissem Sinne ähnelt sie bestimmt dem Vater, wie Sie ihn mir schilderten. Wenn auch alles liebenswerter und weicher in ihr gestaltet ist. Ich konnte gar nicht anders handeln, als ich es schließlich getan habe. Mit dem Augenblick, in dem ich sie in mein Haus aufnahm, gab ich mir das Versprechen, für sie zu sorgen. – Im April nächsten Jahres etwa wird sie wieder ernsthaft ihre Studien aufnehmen. Die Mittel bis zum Schluss und ein rundes Kapital für die von Ihnen erwähnten Dinge, soll sie von mir erhalten. Ich bringe das in den nächsten Tagen in Ordnung.«

»Dann habe ich das meiste umsonst geredet, Frau Präsident.«

»Glauben Sie das nicht, Herr Amtsrat. Ich gebe alles in passender Stunde an Eva weiter. Es wird Wurzel schlagen. Mit Strenge ist nicht viel bei ihr zu wirken. Regt sich aber der gute Kern – spricht die Dankbarkeit und besonders das Erbe ihrer Mutter – eine große Reinheit in Empfindung und Anschauung – dann kann sie erstaunlich fügsam und weich sein. Die durch die Wiedergabe Ihrer Worte von Neuem geweckte Erinnerung an ihre tote Mutter wird ihr zum Schutz werden.«

»Sie wird das bisschen Erlernte von der Musik gründlich vergessen haben«, wandte der Amtsrat ein. »Drei Jahre ist sie nun bei Ihnen.«

»Und Sie meinen wirklich, dass ich in dieser Zeit das Erreichte nicht wenigstens erhalten hätte? So kurzsichtig und engherzig war ich nicht. Ich habe ihr einen bedeutenden Lehrer gehalten und wenn ich auch keine zeitraubenden Übungsstunden gestattete – eben weil sie sich an die Erfüllung bestimmter Pflichten gewöhnen sollte – dies Ende zur Rückkehr sah ich stets voraus. Es waren also auch in dieser Beziehung keine verlorenen Jahre.«

»Die kommenden Zeiten werden unruhig für Sie werden, Frau Präsident. Und eine Stütze dürften Sie im Alter kaum an ihr haben.«

»Ich glaube auch nicht, dass ich ihrer bedarf, lieber Herr Amtsrat. Ich entstamme einer kurzlebigen Familie. Eigentlich halte ich mich schon länger, als es mir vor ungefähr zehn Jahren ein besonders barscher Arzt bemessen hat. Ich bin auch jederzeit bereit. Nur vorher will ich noch, etwa im ersten Frühlingsgrün des nächsten Jahres, eine liebe Jugendbekannte in ihrem Heimatsstädtchen aufsuchen. Immer wieder habe ich das hinausgeschoben. Jetzt bin ich fest dazu entschlossen. Und wissen Sie, wen ich bei dieser Gelegenheit noch besuchen möchte? Dieser Gedanke ist ganz neu. Einen guten, treuen Menschen, welcher der beste und zuverlässigste Freund gewesen ist. Seine Scholle liegt meinem Wege überaus günstig. Wenn ich richtig schätze, kaum eine Bahnstunde von der pommerschen Seestadt entfernt, in welcher meine Bekannte lebt. Wollen Sie seinen Namen wissen? Er heißt Amtsrat Wullenweber und wird hiermit feierlich angefragt, ob er mich wohl auf einen Tag haben mag?«

Er strahlte, sie aus seinen treuen, blauen Augen ehrlich erfreut an.

»Ob ich mag, Frau Präsident! Ich will alles vom Boden bis zum Keller putzen lassen und meine alte Klidderten soll mal zeigen, was eine richtige, gute hinterpommersche Wirtschafterin leisten kann.«

»Um Gottes willen«, lachte sie fröhlich, »das wird bestimmt unmöglich gemacht. Eines Tages trete ich, ohne vorherige Anmeldung, mit einem kleinen Reisetäschlein, bei Ihnen an und werde dankbar sein, wenn Sie mir einen Platz an Ihrem Tisch und höchstens noch ein Gericht Dabersche Kartoffeln mit fetter Buttermilch gönnen. Denn Sie müssen wissen, dass meines lieben Mannes erste Richterstelle in Köslin war, das ebenfalls im Regierungsbezirk Köslin liegt. Darüber sind freilich schon einige dreißig Jahre vergangen. Auch haben wir damals weder Zeit noch Lust gehabt auf den benachbarten Gütern Bekanntschaften anzuknüpfen. Meines Mannes Dezernat war sehr umfangreich. Ein Anwalt, der ihm die zahlreichen Verträge und Testamente abgenommen hätte, wollte sich aus Furcht, kein genügendes Auskommen zu finden, nicht niederlassen.«

»Und jetzt sitzen dort längst ihrer zwei, die in guter Freundschaft miteinander leben.« –

»Sie kennen das kleine, saubere Städtchen natürlich ganz genau?«

»Versteht sich, Frau Präsident. So dick gesät sind ja die Nester bei uns da hinten bekanntlich nicht. Mit meinen jungen Schimmeln schaffe ich die Geschichte in knappen drei Stunden.«

»Wie seltsam spielt die Vorsehung. Ich bin geneigt, dies alles als etwas anzusehen, das Eva von Ostried zum Nutzen und Frommen werden muss. Vielleicht lernen Sie sie bald näher kennen und gewinnen sie im Laufe der Zeit ebenso lieb, wie ich es tue.«

»Daran würde ihr kaum etwas gelegen sein. Ich habe herausgefühlt, dass ihr Vater über mich in einem Ton gesprochen haben muss, der weder Vertrauen noch Hochachtung säen konnte.«

»Und dennoch bitte ich Sie in dieser Stunde von ganzem Herzen, unser Sorgenkind nicht aus den Augen zu lassen, wenn sich die Prophezeiung jenes Arztes einmal überraschend schnell an mir vollziehen sollte.«

»Sie werden gemerkt haben, dass ich ein schwerfälliger Mensch bin, Frau Präsident.«

»Einer, hinter dessen schlichtem Wort jedenfalls die Tat steht, Herr Amtsrat.«

»Aber auch ein Weltfremder und Ungeschickter.«

»Sie zögern also?«

»Wenn Weg und Ziel im Dunst liegen, geht die Fahrt gewöhnlich schief. Ich wüsste nicht, womit ich ihr helfen könnte.«

»Das ist mir vorläufig gleichfalls verborgen. Es kann aber sehr wohl kommen, dass sie durch irgendwelche Ereignisse hilflos wird. Ich will morgen auch diesen Fall mit ihr besprechen. Sie soll sich an Sie wenden, wenn sie allein nicht mehr weiter kann.«

»Tut sie das, Frau Präsident, will ich ihr nach bestem Wissen raten und helfen. Darauf mein Wort.«

»Das genügt mir. Ich danke Ihnen innig, Herr Amtsrat, und jetzt lassen Sie uns ein Glas jenes alten schweren Weines zusammen trinken, dessen letzte Flasche seit einem viertel Jahrhundert auf einen würdigen Augenblick im Keller wartet.«

Hell war auch der neue Tag und voll goldenen Lichtes. Eva von Ostried stand unter einem besonders gesegneten Apfelbaum. Ein Stückchen blauen Himmels und die begrenzte Ferne drängte sich durch das Gewirr der Zweige und Früchte. Stolze Träume schoben ihr jedes Hindernis fort. Sie fühlte sich frei wie nie zuvor, trotzdem ihr nichts geschehen war, als dass sich heute ihr einundzwanzigstes Lebensjahr vollendete. Der kommenden, ernsten Arbeit gedachte sie freilich auch. Mehr aber des andern, nach dem sie sich unaussprechlich sehnte.

Reich – angebetet – beneidet zu werden, war ihr Streben. Von jeher hasste sie dies Einschränken und Sorgenmüssen. Der Traum ungezählter Tage, das bewusste und unbewusste Sehnen nächtlicher Träume, gilt dem Glanz einer sorglos heiteren Zukunft. Erst, nach dem großherzigen Versprechen der Präsidentin erkannte sie schaudernd, dass ihr Leben verfehlt und zerbrochen gewesen wäre, hätte die gütige Frau ihre Zukunftswege nicht zu ebnen versprochen.

Bei dem bloßen Gedanken an diese Möglichkeit schüttelte sie wiederum ein Grauen. Vielleicht hätte sie dann, gezwungen von ihrer

Sehnsucht, den Versuch gemacht, um jeden Preis die fehlenden Mittel selbst zu beschaffen. So aber war es schöner und bequemer!

Sie nickte der Sonne zu und jauchzte hell auf – streckte die Arme und griff spielerisch nach den blendenden Kreisen.

»Der Ruhm soll mir beide Hände mit Gold füllen.«

Von der Veranda her ertönte ihr Name. Ungeduldig winkte ihr die Präsidentin.

»Wo bleiben Sie, Eva?«

Da flogen die Träume von dannen. Was aber blieb, war noch köstlich genug. Gaben – Freundlichkeit – und Ermahnungen. Auch diese! Eva von Ostried hörte scheinbar aufmerksam zu, als ihr Frau Melchers vom alten Amtsrat Wullenweber und allem, was zwischen ihnen gesprochen war, sagte. Im Stillen dachte sie:

»Ehe ich mich jemals an den engherzigen, mürrischen Nachbar wende, würde ich lieber hungern.«

Dass dies Schreckliche in Wahrheit eintreten könnte, erschien ihr freilich undenkbar.

Als sie das Erbe der Mutter empfing, musste sie weinen.

Es war ja so unendlich wenig. Ihr Vater hatte oft mehr als das Dreifache in einer Nacht im Spiele verloren. Aber es rührte sie! Die verblassten Erinnerungen füllten sich mit lebendigen Farben. –

Ihre feine, kleine, stille, zarte Mutter! – Wie sie Paul Karlsen in der Dunkelheit des gemeinsamen Warteraums an sich gerissen, hatte sie ihrer plötzlich gedenken müssen – sie um Hilfe anflehend. – Den Vater hatte sie damals vergessen. Der war ja auch nur für die lustigen Stunden dagewesen. – Sie hielt das Geld traumverloren fest und sah unverwandt darauf nieder.

»Was gedenken Sie damit zu beginnen, Eva«, forschte die Präsidentin neugierig. »Am besten tragen Sie es noch heute auf die Bank.«

»Ich gebe es nicht fort«, sagte Eva hastig. »In meinem Schmuckkasten, der leider nichts birgt, als die kleine goldene Brosche von Ihnen, wird es liegen und geduldig warten.«

»Worauf denn, Kind?«

»Dass ich es in etwas Wunderschönes umsetze. Ich weiß auch schon, worin. Zum Beispiel einen Teil in den entzückenden Hut mit dem Reiher, von dem uns neulich die Verkäuferin sagte, dass ihn getrost eine regierende Fürstin tragen könne.«

»Dies mühsam abgedarbte Scherflein Ihrer guten Mutter wollten Sie so hinwerfen, Eva?«

»Schelten Sie nur! – Schön und verführerisch bleibt der Gedanke doch. Da geht eine Prinzessin oder zum Mindesten eine Millionärin, würden sie sagen und sich nach mir umdrehen. Und würden vor Neid fast platzen. Und ich lache mich halb tot und freue mich.«

Da brach jene oft bekämpfte Verständnislosigkeit, die den eigentlichen Wert des Geldes gar nicht begriff, wieder durch. Scheinbar war sie unbesiegbar. Die Präsidentin beschattete die Augen mit der Rechten. Es war doch nicht möglich, dass sie ohne ihren alten Freund und Rechtsbeistand die Bestimmung über Eva von Ostrieds zukünftiges Erbe traf.

Eva von Ostried hatte keinen Augenblick die Empfindung, etwas Unrechtes ausgesprochen zu haben. Sie lief fröhlich der Post entgegen, die soeben, nach dem langhallenden Klingelton, in den am Gitter angebrachten Kasten hineingeschoben wurde. Bald darauf hielt die Präsidentin einen an sie gerichteten Brief in der Hand. Die Schrift auf dem Umschlag war ihr fremd. Ohne sonderliche Eile öffnete sie ihn. Ihre häufig auch nach außen hin betätigte Herzenswärme brachte ihr fast täglich die bittenden Jammerrufe Notleidender ins Haus. Als sie die wenigen Zeilen überflogen hatte, erblasste sie und sagte weich und zärtlich:

»Du sollst mich nicht vergeblich gerufen haben.«

3.

Solange Eva von Ostried im Hause der Präsidentin weilte, hatte sich jene noch niemals von einer Aufregung sichtbar beherrschen lassen. Zu allen Zeiten wusste sie das wohltuende Gleichmaß einer abgeklärten Ruhe zu bewahren. Jetzt aber sprang sie mit den Zeichen einer großen Erregung auf und ging hastig in dem blumengeschmückten Zimmer auf und nieder. Dabei ließ sie den soeben empfangenen Brief keinen Augenblick aus der Hand. Immer wieder überlas sie ihn und fuhr zuweilen sanft darüber hin, als ob sie etwas Liebes streicheln wolle. Endlich blieb sie vor Eva stehen.

»Meine alte, liebe Jugendfreundin musste mich erst rufen, ehe ich mich zu ihr finde. Was hilft es, dass ich fest entschlossen war, diese

Reise anzutreten? Da steht, dass sie sich längst nach mir gesehnt hat und mich nur nicht früher zu rufen wagte, weil sie Rücksicht auf mein Herzleiden nehmen wollte. Wenn ich nun zu spät käme.«

Ehe Eva etwas darauf erwidern konnte, las sie das Schreiben vor:

»Wundere Dich nicht, meine liebe Hanna, dass ich mit Blei schreibe und dass der Umschlag fremde Handzeichen – nämlich diejenigen einer liebevollen Pflegerin – trägt. Es geht mir nicht gut. Ich hatte vor einigen Wochen den Fuß gebrochen und war seitdem zu strenger Ruhe verurteilt. Alles schien einen günstigen Verlauf zu nehmen, bis eine Lungenentzündung hinzutrat, die mir viel Schmerzen macht. Zwar bin ich stets, wie Du weißt, ein harter Mensch gewesen, aber man kann doch nichts voraussagen.

Ich habe Sehnsucht nach Dir, Hanna, und würde mich innig freuen, wenn Dir deine Gesundheit endlich gestattete, zu mir zu kommen. In diesem Fall telegrafiere ausführlich. Du wirst dann von meiner Pflegerin, die nachmittags stets ein Stündchen spazieren gehen muss, auf dem Bahnhof erwartet und in mein Haus geleitet werden.

Deine alte treue

Maria Wunsch.«

Dann sagte sie eilig und fest:

»Bringen Sie mir sogleich das Kursbuch, Eva, und beauftragen Sie Pauline, dass sie den kleinen Handkoffer herunterschafft. Das Weitere besprechen wir, sobald ich das Telegramm mit der genauen Ankunftsbestimmung fertig habe.«

Eva von Ostried legte die Hand bittend auf den Arm der Präsidentin.

»Sie dürfen unmöglich reisen! Denken Sie daran, wie eindringlich Geheimrat Schwemann vor jeder Anstrengung und Aufregung gewarnt hat. – Wenn ich auch gelobe, dass Sie sich über keine meiner Vergesslichkeiten ärgern sollen – wenn ich selbst auf der Reise und während unseres Aufenthalts sehr tüchtig und umsichtig sein will – so würde es doch zu viel für Sie werden.«

»Ich glaube, Sie haben mich missverstanden, Eva. Ich denke diesmal allein zu reisen. Sie werden daheimbleiben.«

Das schöne, junge Gesicht wurde blass vor Schreck.

»Sind Sie unzufrieden mit mir? War ich auf der letzten Reise nicht liebevoll und aufmerksam genug? Oh, ich fühle es. Die unglückliche Theatergeschichte trägt die Schuld daran.«

»Nein, mein Kind, die hat gar nichts mit meinem heutigen Entschluss zu schaffen. Ich war voll zufrieden mit Ihnen. Die kleine Episode, mit der mich allerdings betrübenden Heimlichkeit, kann nichts daran ändern. Der Grund ist ein anderer. Das Heim meiner alten Freundin ist eng und mehr als bescheiden. Nun bereits eine Pflegerin darin nächtigt und ich mich demnächst auch noch dazu finde, würde für Sie kaum ein Plätzchen bleiben. Und im Hotel? – Ja, dann hätte ich wiederum nicht viel von Ihnen und meine gute, sorgsame Maria würde sich dauernd aufregen, weil sie so beschränkt in der Ausübung ihrer Gastfreundschaft sein muss. Nein – nein. Diese Unruhe müssen wir ihr ersparen. Erinnere ich mich recht, habe ich unterwegs irgendwo einen längeren Aufenthalt. Das stelle ich sogleich fest. – Jedenfalls Zeit genügend, Ihnen ein Kärtchen zu schreiben, Aufzeichnungen, wie ich das auf jeder Reise zu tun liebe, zu machen und beschaulich die verschiedenen Tageszeitungen zu lesen.«

»Tun Sie es nicht! Ich flehe Sie an«, bettelte Eva von Ostried.

»Diesmal bleibe ich fest. Sparen Sie jedes Wort. Eine freudige Sicherheit wie ich sie lange nicht mehr empfand, sagt mir, dass ich recht handle. Geht es mir trotzdem schlecht – fühle ich mich ohne Ihre kleinen Hilfeleistungen, an welche ich mich allerdings gewöhnt habe, zu matt, werde ich Sie umgehend telegrafisch rufen. Das verspreche ich Ihnen.«

Noch einmal machte Eva den Versuch zur Umstimmung.

»Wenn Sie mir nur erlauben, dass ich Sie bis zu Ihrem Ziel begleite. Ich könnte sofort mit dem nächstmöglichen Zuge zurückreisen.«

»Wie hilflos und hinfällig muss ich Ihnen erscheinen. Nein und zum letzten Mal, nein, Eva. Sie bleiben hier, helfen der guten Pauline beim Einlegen der Früchte – schreiben mir fleißig und singen und studieren in der übrigen Zeit nach Herzenslust.«

Da musste Eva von Ostried sich fügen. Sie tat es langsam und widerwillig. Als die Präsidentin sie noch einmal zurückrief, hoffte sie auf eine Sinnesänderung. Es handelte sich aber um etwas Nebensächliches, das nichts an dem Beschlossenen änderte.

»Noch schnell etwas über mein Reisekleid«, sagte die Präsidentin frisch, »meine gute Maria liebte einst besonders ein schwarzes, schlichtes Seidenkleid an mir, das ich seit Monaten nicht mehr trug, weil es mir zu feierlich war. Sie finden es sorglich verpackt in der zweiten Bodenkammer in dem alten Schrank. Streng modern ist es natürlich längst nicht mehr. Gleichviel – ich will ihr die Freude machen nach der langen Zeit darin unser Wiedersehen zu feiern. Sie wird daran auch merken, wie treu ich selbst das Kleinste und Unwichtigste aus unserm Verkehr im Gedächtnis bewahre.«

Eva von Ostried wagte keine weiteren Einwendungen.

Der ruhige, durchaus bestimmte Ton, in dem die Präsidentin gesprochen, ließ sie erkennen, dass auf dem bisherigen Wege keine Sinnesänderung zu erwarten stand. Ihr Herz klopfte in einer jäherwachten, ihr selbst unbegreiflichen Angst. Vielleicht würde die alte Pauline mehr ausrichten. – Die treue Dienerin schüttelte den Kopf, als Eva ihr in hastigen Worten das Nötige mitteilte.

»Sie hat es sich vorgenommen. Dagegen können wir nichts machen«, meinte sie bedrückt.

»Versuchen Sie doch wenigstens ihr abzureden, Pauline«, bat Eva von Ostried eindringlich. »Wer so lange wie Sie mit ihr zusammen gewesen – ihr gedient – sie umsorgt, und schließlich auch das Schwerste, den Tod ihres Gatten mit durchgemacht hat, der muss verstehen, wirkungsvoller als ich zu bitten.«

Das faltige Gesicht senkte sich kummervoll.

»Wie wenig kennen Sie unsere Frau Präsidentin noch, wenn Sie daran glauben. Ja – käme es hierbei allein auf sie an. Wäre das eine Reise zur bloßen Erholung. – Eigensinnig war sie nie und für ordentliche Ratschläge hatte sie immer ein offenes Ohr, auch wenn sie so ein einfacher Mensch gab, wie unsereins. Es geht aber um jemand, dem sie gut ist und gegen den sie etwas wie ein böses Gewissen hat. Da ist sie nicht zu halten. Nein, Fräuleinchen, wir beide können bloß den lieben Gott innig bitten, dass er sie uns gesund zurückschickt.«

Das sonderbar beklemmende Gefühl wollte Eva von Ostried nicht freigeben. Stärker wurde ihre Unruhe. Sie war fieberhaft fleißig, weil sie hoffte, ihre Gedanken dadurch abzulenken. Allein auch dies Mittel versagte. Schließlich, als sie mit den hauptsächlichsten Vorbereitungen zur Reise fertig geworden, setzte sie sich auf Frau Melchers besonderen Wunsch an den Flügel und begann deren Lieblingslied zu singen:

Am Abend, wenn die Sternlein all
Zum güldnen Tanz antreten,
Dann falt ich fromm die Hände mein
Um für dein Glück zu beten.

Mitten in den weichen, wundervoll reinen Tönen versagte ihre Stimme. Mit einem erstickten Schluchzen legte sie den Kopf auf die Tasten.

»Was haben Sie, Kind«, fragte die Präsidentin erschrocken.

»Ich weiß es selbst nicht. Einmal vor langen Jahren war mir ähnlich zumute. Damals brannte in Waldesruh die gefüllte Scheune herunter und der Wind stand so ungünstig, dass alle ein Herüberspringen der Flammen auf unser Schloss fürchteten.«

»Es ist aber letzten Endes glücklich bewahrt geblieben, nicht wahr?«

»Ja – wie durch ein Wunder!«

»Sehen Sie wohl! Auf dies Wunder wollen auch wir hoffen. Das heißt, ich wüsste kaum, aus welcher Not es uns zur Zeit helfen sollte. Der heutige Tag hat Sie ungewöhnlich erregt, Evalein. Das ist verständlich. Es tut mir herzlich leid, dass wir ihn so wenig festlich und würdig zu Ende führen konnten.«

Eva hob die tränennassen Augen zu der Gütigen empor.

»Haben Sie mir wirklich jene Eigenmächtigkeit in Öynhausen voll vergeben«, fragte sie leise.

»Ich will zugestehen, dass ich anfangs schwer darunter gelitten habe. Nun ist längst alles wieder gut. Lassen Sie sich sagen, dass ich Sie wie mein eigenes Fleisch und Blut liebe. Ja – Eva, daran denken Sie stets. Nicht nur heute und morgen, sondern auch und besonders, wenn Sie einst ohne mich wandern müssen. – Jetzt aber genug von diesen Dingen. Wir wollen uns nicht unnötig weich machen.«

Da fühlte sich Eva endlich von dem unerklärlichen Alp befreit und jauchzte ein zartes Frühlingslied heraus. Die Präsidentin nickte lächelnd und dachte:

»Wie weich und gut sie ist, trotz ihrer Fehler und wie liebenswert. – Warum habe ich mir so viel Sorgen um sie gemacht? Ein Blumengarten ohne Unkraut ist doch eine Unmöglichkeit. Ich werde mit Gottes Hilfe schon das Wuchernde mit Stumpf und Stiel ausrotten. – Schwere Aufgaben sind allemal die lohnendsten.«

Und sie strich in mütterlicher Zärtlichkeit heimlich über Eva von Ostrieds Ärmel, ohne dass diese in ihrer begeisterten Versunkenheit etwas von der stillen Liebkosung merkte. Seit langen Jahren war der Präsidentin nicht so leicht und glücklich zu Sinn gewesen, wie in dieser Stunde.

Um elf Uhr am nächsten Vormittag war die Abreise endgültig festgesetzt. Die alte Pauline hatte es sich nicht nehmen lassen, trotz der Abwehr der Präsidentin einen riesigen Strauß bunter Astern und letzter Rosen zu binden. Sie war gerade damit beschäftigt, ihn an die Schirmhülle zu befestigen, als die Glocke der Gartenpforte anschlug.

»Wir dürfen jetzt keinen Besuch annehmen«, flüsterte Eva von Ostried der Getreuen zu. »Die letzte Stunde muss Frau Präsidentin möglichst ruhig verbringen. Hören Sie nur, wie stürmisch geklingelt wird.«

»Ich lasse keinen rein, Fräuleinchen; es sei denn der Geldbriefträger.«

Es war aber nur ein einfach aussehender älterer Mann in der Tracht eines schlichten Bauern. Anfangs begriff er nicht, dass es Leute geben sollte, die einem Unbescholtenen den Eintritt verwehrten. Als sich aber die Pforte durchaus nicht vor ihm öffnen wollte, wurde er zornig.

»Denken Sie vielleicht, ich wäre eigens aus dem Oderbruch hergekommen, um mich von Ihnen wieder wegschicken zu lassen, als wollte ich betteln.«

Die alte Pauline suchte ihn zu besänftigen.

»Nehmen Sie doch endlich Vernunft an. Ich sage Ihnen zum letzten Mal, es geht eben heute nicht. Unsere Frau Präsidentin will gleich verreisen. Eigentlich darf sie gar nicht, weil ihr Herz nicht in Ordnung ist. Darum muss sie wenigstens, bis der Wagen kommt, ganz still liegen.«

»Das kann sie meinetwegen ja auch«, murrte der Bauer. »Wenn Sie denken, dass ich sie aufregen tue, irren Sie. Was ich von ihr will, macht bloß Freude.«

»Warten Sie einen Augenblick«, meinte Pauline, durch sein zähes Ausharren unschlüssig geworden, »ich rufe mal schnell das Fräulein heraus. Die wird Ihnen das alles besser klarmachen.«

Eva bemühte sich trotz ihrer ärgerlichen Ungeduld, die sich beim Anblick des Hartnäckigen steigerte, möglichst sanft zu sein.

»Wirklich, lieber Mann, es geht nicht. Kommen Sie nach ein paar Wochen wieder oder – schreiben Sie an Frau Präsident, wenn Sie mich durchaus nicht in Ihre Angelegenheit einweihen wollen.«

»Schreiben – schreiben«, echoete der Bauer. »Wenn ich hätt schreiben wollen, wäre ich erst gar nicht hergekommen. Ich befass mich aber mit solchen neuen Moden nicht gern. Von Mund zu Mund – von Hand zu Hand – ist alles sicherer. Als ich vor zehn Jahren Frau Präsidentin unter meinem Dach hatte, haben wir auch nichts Schriftliches zusammen aufgesetzt. Sie hat zu mir gesagt: Sie sind ein rechtschaffener Mann. Ich hab Vertrauen zu Ihnen. Und hier ist das Geld –«

»Geld wollen Sie also auch heute wieder von ihr, wenn ich Sie recht verstehe?«, forschte Eva von Ostried.

Da riss die Geduld des Bauern vollends.

»Ich bin der Tabakbauer Kleinschmidt aus dem Oderbruch, eine Meile von Schwedt, und brauch kein Geld mehr. Gott sei Dank. Und wenn Sie's immer noch nicht wissen, merken Sie sich's jetzt wenigstens. Ich bring ihr Geld. Das, was ich ohne Schuldschein oder Hypothek als bloßes Darlehn auf mein Gesicht und meine beiden Hände hin mal gekriegt hab. Ich hab noch nie bis heut erlebt, dass man einen, der Geld bringt, nicht rein lässt. Und nun bestellen Sie ihr das, wenn Sie nachher keinen Ärger haben wollen.«

Das tat Eva nach kurzem Überlegen wirklich.

Die Präsidentin erhob sich sofort.

»Natürlich lassen Sie ihn nunmehr ungesäumt zu mir, Eva. Ich kann mir den Zorn dieses braven, tüchtigen Mannes sehr wohl vorstellen. Allerdings begreife ich vorläufig nicht, wie er mir jenes Darlehn ohne vorherige Aufkündigung einfach ins Haus bringen kann. Indes war die bisherige Art unseres Geschäftsabschlusses ja auch eigenartig und ungewöhnlich. Jedenfalls rufen Sie ihn mir!«

Sie streckte dem Eintretenden freundlich die Hand entgegen.

»Nichts für ungut, lieber Kleinschmidt. Sie haben wohl gemerkt, dass die, welche ich als die Meinen bezeichnen muss, weil sie treu für mich sorgen, überängstlich sind. Sehen Sie's ihnen nach. Ich muss das täglich ertragen und noch dazu mein allerfreundlichstes Gesicht machen. Sie werden doch nur sehr kurz davon betroffen.«

»Ich an Ihrer Stelle würde sie schön auf den Trab bringen, Frau Präsident.«

»Möchte ich auch mehr als einmal besorgen, lieber Kleinschmidt. Aber – ich fühle, dass ich sie notwendig habe und nehme deshalb die gelegentlichen kleinen Übertreibungen geduldig in den Kauf. – Ich will verreisen, wie Sie natürlich schon gehört haben. Sie sind mir also nicht böse, wenn ich Sie nicht zu längerem Verweilen nötigen kann.«

Er zog umständlich eine dicke Brieftasche hervor.

»Als es mir damals so schlecht ging, weil uns die beiden Staatskühe fielen und der Nachbar mich mit dem Wechsel betrogen hatte, wollte ich mich aus der Welt machen.« Die Präsidentin legte die Finger an die Lippen.

»Nicht mehr dran rühren, Kleinschmidt. Es ist ja alles wieder gut geworden.«

»Ist es auch! Ich hab mich langsam rausgebuddelt, weil es eben doch noch einen guten Menschen gegeben hat, woran ich nicht mehr glauben wollte.«

»Es gibt deren viele«, versuchte sie ihn abzulenken, aber er beharrte eigensinnig bei seinem Thema.

»Nee – bloß einen. Dabei bleib ich. Jede andere feine Dame hätt sich wohl halb zu Tode geschrien, als sie sah, dass sich ein alter Nichtsnutz, bei dem der blaue Vogel überall hinflog, das Leben nehmen wollt. Zum Mindesten wäre sie bestimmt auf die Dorfstraße gelaufen und hätt's bekannt getan. – Sie haben bloß still meine Hände gestreichelt und geweint. Und sind die ganze Nacht bei mir geblieben und haben immer getröstet. – Und am nächsten Morgen nahmen Sie ein Buch aus der Tasche und fragten, wie viel ich nötig hätt.«

»Hören Sie auf, Kleinschmidt. Es peinigt mich wirklich.«

»Sie sagten ja, Sie wären Geduld gewöhnt, Frau Präsident. Ich muss Ihnen das mal so richtig klarmachen, – Sie haben mir viel Geld gegeben und kannten mich doch bloß als einen, der ein luftiges Zimmer für – weiß Gott, genug Geld an Sie abvermietet hatt'. – Das hat mir erst richtig das Leben gerettet. Nun konnt' ich mich nicht mehr wegstehlen. – Sie mussten Ihr Geld zurückhaben. Und hier ist es! – Auf Heller und Pfennig. Die letzten Zinsen sind auch beigepackt.«

Umständlich begann er die zerknitterten Scheine auf den Tisch zu zählen. Sie machte eine entsetzte Bewegung.

»Wo soll ich jetzt mit dieser Summe bleiben? Sie sehen, ich stehe im Begriff, eine Reise anzutreten. Mitnehmen mag ich sie nicht. Sie daheim im Schreibtisch zu belassen, ist mir zu ängstlich, wennschon ich bisher vor Dieben bewahrt geblieben bin.«

Er wusste ihr keinen Rat. Es blieb ihm unverständlich, dass bares, gutes Geld unwillkommen sein konnte.

»Nehmen Sie es wieder mit, Kleinschmidt, und bringen oder schicken Sie es mir per Post ein paar Monate später. Selbstverständlich berechne ich Ihnen für diese Zeit keine Zinsen.«

Er schüttelte energisch den Kopf.

»Nee, Frau Präsident, das mach ich nicht! Behalten Sie es man. Wer so ein schönes großes Haus besitzt, hat auch Keller und Schlupfwinkel, wo es vor dem lichtscheuen Gesindel sicher liegt.«

Er lächelte schlau. Sie erkannte, dass es zu viel Zeit nehmen würde, um ihn zu überzeugen und begann mechanisch die Scheine nachzuzählen.

»Es stimmt natürlich«, sagte sie. »Zwölftausend Mark und zweihundertvierzig als halbjährige Zinsen. Wissen Sie, dies Geld schwebt eigentlich gänzlich in der Luft. Ich habe es nicht mal ordnungsmäßig gebucht. Wären Sie, trotz Ihres mir bekannt gewordenen Fleißes nicht in die Lage gekommen, es zurückzuzahlen, hätte ich es Ihnen einfach geschenkt.«

In sein verwittertes Gesicht stieg die Röte der Scham.

»Schenken mag wohl leicht sein, Frau Präsident. Das Nehmen ist ein sauer Ding. Ich wär' mein Leben nicht mehr froh geworden. – Die Tochter hat auch gesagt: ›Vater, wir wollen uns ranhalten, dass der Tisch klar wird.‹ Sie wissen wohl, ihr geht es gut. Der Mann ist nüchtern und flink und die vier Kinder tun schon manchen Handschlag in der Wirtschaft. – Nun will ich aber nicht länger aufhalten.«

Sobald er gegangen war, rief die Präsidentin Eva von Ostried herein, deutete auf das noch ausgebreitete Geld und sagte eilig:

»Das hat er mir soeben zurückgezahlt. Es kann natürlich nicht im Haus bleiben. – Die Einbrüche in der Nachbarschaft mehren sich. Bringen Sie es sofort auf die Bank, liebe Eva. Wie günstig, dass wir sie gleich an der nächsten Ecke haben. Sie wissen, ich bin durchaus keine ängstliche Natur. Nach den jüngsten Erfahrungen unserer Bekannten, denen die leichtsinnig im Schreibtisch aufbewahrte Summe gestohlen wurde, ohne dass der Dieb bisher zu ermitteln gewesen, würde mir aber der Zwang hierzu die ganze Reise verderben. Geschenke mache ich über alles gern. Nur eine Unachtsamkeit, aus welcher ein verdienter Verlust käme, würde ich mir schwer vergeben.«

Eva hatte bereits den Hut aufgesetzt.

»Und ich würde vor lauter Angst und Verantwortlichkeitsgefühl keine Minute ruhig schlafen können«, gestand sie. – Im Laufschritt eilte sie durch den Vorgarten und stand nach wenigen Minuten vor dem stattlichen Gebäude der Großbank. Ihre Hand lag schon auf der eisernen Klinke neben der schweren zurückgeschobenen Schutzrollwand, als ihr Blick auf eine Mitteilung fiel, die in der Mitte der Tür angebracht war:

Heute wegen Revision der Kassen geschlossen. Einen Augenblick stand sie wie erstarrt. Dann, als die Uhr irgendeiner öffentlichen Anstalt schlug, ward sie mit Schrecken inne, dass in einer halben Stunde die Fahrt zum Bahnhof beginnen müsse. Krampfhaft die kleine Ledertasche umklammert haltend, eilte sie zurück.

Was sollte nun mit dem Geld geschehen? – Durfte sie zugeben, dass sich die Präsidentin beunruhigte? Ja mehr als das – dass sie bei ihrem stark entwickelten Gefühl zur Ordnung und Vorsicht keinen Augenblick von dem quälenden Gedanken an den aufgezwungenen Leichtsinn befreit sein würde. Immerhin – es half nichts! Gemeinsam wollten sie ein möglichst sicheres Versteck heraussuchen. Vielleicht wusste die alte Pauline gar einen eisernen Kasten, den sie nach dem Muster misstrauischer Altvordern etwa im Keller vergraben könnten. Als sie sich dies ausmalte, musste sie lachen. Das befreite sie von allem Bangen. Ein neuer Gedanke kam ihr, wurde kaum geprüft, sondern sogleich als der einzig mögliche Rettungsweg empfunden. War es nicht geradezu ihre heilige Pflicht, der herzensguten Präsidentin und zweiten Mutter diese ihr plötzlich durchaus nicht übertrieben erscheinende Sorge abzunehmen? Als sie die Villa erreicht hatte, wartete dort schon die zuvor bestellte Droschke.

»Es ist ja noch viel zu früh«, rief sie dem Lenker zu. Der schwippte als Antwort nur mit der Peitsche. Erst als sie, lauter und ungeduldiger, ihre Worte wiederholte, ließ er sich zu einer knappen Erwiderung herbei.

»Meinem Fuchs is et all zu spät und auf den Fuchs kommt et ganz allein an, Fräulein.« Das allerdings musste sie zugeben. Die Präsidentin erwartete sie – fertig zum Einsteigen – bereits voller Ungeduld.

»Nun, ist alles erledigt, Eva?« Ein leises Rot stieg bis unter die lockigen, braunen Haare in die weiße Stirn.

Eine Sekunde blieb die Antwort aus. Ihre Augen hielten dem forschenden Blick nicht stand. Ein jäher Widerwille gegen die beabsichtigte Lüge stieg in ihr auf. Aber die sichtliche Unruhe der Präsidentin beendete ihr kurzes Schwanken. Sobald die Bank wieder geöffnet würde, kam ja doch alles in Ordnung ...

»Ja, es ist ordnungsmäßig eingezahlt.« Dann zeigte sie, scheinbar empört, nach draußen: »Hören Sie nur den alten, unfreundlichen Kutscher. Jetzt beginnt er, so laut er nur kann, auf uns zu schelten, weil wir seinen Fuchs warten lassen und jetzt – halt – halt – Mann – wir kommen ja schon.« War er wirklich im Begriff gewesen, ohne sie davonzufahren, wie sie es der erschrockenen Präsidentin zurief?

Leichtfüßig sprang sie als Erste in den Wagen, half der Präsidentin fürsorglich hinein, während die alte Pauline, bedächtig und kräftig mit beiden Armen nachschob, nickte noch einmal freundlich den Rückbleibenden zu und sprach alsdann mit drolligem Eifer, allerhand unwichtige Kleinigkeiten fragend, auf die Präsidentin ein.

– – Schön war's doch, dies Alleinsein!

An dem Gefühl, das wider Willen über Eva von Ostried kam, als sie vom Bahnhof zurückgekehrt, in die hohen Zimmer eintrat, merkte sie, wie streng eingeteilt sonst ihr Tag sein musste. Mit unbeschreiblicher Wonne warf sie sich in den bequemsten Lehnstuhl und summte ein Lied vor sich hin.

War die Präsidentin auch engelgut – empfand sie selbst eine nie verlöschende Dankbarkeit für sie daran, dass diese beliebig über ihre Zeit verfügen konnte und natürlich auch verfügte, änderten diese Gefühle nichts das Geringste. Eva von Ostried wusste plötzlich, wie heiß ihr Sehnen – nicht zuletzt nach dem verlorenen Recht der Selbstbestimmung – die ganze Zeit gewesen war. Mit einem Schauer des Entsetzens gedachte sie ihrer beiden erste Stellen, die sie, nach dem Tod des Gönners, sofort anzunehmen gezwungen war. Zwar hatte ihr der Amtsrat Wullenweber, dem sie von dieser Veränderung Kenntnis geben musste, vorübergehend seine Gastfreundschaft geboten, »wenn sich durchaus nicht schnell ein anderer Ausweg finden lasse«, aber der Gedanke, aus dem warmen, mit feinstem künstlerischen Geschmack eingerichteten Heim des verstorbenen Meisters in sein ihr kahl und ungemütlich in Erinnerung lebendes Haus, als eine nur ungern Geduldete, unterzuschlüpfen, dabei jeden Augenblick die tiefroten Türme des alten Waldesruher Schlosses in der Nähe zu sehen – hatte etwas Unerträgliches für sie gehabt. Lieber ließ sie sich von einer anspruchsvollen, ungerechten Herrin bis an die Grenze ihrer Kraft quälen – bis sie es eines Tages dann doch nicht länger ertragen konnte und weiterzog, zur nächsten, bei der es ihr auch nicht viel besser erging.

Nun waren die zahlreichen Wunden der kleinen, täglichen Nadelstiche längst verheilt. Sie lebte, umgeben von Nachsicht und Güte, bei der edelsten aller Herrinnen und dennoch – – War sie ehrlich mit sich, musste sie zugeben, dass einzig der Gedanke an die Zukunft sie tapfer auf dem Wege kleinlicher Pflicht weiterlaufen ließ. Hätte sie keine Aussicht gehabt, sehr bald ihre geliebten Studien wieder aufzunehmen, wäre ihr vielleicht auch diese warme Stätte allmählich zur Hölle geworden. – Mit geschlossenen Augen träumte sie sich in die Zeiten hinein, die nach dem Frühjahr ihrer warteten. Gewiss – es würde viel Arbeit – Kampf und Fleiß kosten. Unstreitig auch wiederum Tage geben, an denen sie am eigenen Können verzweifelte.

Danach aber musste die köstliche Erfüllung aller Sehnsucht kommen! – Sie hatte den Schatz in ihrer kleinen Handtasche völlig vergessen. Achtlos lag er auf dem Tisch, während sie mit leichtgeöffneten Lippen den köstlichen Duft der blühenden Huldigungen zu trinken schien, die ihrer in der goldenen Ferne harrten!

– Um die dritte Nachmittagsstunde dieses Tages kam Ralf Kurtzig, der alte Meister und frühere langjährige Parsifal des Bayreuther Festtempels. Er beschäftigte sich am Feierabend seines Lebens damit, fleißig nach gottbegnadeten Talenten Umschau zu halten. So fand er auch im Hause des jüngeren Kollegen Eva von Ostried, die Vielversprechende. Zu spät hatte er, von einer langen Reise heimkehrend, den Tod des Kammersängers erfahren und die Pforten seines reichen, gastlichen Heims verschlossen gefunden. Sofort dachte er an Eva von Ostrieds Zukunft, denn ihre Mittellosigkeit war ihm bekannt geworden. Fieberhaft hatte er nach ihr gesucht. Aus rein künstlerischem Interesse, wie er es vor sich erklärte. In Wahrheit trieb ihn – tief versteckt und von ihm selbst noch nicht erkannt – ein spätes, leidenschaftliches Feuer. – Ihre Spur schien verweht. Er hockte im vierten Rang der Oper, um ihr zu begegnen. Weil sie Schuberts reine Kunst über alles geliebt hatte, versäumte er keinen dieser Liederabende. Es blieb vergeblich – bis er sie an der Seite der ihm durch eine reiche Schenkung an die

Bühnengenossenschaft bekannten Präsidentin in einem philharmonischen Konzert wiedersah.

So kam's, dass er – eingeweiht in Frau Melchers ihm zuerst grausam erscheinende Pläne – ihr Lehrer wurde.

Es gab kaum jemand, der sparsamer mit seinem Lob umging, wie er. Darum blieb es auch das höchste Streben seiner wenigen Schüler ihn wenigstens nicht zum Tadel zu reizen. – Heute lief ihm Eva wie ein ausgelassenes Kind entgegen. Die verhaltene Ehrfurcht vor seiner weisen Künstlerschaft war sprühender Daseinsfreude gewichen. Er empfand das sofort und freute sich heimlich daran.

Der Mensch sprach in ihm vor dem Künstler. Das geschah selten.

»Wie schön sie ist«, musste er denken und weiter, »die wundervolle Herbheit, von der sie selber nichts ahnt, wird ihr den Weg, den sie gehen muss, nicht leicht machen.« Er fühlte, verwundert, dass ihn diese Gewissheit verjüngte, verlor eine Sekunde die kühle, sichere Überlegenheit und beschattete die Augen, als blende ihn das rote Licht, das ungehindert durch die Bogenfenster der Diele in das Musikzimmer quoll. Dann hatte er sich wieder in der Gewalt und sagte in dem spöttelnden Ton, mit dem er jede warme Regung bestrafte:

»Ihr alter Gralhüter meldete bereits, dass die hohe Herrin dieses Zauberschlosses verreist sei. Sie murmelte daneben noch allerlei von Früchten und Beeren, die Ihre tätige Mitwirkung verlangten.«

Sie sah mit bittenden Augen zu ihm auf.

»Sie sind mir noch ein Geburtstagsgeschenk schuldig«, bettelte sie.

»So –«, machte er gedehnt, »seit wann denn?«

»Seit gestern.«

»Schade – sonst hätte man es als verjährt bezeichnen können.« Und mit einem Augenzwinkern, als blende ihn immer noch der rote Schein, setzte er hinzu: »Wonach geht also Ihres Herzens Wunsch?«

»Ich bin volljährig geworden, Meister. Da darf ich heute unbescheiden sein.«

»Verlangen Sie immerhin. Die Erfüllung steht ja bei mir.«

»Sie müssen mir etwas vorsingen.«

»So – das muss ich?« – In kindlicher Zutraulichkeit griff sie nach seiner schlanken, weißen Rechte.

»Ich habe mich den ganzen Vormittag darauf gefreut.«

»War es nicht anmaßend, die Bitte schon als erfüllt zu betrachten?«

»Vielleicht! Sie haben ja aber oft genug betont, dass der Bescheidene zwar sehr angenehm, aber doch durchaus unbrauchbar für das praktische Leben wäre.«

»Ja – was soll es denn sein?«

»Parsifals Lied aus dem zweiten Aufzug«, bat sie mit dem Ausdruck der Sehnsucht in Augen und Stimme:

Auf Ewigkeit
Wärst du verdammt mit mir
Für eine Stunde
Vergessen meiner Sendung
In deines Arms Umfangen.

Sein Gesicht hatte wieder den steinernen Ausdruck, um dessentwillen ihm viele der früheren Kollegen die Seele abgesprochen hatten.

»Wir reden später noch darüber«, meinte er kurz. »Vorerst heißt es fleißig sein. Beginnen Sie also –«

Wie ein gehorsames Kind fügte sie sich. Die wundervolle Stimme klang weich und voll, aus jedem Ton der Übung. Trotzdem war er nicht zufrieden. Kurz und scharf rügte er und verlangte Wiederholungen. Für jemand, der seine Art nicht kannte, hätte es leicht den Anschein erwecken können, als sitze er um des täglichen Brotes willen neben einer Schülerin, die zu unterrichten ihm nicht den geringsten Spaß bereitete. Und doch sonnte sich auch heute sein künstlerisches Empfinden an dem strahlenden Glanz dieses gesegneten Talents. Er quälte sie mit Vorsatz, um zu prüfen, ob auch danach noch ihr leidenschaftlich geäußerter Wunsch um Erfüllung bäte oder ob sie in leisem Gekränktsein sich von ihm abwende. –

Sie tat es nicht.

Kaum hatte er durch ein Nicken zu verstehen gegeben, dass die eigentliche Stunde zu Ende sei, als sie ihn auch schon – mit gänzlich verändertem Ausdruck – an die Erfüllung seines Versprechens mahnte.

»Das verheißene Reden über meine Bitte schenke ich Ihnen, Meister«, sagte sie und lächelte schalkhaft.

Er sang ihr wirklich die nachträgliche Festgabe!

Sie hockte in einem Winkel und hatte den Kopf auf die verschränkten Arme gelegt, damit er nicht die Tränen sehen sollte, welche ihr das höchste Gefühl der Andacht erpresste. Er sah sie aber dennoch und freute sich auch dessen. – Sie wusste nicht, wie lange dies Weihespiel gewährt hatte. Die strahlende Sonne war blass geworden. Ein leichter Dunst von Müdigkeit ließ die leuchtenden Farben des Herbstes matter erscheinen.

Wie ein reichgewesenes, nunmehr erfülltes Leben wartete dieser Tag seinem Sterben entgegen. Es war still zwischen ihnen geworden. Sie kam aus ihrem Winkel heraus, setzte sich stumm an den Platz, den er soeben verlassen und sang ihm den Dank.

Ich will wiegen dich, ich will wachen ...
Knabe saß auf der Mutter Schoß
Spielten zusammen, bis er groß ...

Lebenserfüllung auch hier! Das Lied der Solveig, das einen wandermüden Sturmgesellen endlich erlöst!

Der Meister regte sich nicht. Sterbensfrieden segnete Raum und Zeit.

Das wundersame Erzittern, das die Kunst dem Reinen schenkt, feierte sein Auferstehen.

Ich will wiegen dich und wachen
Schlaf und träume, du Knabe mein

– – Die Wirklichkeit regierte wieder! –

»Wenn der Drache und der gesegnete Obstgarten nicht wären, würde ich Sie jetzt in das Deutsche Opernhaus mitnehmen«, sagte Ralf Kurtzig, als sie verstummt war. – Und das war sein Dank. – »Es wird heute Carmen gegeben – mit der Olitava als Gast.«

Eva von Ostried jubelte hell auf.

»Die alte Pauline erlaubts von Herzen gern, denn – im Vertrauen – eine große Hilfe bin ich ihr doch nicht und – gestern – war – ja – mein Geburtstag.«

– – Sie saßen im Hintergrund einer Loge und lauschten mit verhaltenem Atem. Das Lied blutroter Leidenschaft flammte und brannte sich in das Herz des einen – Und das war nicht das junge – Die heiße Teufelin triumphierte über den sanften, blonden Engel. Das edle, scharfgeschnittene Gesicht des Fünfzigers erschien um Jahrzehnte verjüngt. Seine tiefen, machtvollen Augen bohrten sich in Evas Gesicht – machten sie einen Herzschlag lang verwirrt – erinnerten aber im nächsten Augenblick an zwei andere – – damals in Öynhausen. Sie musste wieder an Paul Karlsens gestohlene Zärtlichkeit denken, für die sie eine Zeit lang nicht mehr den früheren Zorn aufzubringen vermocht hatte. – Jetzt begriff sie ihr zur Milde gewandeltes Urteil nicht. Ein eigentümliches, fremdes Gefühl hatte sie gepackt. Sie wehrte sich in schauderndem Auflehnen gegen das Empfangen und Erwidern aller gespielten Leidenschaft – und verurteilte diese Regung doch, ohne sich davon zu befreien, als die Wahnvorstellung einer engen Seele.

Ob sie auf der Bühne überhaupt jemals davon loskam?

Die scheue Reinheit ihrer Mutter lebte in ihr auf. – Angst und Zorn verflogen indes wieder. Sie schloss die Augen, lauschte den Klängen und fühlte sich bald wunschlos glücklich – –

Gegen elf Uhr war sie daheim. Die alte Pauline saß noch vor dem aufgeschlagenen Bibelbuch auf der Diele. Eva begann zu schelten:

»Sie sollten längst zur Ruhe sein, Pauline! Die letzten beiden Tage waren ohnehin viel zu anstrengend für Sie!«

»Ich hätte heute doch nicht schlafen können, Fräuleinchen. Meine Gedanken springen zu wild.«

»Sie ängstigen sich natürlich um unsere liebe Herrin, nicht wahr?«

Die Alte nickte kummervoll.

»Seit ein paar Stunden sehe ich überall ihr Gesicht und das sieht aus, als wenn sie unzufrieden mit uns wäre. – Wir hätten sie doch nicht weglassen dürfen.«

»Was wollten wir dagegen machen, Pauline? Sie hielten ja selbst jede Gegenmaßregel für umsonst.«

»Man hätte hinter ihrem Rücken zu Herrn Justizrat schicken müssen.«

»Haben Sie vergessen, dass der mit hohem Fieber zu Bett liegt?«

»Schreiben hätte er ihr wohl können.«

»Quälen Sie sich nicht länger. Morgen früh werden wir eine Karte haben, die uns erzählt, dass sie uns gar nicht nötig hat. Oder – vielleicht telegrafiert sie uns sogar ihre glückliche Ankunft.«

»Wenn ihr unterwegs was passiert wäre, Fräuleinchen.«

»Sie sind schrecklich, Pauline. Ich werde nun auch keine Ruhe finden können.«

Die Treue malte sich mit selbstquälerischer Gründlichkeit allerhand furchtbare Möglichkeiten aus.

»Denken Sie doch, wenn sie ihren Herzkrampf bekäme und niemand wüsste, wer sie wäre und wohin sie gehörte.«

»Darüber beruhigen Sie sich. Ihr Handtäschchen enthält ihre genaue Adresse. Darunter steht mein Name mit der Bemerkung, dass jede Mitteilung an mich zu richten wäre.«

»Verlangte sie das ausdrücklich, Fräuleinchen?«

»Natürlich. – Sie wissen ja, wie gut sie alles bedenkt.«

»Wenn das nur kein trauriges Vorzeichen ist. – Sie hat gewiss schon irgendeine schwere Ahnung gehabt.«

»Nein, Pauline. Auch die gesundesten Vorsichtigen unterlassen so etwas nicht. Ich selbst reise niemals, ohne meine ausführliche Adresse vorher aufzuschreiben.«

»Mir wär so was graulig. Gerade, als hätte man nur so auf das größeste Unglück gewartet. – Hören Sie die Eule schreien, Fräuleinchen?«

»Das tut sie bereits seit einigen Wochen um diese Zeit, Pauline.«

»Ich höre sie heute wirklich zum ersten Mal. Wir nannten sie zu Hause den Totenvogel und zogen uns die schweren Federbetten über die Nase, weil wir uns fürchteten. – Wenn's doch bloß erst morgen wär.«

Eva von Ostried wurde ungeduldig. In ihren Nerven schwang sich noch das Gold der Töne. Alles andere versank in einen Abgrund, um vielleicht am nächsten Tage, wenn die Sonne hell darüber schien, wieder bestimmte Form zu gewinnen.

»Gute Nacht, Pauline«, sagte sie. »Ich bin rechtschaffen müde. Gehen Sie endlich auch zur Ruhe. Dann wird sich Ihr Wunsch auf dem schnellsten und natürlichsten Wege erfüllen.«

Das alte Mädchen konnte sich nicht dazu entschließen. Sie saß und betete immer die gleichen Worte aus dem frommen Lied ihrer Kindheit:

Alle Menschen groß und klein
Sollen dir befohlen sein!

Endlich bewegten sich die welken Lippen nur noch mechanisch. Der Kopf sank schwer auf die Brust herab. Sie träumte, dass ihre gute

Frau Präsident ungeduldig nach ihr klingele und fuhr mit einem lauten Schrei aus dem unruhigen Schlaf empor.

– – Eva von Ostrieds tiefe, gleichmäßige Atemzüge bewiesen sehr schnell, dass Sorge, Gedanken und Freude in dem Schlummer beneidenswerter Jugend ausruhten. Sie vernahm nichts von dem anhaltenden Schrillen der kleinen Glocke an der Gartenpforte. Erst das Klopfen an die eigene Tür ließ sie auffahren.

Die alte Pauline stand, mit einem Telegramm in der Hand, vor ihr. Und sie riss – nun auch von einem sonderbar kalten Gefühl gepackt – die blaue Verschlussmarke in der Mitte durch – –

4.

Es war – doch – nicht möglich! –

Jeder Blutstropfen wich aus Eva von Ostrieds Gesicht. Ein eiserner Reif schien sich um Brust und Schläfe zu pressen. Sie stand plötzlich in der Mitte des Zimmers, suchte nach ihren Kleidern und fand nichts, als das Flimmern des Mondes, der überall seine Silbermünzen aufzählte. Ihre Glieder begannen so stark zu zittern, dass sie kraftlos auf einen Stuhle sank und den einzigen Wunsch hatte, die Hände der alten Pauline zu fassen, damit dies entsetzliche Grauen vor ihr wiche.

Das alte Mädchen starrte auf das Telegramm, das zu Boden geglitten war. Die helle Nacht durchleuchtete jeden Winkel mit jenen silbernen Schlafenstunden, von denen die Präsidentin behauptete, dass sie auch den unruhvollsten Seelen den Frieden schenkten. Eine Ahnung, zu grauenvoll, um zu Ende gedacht zu werden, erschütterte die beiden Menschen.

Da löste sich der Krampf eisiger Kälte in Eva von Ostrieds Seele in einem Schrei auf. Die Hände der alten Pauline tasteten das Blatt vom Boden empor. Mühsam buchstabierte sie Wort um Wort:

Dame mit Ausweis Präsident Hanna Melchers, Grunewald und Ihrer Adresse soeben in Wartesaal 2. Klasse Herzschlag erlegen. Leiche zur hiesigen Halle überführt.

Belgard a. Persante.
Bahnhofsdirektion.

– – Es war immer noch Nacht. Das Warten auf das erste Morgengrauen wurde unerträglich. Auf dem Tisch aus heller Birke lag das Kursbuch, das Eva vergessen hatte, in die Handtasche der Präsidentin zu legen. Es war noch aufgeschlagen. Trotzdem fand sie nicht, was sie suchte.

Und man musste doch zu ihr!

Sie saßen dicht beieinander und schwiegen. Nur einmal flüsterte die alte Pauline:

»Sie wird auch wohl dies längst bedacht haben. Der Justizrat weiß sicher mit allem Bescheid.«

Nun warteten sie darauf, dass man endlich einen Kranken, dessen Nachtruhe nicht gestört werden durfte, um Rat fragen konnte. – Sobald im Osten der erste rosige Streifen den Morgen ankündigte, telefonierte Eva von Ostried in seine Privatwohnung. Er antwortete ihr selbst. In seiner Stimme war weder Entsetzen noch Staunen, als er es gehört hatte.

»Sie haben alles zur Reise nach Belgard vorbereitet, Fräulein von Ostried? Das war überflüssig! Ich fahre selbst. Und zwar – warten Sie mal – so – ich hab's schon – mit dem Vormittagszuge um neun Uhr. Alles weitere später. Ich werde Ihnen von dort Nachricht geben.«

Eva wagte eine Einrede.

»Sie sind sicher noch krank, Herr Justizrat. Wird es Ihr Arzt erlauben?«

Kurz und klar tönte seine Erwiderung:

»Ich habe ihr dies versprochen, denn sie hat mit ihrem unerwarteten Tode stets gerechnet. Sie beide halten sich natürlich zu Hause, damit Sie jederzeit meine Nachricht sofort trifft.« –

Nun galt es wiederum zu warten!

Eva saß zusammengekauert an dem Platz, von dem aus sie der Präsidentin deren Lieblingslieder gesungen hatte. Auf dem Flügel stand noch das Solveiglied von gestern ... Und durch das Entsetzen schlich sich die Ahnung, dass sie jetzt ganz frei war.

Sie schämte sich, weil sie daran zu denken vermochte. Der Weg zur Kunst lag lockend vor ihr. Ihre Seele war sehnsüchtig und weich wie nie zuvor. Die scheue Ahnung wuchs schnell zur freudigen Gewissheit – und bepflanzte ihren Weg mit köstlichen Blumen. – Sie dachte innig an die Tote und konnte doch bereits wieder das fordernde – schöne Leben fühlen.

Dagegen half keine heiß aufwallende Scham. – Die Zukunft war rosenrot. – Das stille Gesicht der Toten musste kalt und wachsbleich sein. – Eine neue Empfindung überkam sie. Wie sie wähnte, ganz rein und frei von allem Irdischen. – Sie wurde davon vor dem Bild, das die Präsidentin als junge Frau darstellte, auf die Knie gezwungen. – Das kluge, gütige Antlitz erschien ihr wie das eines Vergebung und Verstehen auf sie herablächelnden Engels. Niemals glaubte sie die mütterliche Frau mehr geliebt und verehrt zu haben, wie in diesen Augenblicken!

Die Empfindung stärkster Dankbarkeit löste ihr auch die ersten Tränen aus. Dass sie fortan frei und unabhängig sein durfte – fernab von der grausamen Not, die der Alltag bringen kann – das war das Werk der Toten, von dem sie erst, als bestimmt beabsichtigt, in Öynhausen Kenntnis erhielt. – Während ihre Tränen unaufhaltsam rieselten, hörte sie Melodien, von denen kein anderes Ohr einen Laut vernehmen konnte. Und ahnte nicht, wie sehr sie – mit diesem Ausdruck der Reinheit und Entrücktheit – ihrer verstorbenen Mutter glich. Nur, dass jene allzeit ihre reiche Begabung vor fremden Augen wie ein köstliches Geheimnis verborgen gehalten, während ihre Tochter nach Anerkennung und Ruhm fieberte.

– – Die Schrecken des Todes waren überwunden. – Der goldene Traum vom Leben war zu schön. – Der ausdrückliche Wunsch der Präsidentin, neben dem Gatten, der in der Waldesruhe des Stahnsdorfer Friedhofes schlief, beigesetzt zu werden, hatte sich erfüllt. Die kleine, würdige Feier, von welcher – ebenfalls nach der Bestimmung der Verblichenen ihren Bekannten erst am folgenden Tage Kenntnis gegeben werden durfte, war vorüber. Justizrat Weißgerber, noch blass und matt von der kaum überstandenen Erkrankung, saß vor dem Schreibtisch der Präsidentin und hatte beide Hände auf die Schriftstücke gelegt, die er – nach ihrer Bitte – zur gründlichen Durchsicht mit in sein Heim nehmen wollte.

»Nun sollen Sie auch endlich näheres über ihre letzte Stunde hören, Fräulein von Ostried«, sagte er dabei zu Eva. »Ich musste mich gestern kurz fassen. Die Zeit war karg bemessen. – Sie wissen, dass sie einen ungefähr einstündigen Aufenthalt in diesem kleinen pommerschen Städtchen nehmen musste. Kellner und Wirt berichteten mir übereinstimmend davon. Zuerst hat sie eifrig geschrieben, wie sie das auf Reisen gern tat. Wir sprachen einmal über diese ihre Angewohnheit.

Sie meinte, mancherlei Vergessenes und Versäumtes käme auf diese Weise bei ihr zu seinem Recht. Briefe und Karten behaupteten freilich die beiden hinterher nicht aufgefunden zu haben. Aber, sie kann ja auch das Geschriebene noch selbst in den Kasten gesteckt haben. Entfernt soll sie sich jedenfalls auf wenige Minuten haben. Kurz darauf hat sie einen leichten Herzkrampf gehabt. Die Frau des Bahnhofswirts hat ihr beigestanden und ihr auch eins ihrer Eigenzimmer zum Ausruhn angeboten. Das lehnte sie indessen ab. Nur ein Glas starken Weines soll sie sehr hastig getrunken haben. Offensichtlich tat ihr das wohl, denn sie hat bald darauf den Hilfreichen in ihrer uns zur Genüge bekannten gütigen Art gedankt und dem Kellner ein sehr reiches Trinkgeld gegeben, obschon sie noch eine kleine halbe Stunde bleiben musste. Wenig später hat sich der Anfall wiederholt. – Der Arzt wurde gerufen und hat nur noch ihren Tod feststellen können. Das andere wissen Sie ja.«

Eva von Ostried tat mit zuckenden Lippen eine Frage:

»Ob sie wohl noch – sehr – gelitten hat.« – Das Staunen über das, was der Jugend unfassbar grausam erscheint, durchfror sie von Neuem.

Der Justizrat schüttelte den Kopf.

»Sie hätten den Ausdruck des Friedens sehen müssen, der auf ihrem Gesicht lag.« – Dann fragte er und in seiner Stimme war ein Klang von Neugier:

»Warum mochten Sie übrigens nicht neben Pauline sein, als der Sarg hier noch einmal geöffnet wurde, wie sie auch dies erlaubt hatte, wenn einer von Ihnen den Wunsch danach äußerte?«

Eva von Ostried zögerte mit der Antwort.

»Ich habe meinen toten Vater gesehen –« Es klang wie das Geständnis von schwer überwundenem Grausen.

»Ich glaube wohl, dass es kaum noch jemand mit einem so geringen Schuldkonto, wie sie es hatte, geben kann«, meinte er sinnend.

»Sie sind überzeugt, dass der Friede in ihren Zügen dahergekommen sei?«

»Ja – das bin ich voll und ganz!«

»Wie grausam ist auch dies. Das Leben lassen und alle Schuld – zusammengedrängt – in letzter Stunde empfinden und bereuen zu müssen«, sagte sie schaudernd und dachte dabei wiederum an ihren Vater, dessen Qual nicht zu Ende hatte kommen können.

Er zuckte mitleidlos die Schultern.

»Einmal rächt sich eben alles! – Das ist der Trost von uns Juristen, wenn wir lediglich mit dem Beweis unserer starken Überzeugung belasten können. – Nun muss ich aber zu meiner Arbeit. Mein Bürovorsteher ist verzweifelt. Stöße von Akten warten auf mich.«

Sie hielt ihn nicht zurück, obgleich ihr schwere Fragen auf den Lippen brannten. An der Schwelle wandte er noch einmal den Kopf nach ihr.

»Sie hatte mich schon vor Jahresfrist gebeten, nach ihrem Tode möglichst unverzüglich den Antrag auf Eröffnung ihres Testaments zu stellen. Ich habe es also bereits veranlasst. In ein paar Tagen hoffe ich, wird auch Ihnen Nachricht zugehen.«

»Fräulein von Ostried, ich weiß nichts Näheres, als dass sie sich mit der Absicht getragen hat, Ihnen in jeder Beziehung die Wege zu ebnen. Vielleicht wollte sie es mit mir an Ihrem letzten Geburtstag durchsprechen. Vielleicht erschien es so einfach, dass sie hierfür meinen Rat nicht brauchte. – Jedenfalls – machen Sie sich keinerlei Zukunftssorgen. Nicht wahr, Sie werden dann doch sofort mit aller Kraft Ihre Studien fortsetzen?«

»Ja, Herr Justizrat, das beabsichtige ich zu tun – denn auch mir hat sie in Öynhausen von dieser Absicht gesagt.«

»Wohin Sie sich zunächst wenden – ob Sie, einer Bestimmung gemäß, noch in diesem Haus bleiben oder ob sie andere Wünsche gehabt hat – nun, wir werden ja bald alles hören. – Jedenfalls schon heute das eine, jederzeit bin ich für Sie da. Ich weiß, wie nahe Sie ihr standen.« Und Eva von Ostried empfand es als ein unsagbares Glück, dass sie diese edle, gütige Frau wie eine Tochter geliebt hatte. – –

Vier Tage später kam die alte Pauline mit einem geöffneten Schreiben zu Eva von Ostried. Ihr Gesicht zeigte einen hilflosen und verlegenen Ausdruck, als sie ihr den großen Bogen hinreichte.

»Bitte, lesen Sie sich das auch mal durch. Ich versteh's nicht ordentlich. Damit muss doch eine andere als ich gemeint sein.«

Eva tat ihr den Gefallen und nickte ihr am Schluss freundlich zu.

»Es stimmt alles, Pauline. Sie sind nun reich!«

Da begann das alte Mädchen bitterlich zu weinen. Und unter Tränen stieß sie heraus:

»Mir ist so angst. – Nein, nein, Fräuleinchen – ich glaube nicht –«

»Ich will es Ihnen langsam vorlesen, Pauline. Hören Sie zu. Dann klingt es wahrscheinlicher.«

Sie stand mit andächtig gefalteten Händen neben Eva von Ostried.

In dem vorschriftsmäßig eröffneten Testament der verstorbenen Frau Hanna Melchers, verwitwete Landgerichtspräsident, fand sich die folgende Bestimmung, von der wir Ihnen hiermit Kenntnis geben:

»Ich bestimme ferner, dass meine gute Pauline Müller, in dankbarer Anerkennung ihrer nahezu dreißigjährigen mir treu geleisteten Dienste bis zu ihrem Tode aus meinem Nachlass monatlich die Summe von einhundertfünfzig Mark erhält. Außerdem soll sie sich nach Ihrer Wahl die Möbelstücke für zwei Stuben aussuchen und alles dasjenige an Wäsche und Kleidern, was ihr zu besitzen wünschenswert erscheint.

Mein Testamentsvollstrecker und Freund, Justizrat Dr. Weißgerber, möge freundlichst bei dieser Wahl an einem von ihm zu bestimmenden Tage zugegen sein –«

Das alte Mädchen regte sich noch immer nicht. Sie war sehr rot und ihre Hände zitterten, trotzdem sie sie fest zusammengelegt hatte. Sie nahm langsam das Schreiben wieder an sich. Ihre Blicke suchten eine bestimmte Zeile, die ihr die wichtigste erschien. – Schwerfällig buchstabierte sie, während ihr die Tränen über die Wangen liefen:

– Meine gute Pauline Müller –

– Eva von Ostried harrte seither einer ähnlichen Mitteilung. Sie war erstaunt, dass sie nicht mit der gleichen Post ebenfalls die amtliche Benachrichtigung empfangen hatte. Als der zweite Tag ereignislos zu Ende ging, wollte sie sich an den Justizrat wenden. Aber – schon zum Ausgehen bereit – empfand sie etwas wie Scham über ihre Ungeduld. Die Präsidentin hatte das Nichterfüllen von Versprechungen allzeit hart verurteilt. – Wie durfte sie auch nur einen Augenblick Zweifel hegen? Der nächste Tag – ja, vielleicht bereits die kommende Stunde – würden auch sie beglücken.

Mit fieberhafter Ungeduld widmete sie sich dem Aufräumen der Zimmer. Obgleich es ihr selbst sinnlos erschien, säuberte sie mit einer ihr sonst fremden, peinlichen Gründlichkeit jeden Winkel und vermied dabei dem Gedanken, der ihr wie ein Wahnsinn erschien, Raum zu geben.

In der Nacht fand sie keinen Schlaf. Die Eule schrie wieder. – Der Totenvogel, wie ihn die alte Pauline genannt hatte.

Was aber konnte ihr noch Lebendiges geraubt werden?

Das eine, große, letzte Hoffen, auf welches sich ihr Leben aufbauen sollte. Es duldete sie nicht länger im Bett. Sie erhob sich und riss die Fenster auf. Noch immer war Vollmond und silbernes Leuchten.

Wenn ihr die Präsidentin jenes Hintergehen in Öynhausen doch nicht vergeben hätte – wenn sie erst noch abwarten wollte – und wartete – bis – es – nun – zu spät geworden?

Sie sank am Fenster nieder und kühlte die heißen, zuckenden Finger am Glas der Scheiben. Das brachte sie zur Besinnung.

– Es waren Hirngespinste schlafloser Stunden – ohne Berechtigung. Ja mehr. – Eine Beleidigung für die Beste und Fürsorglichste, die niemals etwas Beschlossenes versäumt hatte. –

Sie begab sich wieder zur Ruhe und schlief nun traumlos und sanft, bis Pauline sie weckte.

»Stehen Sie schnell auf, Fräuleinchen. Herr Justizrat ist da und will mit Ihnen reden.«

Das kluge Gesicht des alten Juristen zeigte eine fremde Unsicherheit, als Eva von Ostried ihm gegenüberstand.

»Wundern Sie sich nicht über mein frühes Erscheinen«, versuchte er sich zu entschuldigen. »Ich hätte ebenso gut bereits gestern um diese Zeit bei Ihnen sein können. Aber, es war mir zu unfassbar. Ich konnte und wollte es nicht glauben.«

In ihr regte sich das Angstgefühl der verflossenen Nacht von Neuem.

»Was ist geschehen, Herr Justizrat?« Er zögerte mit der Antwort.

»Das Testament, wissen Sie –« Er sah, wie sie erblasste. Das gab ihm die Sicherheit zurück. »Ich habe vorgestern noch einmal darin Einsicht genommen. Es war mir freilich längst bekannt. Nach Besprechung mit Frau Präsident hatte ich es aufgesetzt. Ich erwartete aber einen noch nicht dem Wortlaut nach gesehenen Nachtrag – in Form eines Zettels oder meinetwegen eines Briefes. – Denn, es ruht noch nicht sehr lange beim zuständigen Amtsgericht. – Ich fand nichts. – Kurz – Sie sind darin nicht bedacht, Fräulein von Ostried.« Eine Weile wartete er geduldig auf eine Entgegnung. Sie schwieg. Er hatte die starke Empfindung, dass er ihr darüber forthelfen müsse, ohne indes das rechte Mittel zu kennen.

»Ich habe Ihnen bereits gestern angedeutet, was ich aus ihrem Munde weiß. Eine harmlose Bemerkung allein ist das nicht gewesen. Sie bat mich damals auch, dass ich Ihnen zur Seite stehen möchte, wenn sie nicht mehr dazu imstande wäre. – Was anders kann sie gemeint haben, als dass ich Sie auch bei Anlegung des von ihr Ererbten beraten möge? – Meine Erkrankung – die Unmöglichkeit an dem Fest Ihrer Volljährigkeit zugegen zu sein. – Vielleicht ihre Reise. – Ja, das alles kann dazwischengekommen sein. Und dennoch glaube ich auch jetzt an kein Aufschieben. – Ich sage da vielleicht etwas Sinnloses. – Ich müsste es eingesehen haben, dass irgendein Zufall – sie an der Ausführung gehindert hat. – Gestern zog ich das noch überhaupt nicht in Betracht. Ich war sicher, dass sich unter den von mir aus ihrem Schreibtisch entnommenen Schriften eine Bestimmung zu Ihren Gunsten vorfinden musste –«

Eva von Ostried hob den Blick. Ein entsetztes Fragen, das ihm ans Herz griff, lag darin.

»Und Sie – fanden – es endlich?« Die Kehle war ihm wie eingerostet.

All diese Tausende und Abertausende – Heime und Stiftungen bekamen sie – gänzlich fremde, wenn auch bedürftige Menschen. Und diese hier – die sie geliebt, an der sie sich erfreut hatte – die sollte leer ausgehen?

Er riss sich zusammen. Es musste doch geschehen.

»Nein, ich fand nichts, Fräulein von Ostried.«

Sie stand mit schlaff herabhängenden Armen vor ihm. Allmählich veränderte sich der Ausdruck ihres Gesichts und wurde schreckhaft starr, als sähe sie ein Gespenst. – Es war die Zeit, der sie entgegenging. – Schwer hing sich die Freudlosigkeit an ihre Glieder und machte ihre blühende Jugend frühzeitig welk und alt. Alles Hoffen versank mit diesem Schlag. –

Da war ein schnurgerader, sandiger Weg mit ungezählten spitzen Steinen. Den musste sie gehen, weil es nach diesem keinen andern für sie gab. – Er tat sehr weh. – Aber nur ihr Blut floss. Das Leben blieb.

Sie wimmerte auf und wusste doch nichts davon. Dem alten Mann griff es ans Herz. Das lichte Bild seiner Freundin wollte sich verdunkeln.

»Wenn ich ihr doch helfen könnte«, dachte er grimmig.

»Ich habe trotz meiner großen Einnahmen auch nur gerade so viel, als ich für mich und meine fünf Töchter brauche«, sagte er in einem Ton, als schäme er sich dieser Wahrheit. »Sie wissen es durch unsere Tote. – Meinen beiden verwitweten Töchtern gebe ich die gesamten Mittel zur Fortführung ihres kinderreichen Haushalts – sonst –«

Sie hörte nur dies letzte Wort, das bedauerte, keine Almosen spenden zu können. Sie musste also wie eine Bettlerin vor ihm stehen. Sonst hätte er das nicht zu sagen gewagt. – Ihre Muskeln spannten sich langsam an. Ihre Augen wurden stahlhart. Sie fühlte alle Peitschenhiebe, mit denen der Alltag ihrer wartete, voraus und bäumte sich dagegen auf.

»Ich besitze eigenes Vermögen, das mir der frühere Vormund durch Frau Präsident aushändigen ließ«, sagte sie hochmütig. Eine Last glitt von seiner Brust. Sie hörte ihn aufatmen und musste lächeln, weil er ihren Stolz so willig glaubte. –

»Gottlob – dann ist es ja doch nicht so hart, wie ich gefürchtet habe.«

»Durchaus nicht. Keine Sorge um meine Zukunft, Herr Justizrat!«

»Sie werden sich aber stets an mich wenden, wenn Sie irgendeinen Rat gebrauchen sollten.«

»Sehr gütig von Ihnen. Hoffen wir, dass ich in keinerlei böse Lagen gerate –« Ihre sonst melodische Stimme klang fast schrill. Ihr Lächeln wirkte maskenhaft. Er fuhr mit dem Taschentuch über die hohe, kahle Stirn. »Ich möchte noch gleich mit der alten Pauline wegen der von ihr zu wählenden Sachen verhandeln –«

Pauline war eigensinnig. Sie mochte von all den schönen, vielfarbenen Seidenkleidern der Präsidentin nur eins. – Und gerade das unmodernste und älteste, worin sie gestorben war.

»Anziehen werd' ich's natürlich nie«, meinte sie, von Neuem aufweinend, »denn sie hat's noch mehr in Ehren gehalten, wie ihre andern –«

– – Eva von Ostried kniete vor der altertümlichen Kommode und raffte ihre Habseligkeiten zusammen. Ohne Überlegung warf sie alles in einen großen, sehr neu aussehenden Koffer. Die fieberhafte Ungeduld, möglichst schnell aus diesem Hause fortzukommen, trieb sie zur Eile.

Sie wollte keinen Bissen Gnadenbrot weiter annehmen, keine Bettelgabe begehren. Während sie sich das stolz und trotzig vornahm, fiel ihr Blick auf das, was ihr gehörte. Eine glühende Röte überzog ihr Gesicht. Wozu spielte sie Versteck mit sich? War nicht alles, was sie besaß durch die Güte der Verstorbenen geschaffen? Hatten ihr nicht deren zarte Geschenke und das liebevolle Erspähen ihrer geheimsten Wünsche alles beschert? Was blieb ihr, wenn sie darauf freiwillig Verzicht leistete? – Das Gefühl ihrer Ohnmacht gegenüber dieser Tatsache war so stark, dass sie nicht weiter schaffen konnte. Entsagung – Kampf und Armut lauerten überall auf sie als willkommene Beute. Denn was bedeuteten die armseligen tausend Mark Muttererbe?

Sie musste auflachen. Es klang grell und schaurig in diesem hellen, freundlichen Mädchenstübchen. – Die Tränen schossen ihr in die Augen. Das weitere Leben war wertlos geworden. – Und dennoch – es fortwerfen, weil der goldene Traum der Künstlerhoffnung verwehrt war?

Unmöglich! In den Adern pochte die Jugend. Allein die Vorstellung, sterben zu müssen, schuf schon ein wildes Wehren dagegen.

Der sandige Weg mit den spitzen Steinen würde beschritten und – zu Ende gelaufen werden! – Ohne die geliebte Kunst!

War das überhaupt auszudenken? – Täglich fremden Launen zu dienen, stündlich Nadelstiche zu erdulden, bis alles Empfinden tot war? Amtsrat Wullenweber fiel ihr ein. Wenn sie ihn bitten würde? – Es war Wahnsinn mit diesem Gedanken auch nur zu spielen. – Auch Ralf Kurtzig, der alternde Meister, konnte ihr nicht helfen. Sie wusste durch die Präsidentin, dass er wohl Reichtümer eingeheimst, aber niemals aufzuspeichern verstanden hatte. Und ihr Studium war teuer. – Die ersten Lehrkräfte waren notwendig. Die Weiterbildung auch des Gehörs durch den Besuch der besten Konzerte blieb Erfordernis. – Gute und nahrhafte Kost, anständige Kleidung mussten auch sein – – Sie hatte erlebt, wie das Geld unter den Fingern zerrann. – –

Sie wollte alles begraben! – Als sie meinte, dass mit diesem Vorsatz das Hauptsächlichste geschehen war, packten sie Verzweiflung und Jammer so heftig, dass sie aufschrie und sich über ihre Noten warf ...

Und doch – wenn nur der erste Schritt getan war!

Sie wurde nachdenklich – vergaß die begonnene Arbeit, riss den Hut vom Haken und drückte ihn auf das Haar. – Wenn sie hier fort wollte, musste ein neuer Unterschlupf gefunden werden. – Und fort wollte sie. Je früher, desto besser. – Im Laufschritt eilte sie die breite, stille Straße hinunter. – Wollte zu der Zweigniederlassung der von der Präsidentin bisher gelesenen Zeitung, um ein Gesuch nach einer Stellung aufzugeben – vergaß dann aber sofort wieder diesen Vorsatz und eilte gedankenlos weiter, den wundervollen, schattigen Plätzen entgegen, an denen die prunkvollen Häuser der glücklichen Besitzer lagen.

Die Welt war klar, satt und durstlos. An stillen Seitenstraßen schienen die jungen Buchen zu bluten, als verschenkten sie freudig ihren Lebenssaft. Unbeschreibliche Sehnsucht nach einem Menschen, der sie in dieser Stunde haltloser Verzweiflung voll verstehen könnte, überkam Eva von Ostried. Sie wusste sich niemand!

Ihre Schönheit hatte zu allen Zeiten glühende Bewunderer gefunden. Aber sie kannte sich selbst noch zu wenig, um schon zu wissen, dass sich lediglich ihre stark entwickelte Eitelkeit durch die unverhüllten Blicke der Leidenschaft befriedigt gefühlt.

Wäre es anders gewesen, hätte sie damals unmöglich Paul Karlsens gestohlene Zärtlichkeit als eine unerhörte Beleidigung empfinden können. Ihr Herz war bisher völlig unberührt geblieben. Ihre Frauensehnsucht suchte indessen unbewusst – an den lauten Huldigungen vorbei – nach den stillen Gassen, die zu dem Tempel reiner Liebe führen.

Und dennoch sträubte sie sich heftig gegen die Zumutung, die Krone des Frauendaseins einzig in der Ehe mit einem Manne zu suchen.

Plötzlich verlangsamten sich ihre Schritte. Lauschend neigte sich der Kopf. Rächten sich die Stunden der Aufregung und gaukelten ihr Töne vor aus jener Welt, die ihr von heute an verschlossen war. Oder gehörte die jauchzende Stimme hinter ihrem Rücken der Wirklichkeit an?

> Ach, dass die Seele dein meiner Seele sich eine,
> Du teures Kind, lass mich deine Augen sehn.
> In diesem weißen Kleid, mit diesem Heiligenscheine
> Bist du ein Engel aus Himmelshöhen.

Sie wollte dem wohlbekannten Liebeswerben Wilhelms entfliehen, stürzte weiter und stand doch im nächsten Augenblick durch den lockenden Ruf bezwungen, wie gebannt still.

Zwei Hände rissen die ihren, die kalt und matt gewesen, an sich.

»Kleine, süße Mignon, endlich sehen wir uns wieder.«

Paul Karlsen war an ihrer Seite und sie ließ ihn nicht ihre Verachtung spüren. – Alles lag weit hinter ihr! Wie eines wirren Traumes, den ein Kind gehabt und sich ganz falsch gedeutet hatte, gedachte sie flüchtig seines Kusses.

Er hatte ihre Hände freigegeben und schritt ruhig neben ihr dahin.

»Wohin wollen Sie, Fräulein von Ostried?« Das klang durchaus korrekt und brachte ihr einen Strom zuversichtlicher Hoffnung.

»Wenn ich das selbst wüsste«, entgegnete sie leise. Er betrachtete sie aufmerksam und schob sich ein wenig an sie heran.

»Fronen Sie nicht mehr bei Ihrer alten Dame, hinter deren Stuhl ich Sie oft genug – zähneknirschend – sehen musste?«

Da sagte sie ihm von dem Tode der Präsidentin. Er hörte ihr aufmerksam zu.

»Gottlob – also der Kunst endlich zurückgegeben! – Wird das schön werden. Wir halten natürlich fortan fest zusammen.«

Sie mied seinen bittenden Blick.

»Ich gehe fort von Berlin.«

»Ah«, machte er enttäuscht, »wohin denn? Berlin bietet doch die besten Ausbildungsmöglichkeiten. Auch kann man hier gar nicht anders, als sehr brav sein. Ich habe mir's vor allen andern Städten ausgesucht. – Ob gerade darum? Nein, das zu behaupten wage ich doch nicht. – Wissen Sie, nun ist's entschieden. Don Karlos – Meister Heinrich und die verehrten blutigen Könige des nämlichen Namens mit aufsteigender Nummerierung sind tot und feierlich begraben. – Vor Ihnen steht der künftige erste Heldentenor der Welt.« Sie empfand brennenden Neid, schämte sich der Aufwallung und fragte hastig:

»Wie ist das möglich geworden?«

»Tja –«, machte er und schwippte leichtsinnig mit den Fingern durch die Luft, »es hat sich halt endlich eine unversiegbare Goldader auffinden lassen.«

Sie ahnte nicht, dass immer noch der Neid aus ihren wundervollen, leidenschaftlichen Augen sprang. Ihm entging es nicht. Er spielte seine Rolle ausgezeichnet – hielt sich fest im Zügel, wenn er sie auch noch bezaubernder als damals in Öynhausen fand.

»Und Sie – wie weit sind Sie gekommen? – Ihnen fehlte nicht mehr viel zur künstlerischen Reife!«

Ihre Hand ballte sich in ohnmächtigem Zorn. Er am wenigsten durfte etwas von ihren jähzerstörten Hoffnungen ahnen. Sie schämte sich ihrer Armut.

»Ich? – Nun, es wird sich bald genug etwas für mich finden lassen. Ich kann nur noch vorläufig zu keinem festen Entschluss kommen.«

Er betrachtete sie heimlich und bemerkte einen bittern fremden Zug, der vor wenigen Monaten bestimmt noch nicht dagewesen war. Sie erschien ihm plötzlich wie ein Becher aus edlem Kristall, der alles offenbart. Auch sie spielte ihm eine Komödie vor. Aber, sie spielte sie nicht glaubhaft genug. Ihr musste entschieden etwas geschehen sein, das sie gedemütigt hatte. Ihr Stolz, der ihn anfangs entflammte, ehe er ihn unbequem und zuletzt lächerlich gefunden, war in diesem Augenblick unecht. Aber er wollte sie ein wenig quälen.

»Sie müssen mir versprechen, dass Sie an der ersten Stelle Ihrer Tätigkeit meiner in warmer Fürsprache gedenken«, bat er mit knabenhafter Frische und hielt ihr die Rechte hin. »Schlagen Sie ein, Fräulein von Ostried.«

Es klang respektvoll und freundschaftlich. Der Ton tat ihr wohl. Ihre Ehrlichkeit litt indes kein weiteres Versteckspiel. Ihr Herz, das sich gerade hatte beruhigen wollen, begann wieder wie rasend zu pochen. Ihre Augen füllten sich mit Tränen, sosehr sie auch dagegen kämpfen mochte. Das stellte er mit stürmischer Freude fest. Ganz zart bemächtigte er sich von Neuem ihrer Hände:

»Sie können mir vertrauen. Wirklich – Herrgott – wer machte mal keine Dummheit – Ihre Schönheit hatte mich einfach kopflos gemacht – nein – es war doch wohl mehr die grenzenlose Bewunderung Ihres herrlichen Talents. Vergeben Sie mir, Eva. Sehen Sie in mir einen Freund und Bruder –«

Da sagte sie ihm alles!

Er bedauerte sie nicht, als sie zu Ende gekommen war, trotzdem er sie »armes Hascherl« nannte. Es klang vielmehr aus den Worten ein schelmisches Lachen, weil er dem traurigen Zufall die Rechnung verderben wollte.

»Das ist wahrhaftig keine Kopfhängerei wert! Wozu wäre ich Ihnen denn sonst heute in den Weg gelaufen? – Sie dachten auch nur einen Augenblick ernstlich daran, der Musik zu entsagen? Ja, wissen Sie denn nicht, dass Sie damit die größte Sünde begingen. – Und – sündigen dürfen Sie nicht! – Herrgott, Mädel, was haben Sie für Gold in der Kehle. Darauf pumpt Ihnen jeder gerissene Geschäftsmann, so viel Sie wollen.«

Sie musste, angesteckt durch seine hinreißende Zuversicht, lächeln.

»Meine alten Gönner und Lehrer leiden an dem nämlichen Übel, wie ich selbst«, sagte sie bitter und dachte in erster Linie an Ralf Kurtzig.

»Und die jungen«, fragte er und suchte ihren Blick. Sie wollte sich nicht empfindlich zeigen und konnte doch nicht hindern, dass eine glühende Röte ihr Gesicht überzog. Er betrachtete sie mit den Augen des Künstlers, der sich an jeder gelungenen Schöpfung freut. - Als sie jetzt mit der ihm nur zu wohlbekannten Bewegung der Unnahbarkeit den Kopf zurückwarf, reizte sie - wie einst - sein Mannesempfinden. Der Wunsch, ihre stolze, schlanke Gestalt an sich zu pressen - den roten, lockenden Mund mit glühenden Küssen zu bedecken, verlangte genauso ungestüm wie nach dem Zusammenspiel seine Erfüllung.

Nur, dass er sich heute überwand und nicht das Geringste tat, um den zarten Keim ihres jungen Vertrauens zu zerstören. Er sprach weiter, als habe er keine Antwort von ihr erwartet:

»Ich wollte Sie nur ein wenig quälen - Ihnen zeigen, dass Sie im Augenblick aus eigener Kraft nichts vermögen.« Sie wurde unsicher.

»Sie widersprechen sich ja.«

»Weil ich soeben noch von den klugen Geschäftsleuten redete? Das halte ich aufrecht! - Sie warten sozusagen an allen Ecken auf Sie, mein Fräulein. Es kommt lediglich darauf an, dass Sie den richtigen festmachen. Die Wahl muss vorsichtig gehandhabt werden. Zugleich mit diesem Ehrenwerten lauern hundert Fallen, in welche Ihre Unerfahrenheit glatt hineintappt, wenn Ihnen der kühle Berater fehlt.«

Sie seufzte auf, weil sie ihm glauben musste.

»Ich könnte mich an den juristischen Berater der verstorbenen Präsidentin wenden. Er hat mir seine Hilfe angeboten.«

»Ein Jurist und sei er noch so tüchtig, versteht nichts von all diesen Dingen. - Da gibt es Vorschläge und schließlich Abschlüsse, gegen die kein Paragraf gewachsen ist.«

»Das bestärkt mich in der Notwendigkeit, zu entsagen.«

»Sehen Sie an! So sehr verachten Sie also mich und meine Freundschaft?«

»Sie wollten mir wirklich helfen?«

»Merken Sie das endlich? Ich habe bereits einen Plan. Wir besteigen die nächste elektrische Bahn und fahren gemeinsam zu – nun – nennen wir ihn meinetwegen Herrn Freundlich! Der Mann ist bis zu einem gewissen Grade gefällig und auch beinahe ehrlich, wenn man seine Schliche so lange und genau kennt, wie ich. – Mir hat er jedenfalls vor Jahren rührend geholfen. Freilich«, und sein Gesicht nahm einen zerknirschten Ausdruck an, »ein bisschen hänge ich – aus purer Vergesslichkeit – immer noch bei ihm. Wirklich nur deshalb. Meine Goldader hätte ihn längst befriedigen können. – Also – wollen Sie?«

Sie zögerte noch. Die Hoffnung durchleuchtete aber schon das kurze Zaudern.

»Er kennt mich doch nicht?«

»Darum verbürge ich mich eben für Sie! Mich kennt er und weiß genau, was ich kann und noch leisten werde. – Passen Sie auf, wir schaffen es mit Leichtigkeit. Ein paar Tausend Mark gewährt er unter durchaus annehmbaren Bedingungen zweifellos.«

Sie folgte ihm willenlos, als er in eine Seitenstraße einbog und zu einer Haltestelle herüberquerte.

Sie saßen Seite an Seite auf dem schadhaften Tuch der schmalen Sitzbank und schwiegen. Das Hoffen, das Eva von Ostried für alle Zeit eingesargt zu haben meinte, trieb grüne Keime. – –

Herr Freundlich bewohnte ein düsteres, etwas feuchtes Kellergelass und war sehr unfreundlich. Über seiner scharfgebogenen Nase spähten zwei kleine stechende Augen in Karlsens schönes, leichtsinniges Gesicht.

»Wie werde ich Sie nicht wiedererkennen, Herr Karlsen«, unterbrach er ihn mürrisch, »Sie stehen ja noch mit achtzig Mark und fünfzig Pfennig zu Buch.«

»Sie irren, Bester, es können unmöglich mehr als dreißig Mark sein.«

»Fangen Sie nicht schon wieder an zu handeln. Ich sage Ihnen, dass es sogar neunzig sind, wie mir eben einfällt.«

»Schön. Sie sollen recht behalten. Sonst ist es demnächst zu Hundert angewachsen. Das Weitere in dieser Sache später. – Heute will ich nichts für mich. Ich bringe Ihnen hier Fräulein von Ostried, die schon einmal mit noch nie dagewesenem Erfolg in Öynhausen die Mignon gesungen hat. – Ihre Stimme birgt ganze Goldfelder.«

Die schlauen Augen glitten, den Wert ihrer Schönheit abschätzend, jetzt über Eva von Ostrieds Gestalt und Antlitz. Sie empfand diese Blicke mit körperlichem Schmerz.

»Um wie viel handelt es sich denn?«, fragte er langsam und vorsichtig.

»Fünftausend Mark würden vorläufig genügen.«

»Und die Sicherheit?«

»Gebe ich Ihnen! Zudem verpflichtet sich die Dame schriftlich zu regelmäßiger Abzahlung in Raten nach Abschluss ihres ersten Vertrages.«

Herr Freundlich lachte kurz und trocken auf.

»Eine schöne Sicherheit! Wollen Sie mich vielleicht zum Narren halten?«

Eva begann zu zittern. Die Scham, dass sie Paul Karlsens Vorschlag angenommen, wurde so stark, dass sie zur Tür strebte, um ohne Gruß zu scheiden. – Da streckte sich die dürre Hand des Geldverleihers nach ihr aus.

»Nicht so hitzig, Fräulein. Sie gefallen mir sonst. – Und ich könnte Ihnen schon helfen!«

Eva von Ostried sah in diesem Augenblick hilfesuchend nach Paul Karlsen hinüber. Sie wurde unsicher.

»Wir müssen uns aber vorher erst auf gut Deutsch miteinander verständigen«, fuhr er fort. »Es soll natürlich die Oper sein. Kennen wir doch. – Was anderes wird's auch tun. Kurz gesagt: Ich wüsste was Passendes für Sie. Auf die Stimme kommt's dabei nicht besonders an. Aber Kleider und Firlefanz müssen sein. Was sonst verlangt wird, ist bei Ihnen vorhanden. – Sie gehen zum Varieté, Fräulein!«

Eva von Ostried riss nun doch die niedere Tür auf und flüchtete die ausgetretenen unsauberen Stufen empor auf die Straße.

Ohne sich nach Paul Karlsen umzusehen, lief sie weiter.

»Sie dürfen mir nicht zürnen, ich habe es gut gemeint«, bettelte seine Stimme demütig. Sie sah starr geradeaus, damit er die Tränen ihrer Scham und Verzweiflung nicht merken sollte.

»Jetzt werden Sie kein Vertrauen mehr zu mir fassen können«, klagte er. »Und ich wollte dies doch lediglich versuchen, damit Ihnen – das andere – nicht etwa schwerfallen sollte.« Nun wandte sie ihm doch ihr Gesicht zu.

»Welches andere? Glauben Sie hiernach wirklich noch, dass ich einem zweiten Versuch zustimmte?«

»Ich glaube nichts. Aber ich weiß. Es ist kein Versuch mehr. – Sie brauchen lediglich Ja zu sagen. Dann ist alles in Ordnung.«

»Ich wollte, ich wäre Ihnen nicht begegnet«, sagte sie hart.

»Morgen werden Sie anders denken.«

»Morgen werde ich vielleicht schon Berlin verlassen haben.«

»Nein«, sagte er und seine Lippen wurden schmal vor Erregung, »morgen werden wir beide – gleich ausgelassenen Kindern – der Zukunft entgegenlachen. Wetten?« Sie tat, als habe sie dies Letzte nicht gehört.

»Ich muss meine Sachen fertig packen. Leben Sie wohl.«

Er hielt Ihre Hand fest.

»Fräulein von Ostried – ich bin Ihre Zukunft! Fühlen Sie das nicht? – Es ist nicht Großsprecherei. Es ist einfache, ungeschminkte Wahrheit. – Sie werden pünktlich heute Abend um neun Uhr vor dem Gartentor der Villa sein, die sich Karlsbaderstraße 14 befindet.«

»Ich werde nicht kommen. Verlassen Sie sich darauf.«

»Streiten wir nicht. Ich erwarte Sie. Also keine Angst. Dort wird sich jemand finden, der Ihnen ohne Schuldschein und sonstige Versprechungen alle Mittel gewährt, die Sie nötig haben. – Es ist kein Scherz dabei. Sehen Sie mich an.«

Sie schüttelte den Kopf ohne den Blick zu heben.

»Lassen Sie mich. Ich will nicht mehr.«

»Ich mag leichtsinnig und verschwenderisch – faul und meinetwegen sogar nicht immer zuverlässig sein. Ein der Kollegschaft gegebenes Versprechen habe ich noch nie gebrochen. – Hören Sie. Mein Ehrenwort, dass Sie nicht umsonst kommen werden. Dass Sie das bezeichnete Haus als eine verlassen, die für alle Zeit zu ihrer Kunst zurückgekehrt ist.«

Sie antwortete ihm nicht. Sie riss nur ihre Hand gewaltsam aus der seinen und setzte ihren Weg allein fort.

Er machte keinen Versuch ihr zu folgen.

Aber solange die klare Ferne ein Schatten ihres schwarzen Kleides zeigte, sah er ihr mit einem Lächeln des Triumphes nach.

5.

Paul Karlsen ging mit gemächlichen Schritten über den rostfarbenen Kies. Zu beiden Seiten des schmalen Weges blühte der Vorgarten. Über dem weinumzogenen Haus lag die Mittagssonne. Augenscheinlich hatte er es nicht eilig. Auch die wenigen bequemen Marmorstufen der Treppe nahm er fast zögernd. In dem Vorraum, der zur eigentlichen Diele führte, erwartete ihn die steife Gestalt eines alten Dieners, der etwas eigentümlich Lebloses hatte. Paul Karlsens Augen waren noch von der Fülle der Sonne geblendet. Er erschrak, als sich eine Hand nach seinem Hut ausstreckte, trotzdem er dies Bild nun doch nachgerade kennen musste.

»Na – bin ich heute pünktlich, alter Hagen«, fragte er lässig.

Das Gesicht veränderte sich nicht. Nur die leise Stimme klang vorwurfsvoll.

»Die gnädige Frau wartet seit einer Stunde mit dem Essen!«

Er lachte kurz auf, warf den Kopf in den Nacken und murmelte etwas.

»Verdammter Zwang«, hieß es. –

In dem großen, sehr kühlen Esszimmer harrten auf köstlichem Leinen zwei Gedecke. – Dieser Raum wirkte pomphaft und erdrückend. Die Bespannung der Wände mit schwarzem Rupfen allzu feierlich. Die wuchtigen Möbel spreizten sich in ihrer Kostbarkeit. Die Sonne, welche durch stilvoll bemalte Scheiben ohnehin ihren Weg niemals finden konnte, war vollends von schweren Vorhängen abgesperrt. Nur die Tafel mit dem blendend weißen Leinen trug eine Fülle blutroter Rosen und dunkelblauem Kristall.

Plötzlich löste sich aus der halb dunklen Schwermut die überschlanke Gestalt einer weiß gekleideten Frau und schritt auf Paul Karlsen zu. Das längliche Gesicht war auffallend bleich. Die Nase trat scharf hervor, als habe ein kürzlich überstandenes Krankenlager den Wangen die natürliche Rundung genommen.

Karlsen führte ihre Hand an die Lippen und ließ den Wortlaut seiner Stimme in gut gespielter Überraschung klingen:

»Du hast ja diese Leichenkammer heute so herrlich geschmückt, kleine Frau. Wer soll denn beigesetzt werden? Und ein neues Gewand hast du ebenfalls angelegt.«

Ihr stiegen die Tränen auf. Nicht weil er sie warten ließ. O nein – daran hatte sie sich längst gewöhnt. Aber – dass er nicht – daran dachte.

»Das Kleid«, sagte sie hastig, um nicht laut aufweinen zu müssen, »kennst du es wirklich nicht, Paul?«

Er zog sie nach einem der hohen Fenster herüber und zerrte den Vorhang zurück. In dieser Bewegung lag ein Aufbäumen auch gegen vieles andere.

»Nee, mein Kind. Keine Ahnung habe ich.«

»Ich trug es an dem Tage unserer heimlichen Verlobung in Öynhausen.«

Er lachte verlegen auf.

»Richtig! – Natürlich! – Jetzt sehe ich es. Das sind aber doch höchstens vier Monate her und noch längst kein Jahr. Wo ist also der geschätzte Anlass zu einer besonderen Feier?«

»Heute sind wir einen Monat Mann und Frau«, sagte sie leise und konnte nun doch nicht hindern, dass ein runder Tropfen auf das kostbare Gewand fiel. – Er zog ungeduldig die Stirn empor.

»Schön – also einen Monat! Was ist das im Vergleich zu all den Jahren, die hoffentlich noch vor uns liegen. – Also, ich habe dieses hohe Fest verschwitzt. Nimm's nicht übel. Mir brummt der Kopf. Es gibt doch mehr Arbeit und Schwierigkeiten zu überwinden, als ich anfänglich annahm.«

»Ich störe dich doch nicht etwa bei deinen Studien, Paulchen?«

Er hatte seinen Rufnamen überhaupt niemals gemocht. Dies »Paulchen«, das er ihr nicht abgewöhnen konnte, reizte ihn zuweilen bis zur Tollheit. Jetzt überhörte er es, weil er etwas erreichen wollte.

»Du im Besonderen bist das bescheidenste und leiseste Wesen, das es geben kann. Im Allgemeinen freilich wäre ich gerade jetzt für eine kurze Zeit nicht eben ungern solo.« Sie sah entsetzt zu ihm auf.

»Soll das heißen!« Sie konnte nicht vollenden. Ihre Stimme erstickte in Tränen. Er schüttelte sich, als fröre er.

»Tu mir den einzigen Gefallen und höre mit dem Weinen auf, Elfriede. Ich komme mir ja andauernd wie ein Barbar vor. Nein, nicht du sollst für wenige Tage deine zur Zeit kränkelnde Mutter, eine Straße weiter, besuchen und sie dadurch halb unsinnig vor Freude machen – welchen Wunsch sie mir schon vor einer Woche, allerdings mit der Bitte, ihn dir vorläufig zu verheimlichen, verraten hat – sondern ich werde zu meinem Lehrer unter den blendenden Dachgarten ziehen. Denn, weißt du, kleine Frau, ich muss üben und immer nur üben – kann mich nicht mehr an eine feste Tischzeit binden – vertrage überhaupt zu solchen Zeiten vorübergehend keine andere Gesellschaft als eine männliche.«

Sie legte die Hand auf seinen Arm.

»Paulchen, schenk mir's zum heutigen Tag, dass ich in mein altes Mädchenstübchen zur Mutter darf. Du musst deine Bequemlichkeit gerade jetzt haben.«

»Das würde eine schöne Geschichte geben, mein liebes Kind! Deine Mutter würde plötzlich vergessen, wie sehr sie sich nach dir gesehnt und felsenfest glauben, ich behandele dich schlecht und lieblos. Denn sieh mal, immerhin bleibt es etwas wunderbar, wenn eine junge, liebliche Frau nach einmonatlicher Ehe ihren Ehemann – wenn auch nur vorübergehend – verlässt.« Der letzte Satz gab ihr eine ungeheure Kraft.

»Glaubst du wirklich, Paulchen, dass ich der Mutter meinen Besuch in diesem Lichte hinstellen würde?«

»Na, na, Kleines – wer kennt sich mit euch Frauen aus? In gewissem Sinne ähnelt ihr euch alle verteufelt.«

Sie widersprach mit jähaufflackerndem Rot.

»Hast du schon vergessen, was ich dir in der grünen Einsamkeit des Siels am Karpfenteich gelobt habe?« Natürlich hatte er nicht die geringste Ahnung. Aber er hütete sich es einzugestehen.

»Frauengelöbnisse sind unberechenbar, wie eure Eifersucht, Schatz.«

»Hältst du mich für eifersüchtig?«

»Es käme auf die Probe an. Glatt verneinen möchte ich das nicht!«

»Ich würde sie bestehen. Verlass dich drauf.«

»Lieber nicht. Deine Mutter wohnt ein bisschen zu nahe, Kleines.«

»Wie tief musst du mich einschätzen, Paul!«

»Bewahre. Riesig hoch sogar. Hätte ich dich denn sonst geehelicht?«

Sie legte mit einer rührenden Gebärde der Demut ihr Gesicht auf seine schlanke Hand.

»Sage so etwas niemals wieder, Paulchen. Wir wollen uns doch fest, ganz fest vertrauen.« Ihm wollte ein Lachen aufsteigen. Es wurde aber zuletzt ein Hüsteln daraus.

»Wollen wir auch. Natürlich. Aber jetzt komm gefälligst. Ich verspüre einen Bärenhunger.« Erschrocken drängte sie ihn zur Tafel hinüber.

»Verzeih – ich vergesse das so oft neben dir!«

Er musterte ihre magere, noch kindlich unentwickelte Gestalt und seufzte leicht auf.

»Leider, mein guter Schatz! Ess und trink, lieb und sing. Ja – so stand es an einem alten Bauernhaus in Sachsen. Und recht hat der Spruch! – Wie ich sehe, hast du zur Feier des hohen Tages auch herrlich für Stoff gesorgt. Hoffentlich ist er gut.«

Sie ließ es sich nicht nehmen, ihm aus der schweren Kristallkaraffe die funkelnde Schale zu füllen.

»Probiere ihn, Paulchen.« Er hob das kostbare Glas und ließ es hell an das ihre klingen.

»Herrlich! – Überhaupt – das muss ich immer wieder anerkennen, du bist eine ganz prachtvolle, kleine Hausfrau.«

Strahlend sah sie zu ihm auf.

»Darum habe ich auch einen Wunsch frei, ja?«

Der Diener trug die Suppe auf. Die Unterhaltung verstummte. Sobald er unhörbar entschwunden war, sagte Paul Karlsen spöttisch:

»Er liebt mich nicht, Elfchen. Weißt du das eigentlich?«

»Er liebt jeden, der mir gut ist«, sagte sie ruhig, fast streng.

»So? Na, weißt du, das bezweifle ich stark. Oder willst du etwa andeuten, dass ich –«

Sie ließ ihn nicht zu Ende kommen. Sanft legte sie ihre Hand auf seinen Mund.

»Ich bin dir unaussprechlich dankbar dafür. Trotzdem wünsche ich mir noch eine Kleinigkeit.«

»Was denn, Kleines?«

»Den Besuch bei meiner Mutter.«

»Ausgeschlossen! Die Gründe für meine Härte habe ich dir genannt.«

»Sie sind sämtlich hinfällig. Ich fange es eben so geschickt an, dass Mama zum Schluss sich heimlich bei dir bedanken wird.«

»Wie wolltest du das anstellen?«

»Sehr einfach. Heute Nachmittag zur üblichen Whistpartie, wäre ich doch herübergegangen. Da werde ich also ausnehmend blass aussehen müssen. – Lache nicht – ein wenig Weiß genügt schon. Sie wird mich wieder zur Schonung quälen, in ihrer Überängstlichkeit meinen längeren Besuch verlangen, damit sie sich selbst von meinem Gesund-

72

heitszustand überzeugen kann und zwar dies alles in deiner Gegenwart.«

»Um Gottes willen, ich soll dich doch nicht etwa begleiten. Das hast du bisher doch klug zu vermeiden gewusst.«

»Bringe mir dies Opfer, Liebster.«

»Also gut! Ich will sogar gern mitkommen. Das heißt höchstens für ein bis zwei Stunden.«

»So lange wird es gar nicht nötig sein«, meinte sie froh. »Aber nun höre weiter. Du sperrst dich gegen das von ihr Geforderte und verweigerst schließlich in aller Form deine Erlaubnis. – Dann wird sie hitzig werden und unter allen Umständen darauf bestehen. – Ich kenne sie doch.«

»Du bist ja eine ganz gefährliche, kleine Heuchlerin, Schatz.«

Er zog sie leicht in die Arme. In tiefem Glücksgefühl schloss sie die Augen, die das einzig Schöne in ihrem Gesicht waren.

»Ist das nicht ein feiner Plan, Paulchen?«

»Ausgezeichnet sogar, wenn mir inzwischen die Sache nicht wieder leid geworden wäre. Du hast als Ernst aufgefasst, was bei mir nur eine Art Gefühlsausbruch war.«

»Dass du es, wenn auch nur einen Augenblick gewünscht hast, zeigt mir die Notwendigkeit und nachher – wird es umso schöner sein.«

»Gelt, das hätten wir vor einem Vierteljahr auch noch nicht gedacht?«

»Was denn«, schnurrte er mit erwachender Behaglichkeit.

»Dass wir so schnell unser Glück erzwingen würden.«

Er nickte mit vollem Mund, denn inzwischen war der Braten gekommen, der, zart und saftig, selbst den größten Feinschmecker befriedigt hätte.

»Wärst du nicht plötzlich nach der schroffen Ablehnung meines Werbens durch die Frau Kommerzienrat, wollte natürlich sagen, deiner lieben Mama, kränker geworden und dadurch jegliche Wirkung der Kur auf dein rebellisches Herzlein infrage gestellt – wer weiß, wer dann heute an meiner Stelle neben dir säße –«

»Wie wenig du mich im Grunde doch kennst, Paulchen. Fühlst du nicht, dass ich niemals einem andern als dir gehört hätte?«

Er nickte ihr zu.

»Kleines Treues – du!« Dann begann er zu scherzen und von jener Zeit zu plaudern, weil er genau wusste, dass ihr dies die liebste Unterhaltung war. Seine feurigen Augen strahlten tief in die ihren. Das schmeichlerische weiche Organ machte auch das unbedeutendste Wort zu einer Zärtlichkeit. Seine Laune war plötzlich glänzend.

Über den blutroten Rosen und dem blauen Kristall schien die Krone des Glückes, die allein die Liebe gibt, in warmen Glanz zu schweben! – –

»Ja«, sagte einige Stunden später Frau Kommerzienrat Eßling zu ihrer alten Freundin und Vertrauten, die – wie seit Jahren – als Erste zur Whistpartie gekommen war, »in der Nähe hätte ich sie nun ja. Aber, was will das sagen. So viel man auch aufpasst – allwissend ist doch niemand. Wer sagt mir, ob Elfriede unter seiner Anleitung nicht ebenfalls Komödie zu spielen gelernt hat?«

Frau Generalkonsul Enck war keine misstrauische Natur. Aber dieser überstürzt geschlossenen Verbindung zwischen dem überzarten, beständig kränkelnden Mädchen und diesem bildhübschen Leichtfuß, dem Karlsen, brachte sie doch ihre schärfste Missbilligung entgegen. Hätte man sie, wie das sonst bei jeder wichtigen Entscheidung der Fall gewesen, nur um Rat gefragt. Man hatte jedoch, einfach über ihren Kopf fort, in aller Stille dem durchaus nicht von ihr ernst genommenen Verlöbnis, die eheliche Verbindung auf dem Fuße folgen lassen.

Nun kamen natürlich Reue und Gewissensbisse über die besorgte, selbst leidende Mutter. Anderseits kannte sie die bewundernswerte Energie der Kommerzienrätin zu genau, um dieses Bündnis von vornherein als dauerndes anzusehen.

»Sie hätten es sich gründlicher überlegen sollen«, konnte sie sich nicht versagen, zu erwidern. Die andere sah starr auf das feine Porzellan der kostbaren Teeschalen herab.

»Sie haben niemals Kinder besessen. Da können Sie so etwas wohl sagen. Stehen Sie nur an zwei Krankenbetten, in denen scheinbar bisher kerngesunde, bildhübsche, lebenslustige Mädchen – – Auch die andern Ärzte haben zuerst keine Ahnung davon gehabt. Denn dass mein Mann an den Folgen einer hartnäckigen Lungenentzündung in jungen Jahren starb, gab noch allein keinen Grund zur Beängstigung für seine Kinder ab. Erleben Sie mal erst, was ich ertragen habe. – Wie habe ich damals gegen das furchtbare Gespenst gerungen. Hart bin ich gewesen – so hart.«

In ihrem energischen Gesicht, aus dem die scharfe Nase, wie sie auch ihre jetzt noch einzige Tochter hatte, auffallend hervorsprang, zuckte es.

»Regen Sie sich nicht mit den alten Geschichten auf, Frau Eßling.«

»Die Aussprache mit Ihnen tut mir wohl. Zu wem sollte ich wohl davon reden, wenn nicht zu Ihnen, vor der ich kein Geheimnis habe. – Seitdem ich meinen alten Franz, den Diener, meiner Elfriede gegeben habe, weiß niemand im Haus um diese Sachen.«

»Malen Sie sich nicht zu schwarz, Beste«, verteidigte die Konsulin. »Sie mögen damals streng gewesen sein. Wer wäre es in der gleichen Lage nicht gewesen. An eine Härte glaube ich nicht.«

»Sie sollen selbst urteilen. In St. Blasien war's, wohin ich nach den erfolglosen Kuren in Hohenhonnef und Davos aus eigenem Entschluss noch mal mit den beiden ältesten Töchtern ging. Denn Sie wissen, ich konnte und wollte nicht daran glauben, dass alles vergeblich sein sollte. In der Liegehalle war ein vergnügliches Leben unter dem jungen Volke, und keines war da, das an ein frühzeitiges Sterben gedacht hätte. Als Gesunder lässt man die sonst im Verkehr der verschiedenen Geschlechter streng beobachteten Richtlinien außer Acht, weil die armen todgeweihten Geschöpfe doch keine Vollmenschen mehr sind. Nicht wahr, wenn unsereins so ein schmalschultriges Kerlchen mit fieberroten Flecken auf den herausstehenden Backenknochen sieht, dann fragt man nicht erst lange danach, was er sonst ist, hat und will, selbst wenn er augenscheinliches Wohlgefallen an dem eigenen Fleisch und Blut zeigt. Im Gegenteil, man freut sich noch gar darüber, und kommt sich wer weiß wie großmütig und gar edel vor, weil man die leibliche Mutter von seinem Glückserreger ist. Darum bin ich auch nicht einen Augenblick besorgt gewesen, als der junge Bildhauer meiner kranken Ältesten über alle Gebühr hinaus den Hof machte. Erst, als der ihn behandelnde Arzt, dem ich mein Bedauern über diesen hoffnungslosen Fall aussprach, mir rundheraus und lachend erklärte, er wäre froh, wenn jeder seiner Kranken so gesund wäre, wie dieser Künstler, der sicher im nächsten Jahr wieder völlig obenauf sein würde, wurde ich nachdenklich, vorsichtig und streng. – Mein Mädel nahm ich ins Gebet. Den Bildhauer behandelte ich so schlecht, wie es nur irgend ging. – Es war für alles zu spät. – Eines Tages erklärte mir meine Tochter, dass sie sich mit dem Jüngling von Habenichts verlobt habe. Sie hat vor mir auf den Knien gelegen und mich um meine Einwilligung angefleht. Ich blieb hart. Dass der offensichtlich seinem Aussehen nach Totgeweihte lediglich an den Folgen einer schweren Rippenfellentzündung schonungsbedürftig sei, hatte meine Hoffnung bezüglich der eigenen Kinder wunderbar gekräftigt. – Einen Tag nach dem vergeblichen Flehen meiner Ältesten reisten wir, die noch nicht zur Hälfte vollendete Kur abbrechend, nach Hause. Briefe kamen, wurden von mir abgefangen und prompt vernichtet. Jede Nacht hörte ich das bitterliche Schluchzen meiner Ältesten – merkte, wie sie bleicher und hinfälliger wurde und glaubte plötzlich doch nicht mehr an den Ernst des Verhängnisses. Es war so nahe. Meine kleine Elfriede, die wenigst anmutigste der Drei, hatte ich indessen aufs Land in Pension gegeben, weil der Arzt von der Möglichkeit einer An- steckung, selbst bei größester Vorsicht, gesprochen. Nun konnte ich ganz der Pflege und Sorge für die beiden andern leben. – Einmal hat der Bildhauer gewagt, bis in mein Haus vorzudringen. Ich habe ihn auch empfangen. – Seitdem hat er keine Zeile mehr geschrieben. Denn ich war deutlich gewesen. – Vier Wochen nachher hat meine Tochter, unterstützt von ihrer Schwester, noch einen letzten Sturm auf mein Mutterherz gemacht. Weiß Gott, es hat sich in dieser Stunde nicht geregt. Ich habe es als Laune und Eigensinn empfunden, was doch mehr gewesen ist.«

Die andere legte begütigend die Hand auf die zuckende Schulter der Kommerzienrätin.

»Wir wissen alle, was Sie die langen Jahre für eine aufopfernde, prachtvolle Mutter gewesen sind.«

»So prachtvoll, dass ich mich hinterher noch meines gefestigten Charakters gefreut und ein paar Tage ernsthaft mit dem armen Kind geschmollt habe. Auch meine Zweite hat begonnen für sie und den Bildhauer unentwegt zu betteln. – Als sie einsah, dass ich nicht nachgab, verstummte sie zwar, aber es war seltsam, auch mit ihr wurde es seitdem schlechter. Sie schienen sich beide in das Unabän- derliche meines Willens gefügt zu haben, bis zu jenem schrecklichen Augenblick, an dem mich die Pflegerin in der Nacht rief. Da hat meine Älteste, die stets ein sanftes, scheues Ding war, mir gesagt, wie unerträglich ihr Dasein ohne den Geliebten gewesen und wie wenig sie sich freue, dass es nun endlich aufhören dürfe. – Als die Sonne aufging, war sie tot. Und ich habe Tag und Nacht, von Reue zerrissen, um Vergebung gefleht und mir gelobt, wenigstens an den andern beiden gutzumachen, wenn es mir vergönnt wäre. – Meine Zweite hat keine Kraft mehr zu einer Liebe gehabt. Sie ist ein Jahr später, wie Sie wissen, auch eingeschlafen. Da hatte ich nur das Elfchen, die Jüngste. Das Landleben hat ihr auch nicht die richtige Lebenskraft vermitteln können. Sie blieb weiter zart und schonungsbedürftig. Was es ist? Ich weiß es nicht! Ein bisschen Müdigkeit, das die Ärzte als Bleichsucht ansprechen. Ein bisschen Blässe. So fängt es ja gewöhnlich an. – Und ich wollte und will sie behalten. – Ich war nicht mehr blind und taub. Als ich die Blicke sah, mit denen der Schauspieler Karlsen, den ich übrigens schon vor einigen Jahren im Hause einer Bekannten, die ihn sich zu Gesangsvorträgen herüberkommen ließ, kennengelernt, meine Elfriede anstarrte, wusste ich sofort, dass ein Kampf von Neuem beginnen müsse. Und wusste – auch sein Ende! Denn ich war nicht mehr stark und gesund genug, um noch einmal jene Zeiten von damals durchzumachen. Sein spielerisches Werben ging mir wider alles Empfinden. Er war ein viel minderwertiger Mensch als einst der Bildhauer. So was fühlt man als reife Frau sehr schnell. Eins kam noch hinzu. Wer, wie ich, aus einem reichen Kaufmannshause stammt, in dem alles ordentlich gebucht und verrechnet wird, kann sich niemals mit den Gepflogenheiten der Künstlerschaft befreunden. Denn ein Künstler ist der Karlsen. Das steht auch bei mir fest. Daneben ist er aber noch etwas anderes –«

»Wie im Grunde genommen die meisten Männer, liebe Eßling.«

»Das weiß ich doch nicht. Sind sie es aber wirklich, so setzt man es wenigstens nicht als selbstverständlich bei ihnen voraus. In ähnlichen Fällen pflegen sie sich mit dem Mantel einer weisen Vorsicht zu panzern, der den Schein wahrt. Das fällt bei meinem Schwiegersohn gänzlich fort. Er steht einfach da und erwartet die Huldigungen der Frauen als den natürlichsten Tribut. Bleiben sie aus – je nun – so ist das eben bei ihm wie bei jedem andern Künstler, noch dazu bedauernswert. Dann hat er eben nicht eingeschlagen. Findet – hat er überhaupt schon vorher eins ergattert – kein neues oder doch nur ein sehr zweifelhaftes Unterkommen, steigt weiter herunter, sinkt schließlich bis zur Schmiere herab.«

»Nun, das ist bei Karlsen wohl niemals zu befürchten.«

»Nein. Er weiß sich in Szene zu setzen und auch zu halten, was noch wichtiger ist. Schlau, durchtrieben, bildhübsch, liebenswürdig, flott. – Sehen Sie, ich habe mir die Klarheit meines Urteils durchaus nicht trüben lassen. Jawohl, das ist er! Daneben aber auch unzuverlässig und treulos.«

»Haben Sie dafür schon Beweise?«

»Brauche ich nicht! Es ginge wider die Weltgeschichte, wäre es anders. Meine Elfriede ist keine Frau, die solchen Mann dauernd fesseln kann. Glauben Sie mir, der braucht einen Satan von Weib, das ihn in Atem hält – ihn quält und peinigt und ihm höchstens sonntags die Fingerspitzen zum Kuss überlässt. Er hat sie auch nicht einen Augenblick wirklich geliebt, während jener Bildhauer meiner Ältesten rechtschaffen gut gewesen ist. Das alles sehe ich erst jetzt ein. Das bewusste Messer saß ihm hart an der Kehle und sein Ehrgeiz – denn den hat er in hervorragendem Maße – sann auf Mittel und Wege, wie er seine Stimme weiter ausbilden und sich die Welt erorbern konnte.«

»Sie werden doch aber Ihrer Elfriede nichts von all diesen Sachen andeuten, Frau Eßling.«

»Wozu? Die Mühe kann ich mir sparen. Sie ist dermaßen in ihn verliebt und vertraut ihm so blindlings, dass sie zur Zeit ohne Überlegung die eigene Mutter aufgäbe, um ihn zu behalten und ihm weiter zu dienen.«

»Jedenfalls fühlt sie sich wohl dabei. Sie war stets durchsichtig wie Glas – unfähig der Lüge. Das wissen Sie am besten. Die Ehe bekommt ihr auch gut. Wie ich sie das letzte Mal sah, hatte sie einen Schein von Jugend und Frische, den ich bisher an ihr vermisste. Ja, sie lachte sogar herzhaft.«

»Wenn ich das nur genau wüsste«, machte die Kommerzienrätin gequält. »Ich deutete es Ihnen bereits an. Auch das Komödienspiel lässt sich bei so einem harmlosen, aufrichtigen Charakter wie dem ihren gar wohl erlernen. Und sehen Sie – da bin ich endlich bei meinem Plan angekommen. So nahe sie mir wohnt – so mühelos ich jederzeit herüber kann, so treu und gewissenhaft der alte Franz auch aufpasst und mir unweigerlich sofort Verdächtiges zutragen würde, ebenso fremd ist sie mir doch in dieser kurzen Zeit geworden. Der Mann mit seiner absoluten Gewalt über sie steht zwischen uns. Jede ihrer Handlungen wird von ihm beeinflusst. Ich weiß niemals, was aus ihrer eigenen Seele kommt. Darum muss ich sie eine kurze Zeit bei mir – hier in diesem Hause – in ihrem kleinen Mädchenstübchen, das immer ihr Entzücken gewesen ist, haben, muss sie scharf beobachten und sie seinem Einfluss, wenn auch nur vorübergehend, entreißen, damit ich völlig klarsehe.«

»Wie wollen Sie das anfangen? Er wird sich bald dagegen auflehnen.«

»Meinen Sie? Die Klugheit würde es ihm freilich anraten. Aber – ja, wenn er sie wirklich liebte. So aber wird er es als angenehm empfinden, wieder mal allein und noch dazu in der ungewohnten Pracht zu leben.

Ich weiß, Sie waren nicht mit der prunkvollen Ausstattung des Heims für die jungen Leute einverstanden. Sollte ich aber mein Kind entbehren lassen? Da entschloss ich mich eher dazu, ihn unnötig zu verwöhnen.«

»Sie haben entschieden zu viel Zeit zum Grübeln, liebe Eßling. Ziehen Sie sich nicht länger von allen Menschen zurück. Kommen Sie auch wieder öfter zu mir. Sie wissen, in meinem Hause verkehrt viel Jugend. Da geht es fröhlich zu. Und bringen Sie auch Elfriede öfter mit. Es wird ihr gut tun.«

»Sie können es ihr ja heute gleich vorschlagen. Ich fürchte nur, es bleibt wirkungslos, wie alles, was ich bereits zu ihrer Zerstreuung versucht habe. Dabei ist sie, wie mir Franz zuverlässig berichtet, sehr oft den ganzen Tag allein. Der Hausherr kommt lediglich zu den Hauptmahlzeiten und dann nicht etwa pünktlich. Nun, der Zustand anhaltender Einsamkeit wird bestimmt abgestellt werden. Um keinen Preis darf sie mir versauern. Ich werde eine möglichst gleichaltrige Gesellschafterin aus vornehmer Familie für sie nehmen. Die Ärzte haben mir wiederholt von der Notwendigkeit, sie froh zu erhalten, gesprochen.«

»Sie sind zwar eine ebenso kluge wie tatkräftige Frau, meine Liebe. Indes keine Zauberin. Ich muss Ihnen sagen, dass ich weder an Elfriedes längeren Besuch noch an das Dulden der neuen Hausgenossin glaube.«

»Vorläufig bin ich in beiden Fällen zuversichtlich. Das Gesuch nach einer Gesellschafterin ist heute bereits in den gelesensten Tageszeitungen erschienen. Da der künftige Herr Kammersänger keine Zeit hat, auch noch den Inseraten seiner Zeit einen Blick zu gönnen und meine Tochter daheim niemals auf diesen Gedanken kam, bin ich sicher, dass sie bisher nicht das Geringste von meinem Plan ahnen. Verkehr in Elfriedes altem Kreis haben sie nicht. Diese Menschen gehen nämlich meinem Herrn Schwiegersohn, wie ich aus Elfchens gelegentlichen schüchternen Bemerkungen entnehme, auf die Nerven. Also, wer sollte ihnen meine Fürsorglichkeit verraten haben?«

»Ist es nicht gefährlich bei der mir geschilderten Veranlagung Ihres Schwiegersohnes ihm so ganz mühelos ein weibliches Wesen ins Haus und an den Familientisch zu bringen?«

»Was wollen Sie? Sucht er, wird er stets finden. Was allzu bequem gemacht wird, reizt gewöhnlich am wenigstens. Zudem – müssen sich alle Bewerberinnen bei mir melden. Ich werde sie mir sehr genau betrachten – ihre Verhältnisse und, wenn irgend möglich, auch ihre Veranlagung untersuchen und dann hoffentlich eine gute Wahl treffen.«

»Wenn sie Ihnen nun aber, mit vereinten Kräften, nicht gestatten, die gütige Vorsehung zu spielen?«

»Dass meine Elfriede sich zuerst dagegen auflehnt, weiß ich sogar bestimmt. Sie ist rührend bescheiden und macht für ihre Person keinerlei Ansprüche. Es wird ihr grässlich sein, zu der ihr bereits aufgedrungenen Jungfer noch eine zweite Umsorgerin zu benötigen. Was will das aber sagen? Ihr schwacher Einspruch wird unstreitig an der feurigen Zustimmung ihres Mannes sterben, wenn er es nicht bereits unter der klugen Anwendung meiner Mittelchen getan hat. – Ihm wird diese Lösung außerordentlich genehm sein. Dann braucht er nicht mal mehr den guten Willen zum halbwegs pünktlichen Erscheinen bei Tisch aufzubringen, denn, dass er ihn auch nur einmal in die Tat umgesetzt hat, glaube ich bei seinem Egoismus keinesfalls.«

»Ich bewundere Ihre Klugheit aufrichtig, Frau Eßling.«

»Es ist nur die folgerichtige Einsicht von notwendig gewordenen Übeln, deren schädliche Wirkungen ich mich bemühe, so gut es gehen will, von meinem Kinde abzuwenden. – Hören Sie! Ist das nicht ihr Schritt? Nein – ich irre mich nicht. Das Ohr der Mutter ist scharf. Aber – was ist das? Sie kommt nicht allein? Da ist doch das unverschämte Lachen ihres Mannes. Sollte er ausnahmsweise die Gnade haben?« –

Es war, als lege sich plötzlich über die strengen, steifen Formen der schweren Möbel ein warmer Glanz. Die alten Nippes in der Servante begannen leise und vergnügt zu klirren. Im Nebenzimmer streckte sich der rotbemützte Kopf des grüngefiederten Papageis blitzschnell empor. Das ehrwürdige Zimmer war erfüllt von dem Schmelz der weichen Männerstimme.

»Darf ich ebenfalls um eine Tasse Ihres unvergleichlich guten Tees bitten, verehrte Schwiegermama?«

Gedankenlos duldete Frau Eßling seinen Handkuss. Ihre Augen blieben dabei gespannt auf die Tochter gerichtet.

»Du siehst erschreckend blass aus, Kind. Wie hast du geschlafen?«

»Ausgezeichnet, Mama.«

»Das glaube ich dir nicht! Zeige deine Hände. Natürlich – sie sind ganz kalt. Hast du gefroren? Warte einen Augenblick, ich werde sofort an Franz telefonieren. Es ist bestimmt zu kühl bei Euch. Darum habe ich ja am Vorraum der Diele die kleinen Öfen aufstellen lassen, damit sie angemacht werden, wenn die Zentralheizung noch nicht geht.«

»Lass doch, Mama«, wehrte Elfriede gequält und suchte ängstlich den Blick ihres Mannes. »Die Sonne wärmt noch ganz wundervoll.«

Aber die Kommerzienrätin ließ sich nicht zurückhalten. Sie hatte schon den Hörer in der Hand, um dem alten Diener die nötigen Befehle zu erteilen.

Paul Karlsen saß mit einem rätselhaften Lächeln dabei. Er begehrte nicht auf, schlug nicht etwa mit der Hand zwischen die zerbrechlichen Kostbarkeiten, in denen der goldgelbe Tee deutlich schimmerte. Sondern er nickte seiner Frau beruhigend zu.

»Mama hat ganz recht. Ich habe es mir heute auch schon gedacht.«

Trotz dieser ungewohnten Fügsamkeit fand seine Gegenwart durch die Kommerzienrätin nicht viel Beachtung. Über ihn fort sprach sie unaufhörlich zu ihrer Tochter herüber, als befinde sich zu ihrer Linken ein leerer Platz.

»Du wirst übrigens ein oder mehrere Tage bei mir bleiben, Elfriedchen. Ich muss endlich wissen, ob du abends erhöhte Temperatur hast. Widersprich nicht. Ich erlaube auf keinen Fall, dass du heute Abend in dein leider etwas feuchtes Heim zurückkehrst.«

Da ließ sich Karlsens unwiderstehlich frohes Lachen hören. Aber es riss die andern durchaus nicht zu der gleichen Fröhlichkeit hin. Seine Frau sah scheu zu ihrer Mutter herüber.

»Verehrte Schwiegermama, Sie scheinen vergessen zu haben, dass nur ein einziger über das Gehen und Verweilen von Elfriede zu bestimmen hat. Dieser eine bin ich, mit Respekt zu melden.«

Diesmal ahnte sie nicht, dass er Komödie spielte. Sein Ton war sehr ernst geworden. Sein junges, bartloses Gesicht wirkte fast streng. Den lächelnden Blick des Einverständnisses, den er mit Elfriede tauschte, bemerkte sie nicht. Ihre angeborene Heftigkeit – niemals ernsthaft von ihr bekämpft – brach sich Bahn.

»Das bliebe abzuwarten, Herr Schwiegersohn«, sagte sie in scharf zurechtweisendem Ton. »Sind Sie etwa hierher gekommen, um mich aufzuregen?«

»Ich wüsste nicht, dass ich diesem vielleicht erstrebenswerten und daher löblichen Vorsatz schon jemals freie Entwicklung gegönnt hätte.«

»Lassen Sie doch die Phrasen, Karlsen. Bei mir wirken sie nicht.«

»Diese Bitte gebe ich gehorsamst zurück, Schwiegermama. Kurz: Elfchen wird mich nach Hause begleiten. Nicht wahr, Schatz?«

Ein schelmischer Ausdruck huschte über das Gesicht der jungen Frau, und ließ es sehr anziehend erscheinen. Sie war glücklich wie ein Kind, dass sie im Einverständnis mit ihrem Mann dies unschuldige kleine Geheimnis haben durfte. Ohne zu zögern, antwortete sie:

»Ja – das werde ich bestimmt tun, Mama. Du hast doch gehört, dass Paul es ausdrücklich wünscht.«

Da richtete sich die Kommerzienrätin steif empor und fragte kurz und empört zu der Konsulin gewandt:

»Was sagen Sie dazu? – Vor Ihnen, die Sie Elfriede über die Taufe gehalten und allzeit wie ein eigenes Kind geliebt haben, brauche ich mich nicht zu genieren.«

Frau Enck war wegen der richtigen Antwort in tödlicher Verlegenheit. Einerseits schätzte sie gleichfalls diesen jungen Menschen nicht allzu sehr, weil sie in seiner Gegenwart beständig das Gefühl hatte, als langweile er sich sträflich. Daneben aber stand ihm in dieser Sache ihr Hang zur Gerechtigkeit bei.

»Beschlafen Sie sich alles noch mal gründlich«, versuchte sie zu besänftigen. Aber es misslang ihr gründlich.

Frau Eßling wurde erregter und daher auch in ihren Worten heftig. Sie erhob sich, trat nahe an den Schwiegersohn heran und sagte drohend:

»Sie hören, ich wünsche und befehle es. Und nichts wird mich andern Sinnes machen können.«

Nun war auch Paul Karlsen aufgestanden. Seine schlanke, elegante Gestalt überragte die rundliche der Kommerzienrätin um Haupteslänge.

»Verehrte Schwiegermama, vorerst eine kleine bescheidene Berichtigung. Ihre kühn aufgestellten Behauptungen sind wirklich falsch. Der männliche Teil in der Ehe hat auch heute noch das Recht – genau wie zu jener Zeit Ihrer Jugend – den Aufenthalt seiner Gattin zu bestimmen, sofern er sich dies Recht nicht durch grobe Pflichtverletzungen verwirkt hat. Davon weiß ich mich frei. – Ich würde Ihnen ja herzlich gern einen Gefallen tun. Mir selbst aber Opfer auferlegen – nee – wissen Sie, dazu fühle ich mich nicht stark genug.«

Es klang so überaus ehrlich, dass sogar seine Frau einen Augenblick stutzte. An dem hilflosen Blick, den sie ihm zuwarf, merkte er, dass er nicht weitergehen, nicht in dieser Rolle übertreiben dürfe. Er schwieg also vorsichtig und wartete die nächste Erwiderung ab. Sie blieb lange aus. Dann aber klang die vordem herrische Frauenstimme plötzlich um vieles leiser. Fast bittend.

»Es soll sich nur um eine kurze Zeit handeln, Karlsen. Sagen wir – um drei bis vier Tage! Wirklich nicht länger.«

Er machte den Eindruck eines Menschen, der aufmerksam eine unliebsame Angelegenheit in Erwägung zieht. Dass er nicht sogleich antwortete, sondern – wie um Beherrschung ringend – mit gesenktem Blick auf seine wohlgepflegten, schöngeformten Hände herabsah, gefiel der Konsulin ausnehmend gut. Dann meinte er bitter:

»Ich habe Ihre Neigung nicht, Schwiegermama. Das weiß ich natürlich und hätte mich gehütet auch nur ein Wort darüber zu verlieren, wenn diese Sache nicht gekommen wäre. Jetzt lassen Sie mich darüber sprechen. Glauben Sie, es wirkt erziehlich und macht edler, was Sie doch beabsichtigen, wenn Sie mich dauernd Ihre Abneigung fühlen lassen? O nein – aber Verbitterung und Trotz können sehr wohl daraus entstehen. Bedenken Sie die Folgen, die wiederum das haben kann. – Nicht so schnell. Nein, meine Liebe zu Elfriede lässt mich eine ganze Menge geduldig ertragen. Aber – letzten Endes ist man doch nur ein schwacher Mensch. Und ich bin und bleibe noch dazu ein Komödiant. Einer, der gern Theater spielt, blendet, täuscht, nicht wahr – so schätzen Sie mich doch ein?«

Die Kommerzienrätin sah ihn unsicher an.

»Sie sind zu ehrlich, um mir zu widersprechen, Frau Schwiegermama und ich, nun ja, ich war bis heute zu unehrlich, um gerade heraus zu sagen, dass ich mich tausendmal wohler in einer kleinen, bescheidenen Mietswohnung mit einem Mädchen für alles fühlen würde. Der von

Ihnen errichtete Tempel, in dem nicht mal die Sonne gern weilt, ist mir viel zu unbehaglich. Der alte Leisetreter von Diener stört mich. Nicht, wie Sie triumphierend meinen mögen, weil ich seine Späheraugen fürchte, sondern nur, weil mir dies Gesicht in seiner Maskenhaftigkeit zuwider ist. Und wenn es nach mir ginge, machte ich Ihnen eine tiefe Verbeugung und schlüpfte mit meinem lieben Schatz irgendwo – meinetwegen im hohen Norden Berlins – unter. Aber sehen Sie, das durchzubiegen bringe ich nicht übers Herz. Nicht Elfchens wegen. Denn schließlich bin ich ihrer Gegenliebe sicher. Ich habe aber ebenfalls eine Mutter gehabt, Frau Kommerzienrat, und wenn die auch nur eine schlichte, bescheidene Frau gewesen ist – sie war ebenso stolz auf mich und hing mit genau derselben Liebe an mir, wie Sie jetzt an Ihrer Tochter. Und nur darum, das betone ich ausdrücklich – gebe ich meine Erlaubnis zu dem vorübergehenden Verweilen meiner Frau unter Ihrem Dach. Erinnern Sie sich gefälligst. Als wir beide uns neulich zufällig trafen, nahmen Sie nicht Elfriedes bleiches Aussehen, an dem ich vielleicht schuldig sein könnte, zum Vorwand für diesen Besuch, sondern Sie versuchten mich durch ihre eigene Kränklichkeit zu rühren. – Der Komödiant – in mir sagt leise: ›Sieh an, sie kann's fast noch besser wie du.‹ Der Mann, je nun, dem war der krumme Weg just nicht angenehm. – Aber diesen Mann haben Sie sich ja bisher niemals die Mühe genommen, kennenzulernen. Einen Augenblick – ich komme gleich zu Ende. – Elfriede mag getrost bei Ihnen bleiben, so lange sie will. Mich aber müssen Sie jetzt entschuldigen. Wie Sie mich einschätzen, werde ich unverzüglich meine vorübergehende Freiheit gehörig ausnutzen wollen. Also – nicht wahr, Sie haben nichts gegen mein Verschwinden. Im Übrigen hoffe ich, dass der edle Stratege Franz während Elfriedes Abwesenheit brav und zuverlässig seine Pflicht als Geheimpolizist erfüllt –«

Die Kommerzienrätin rang um ein gutes oder wenigstens versöhnliches Wort, denn die Schlichtheit des Gesagten hatte mehr Eindruck auf sie gemacht, als sie sich eingestehen mochte. Ihre starre Natur suchte vergeblich danach. Und die Hand, die sie ihm entgegenhielt, übersah er. Nur seine Frau nahm er in die Arme und küsste sie herzhaft auf den Mund.

»Wiedersehen, Kleines! Ich schicke dir am besten sogleich deine Zofe rüber. Erbarme dich und nimm sie, ja? Was soll ich mit all den Wachsfiguren.«

Sie schmiegte sich zärtlich an ihn und flüsterte:

»Paulchen – mir ist ganz wirr. – Lange halte ich die Trennung von dir doch wohl nicht aus.« Und er gab ebenso zurück:

»Mein kleiner, tapferer Kamerad, das ist auch gar nicht beabsichtigt.«

Als er wenig später heimging, lachte er leichtsinnig auf. Er hatte sich wieder mal auf der ganzen Linie nach ungeteiltem Beifall einen glanzvollen Abgang verschafft. Wann wäre ihm auch jemals ein Kampf, den er ernsthaft zu gewinnen trachtete, nicht zum Siege ausgeschlagen? – Mit wachsender Ungeduld sehnte er die Stunde herbei, die ihm ein ungestörtes Beisammensein mit der zur Zeit von ihm am meisten bewunderten Frau schenken sollte.

6.

Eva von Ostried lief wie einst als Kind, wenn der große Hofhund ihr hart auf den Fersen war, und trotz der wärmenden Sonne fror sie. An der großen Brücke, über welche die Wagen mit dem dumpfen Geräusch einer riesenhaften Trommel dahinrollten, saß ein Bettler mit einer Drehorgel. Die Töne ließen sie auflauschen.

Auf ihrem Wege stand eine alte Frau und rief ihre Zeitungen aus. Mechanisch kaufte sie. Vielleicht fand sich schnell eine Unterkunft. Irgendwo. Sie schüttelte sich. Aus der Tiefe ihrer Seele stieg ein Vorwurf empor.

»Ich hätte diesen Karlsen gar nicht anhören dürfen, nach dem, was er mir angetan hatte.«

Dann lächelte sie. Die Freude, ihm den sicher erwarteten Triumph zu zerstören, tat ihr wohl.

Auf dem Flur daheim stand die alte Pauline und hielt eifrig Ausschau nach ihr.

»Wo bleiben Sie bloß, Fräuleinchen? Waren Sie draußen bei unserer Frau Präsident?« Die Alte hatte rotgeweinte Augen.

»Bei unserer Frau Präsident? Nein, da war ich nicht.« Es klang bitter.

»Kommen Sie schnell. Sie müssen ja halb verhungert sein.«

»Daran muss ich mich jetzt gewöhnen, Pauline.«

»Dass Sie damit spaßen können. Wenn Sie mich so reich bedacht hat, wie wird sie da erst für Sie gesorgt haben.«

»Glauben Sie das wirklich immer noch? Ich habe kaum zur Hälfte verdient, was ich von ihr bezog. Müsste eigentlich noch brav herauszahlen.«

Das treue Mädchen begriff nichts. Sie merkte nur, dass die junge Gestalt vor Erschöpfung schwankte und führte sie sanft in das helle Stübchen, das unordentlich und zerwühlt aussah.

»Jetzt legen Sie sich still nieder. Ich hole Ihnen einen Teller voll kräftiger Suppe. Und nachher bereden wir alles. Ich habe mir was Feines ausgedacht. Sie werden nun doch wohl ganz und gar Musikant werden wollen. Denn unsere Frau Präsident hat immer gesagt, dass es jetzt bald damit losginge. – Ich könnte mich ja aufs Altenteil setzen. Aber das verstehe ich nicht recht. Ich zieh lieber zu Ihnen, Fräuleinchen. Das Haus hier, hat Herr Justizrat gesagt, wird verkauft. So lange dürfen wir beide noch darin bleiben.«

»Ich nicht«, sagte Eva mit zuckenden Lippen, »ich habe hier nichts mehr zu suchen.«

»Sie sind doch wie ihr eigenes Kind gewesen. Ich weiß gar nicht, was Sie wollen. – Darum kann ich Sie auch nicht allein lassen. Sie sind mir eine Art Vermächtnis. Ich putze Ihnen die kleine Wohnung und koche und mache alles, wie Sie es nun längst gewöhnt sind. Genug Möbel – darunter den schönen feinen Flügel für Sie habe ich mir schon ausgesucht. Sie sollens genau wie bis jetzt kriegen. Dann ist es, als wäre sie noch bei uns. Und ich schlafe weiter in meinem Eisernen.«

»Gute Pauline – ich werde kaum eine eigene Wohnung brauchen. Ich nehme ebenfalls in Zukunft willig mit einem eisernen Bette fürlieb.«

»Ich bin ein einfältiger, alter Mensch und will nicht aufdringlich sein. Aber wenn Sie mir das erklären möchten, Fräuleinchen.«

»Erklären? Was denn? Es ist ja alles in bester Ordnung! Sie ist tot und ich muss sehen, wie ich möglichst schnell zu einer neuen Stelle komme. Sie meinen, dass ich plötzlich reich geworden wäre durch sie? Wie käme ich wohl dazu? Das wäre ja mehr als seltsam.«

Sie schluchzte auf und war doch der Überzeugung, dass sie lache.

»Versteh ich endlich recht? Sie wären nicht von unserer guten Frau Präsident bedacht, Fräuleinchen?«

»Dazu war sie nicht verpflichtet, Pauline. Ich habe mehr von ihr erhalten, als ich jemals verdient habe.«

»Fräuleinchen, sie hätte nicht sterben können, wenn Sie unversorgt zurückgeblieben wären. Mag einer reden, was er will. Sagen, dass der Tod sie überrumpelt hätte. Ich weiß es besser. Da muss sich noch was vorfinden, sage ich.«

»Es ist nichts da, Pauline. Verlassen Sie sich drauf.«

»Lieber guter Gott! Nun sollen Sie hier raus? Ganz nackt und bloß? Und ich und die andern haben so viel!«

»Das ist nur gerecht. Sie haben sich's verdient! –«

»Das ist Unsinn! Wir beide ziehen zusammen, wie ich schon gesagt habe. Denken Sie doch, ich soll einhundertfünfzig Mark im Monat verleben. Wie mache ich das? Ich spars doch bloß wieder zusammen und das hätte keinen Sinn und Verstand. Denn ich habe keinen auf der Welt und es würde wieder eine neue Stiftung draus. Nein, ich sorge für Sie. Und nachher, wenn Sie erst richtig ausgelernt haben und es drückt sie, geben Sie mir alles wieder. Ja? Wollen wir es so machen?«

Wer hohnlachte da? Eva von Ostried fuhr erschrocken empor. Sie hatte deutlich ein heiseres Lachen gehört.

»Ach – Pauline, ich habe nur gescherzt. Ich bin ja selbst reich. Mein früherer Vormund hat am Tage meiner Volljährigkeit der Frau Präsident in meiner Abwesenheit das Muttererbe gebracht. Gleich nachher will ich's auf die Bank tragen. Denn es ist immer noch hier im Haus.«

Das alte Mädchen schüttelte ungläubig den Kopf.

»Das ist wahrhaftig ein verkehrter Stolz, Fräuleinchen. Damit tun Sie mir sehr weh. Sie haben nichts! Sie konnten ja früher mit mir drüber spaßen. Ehe ich's also nicht mit meinen eigenen Augen gesehen habe, glaube ich Ihnen das nicht!«

Eva von Ostried stand plötzlich vor der alten Pauline. Sie war verändert. Ihr noch soeben farbloses Gesicht glühte, als habe sie Fieber. Krampfhaft suchte sie nach ihrer kleinen, schwarzen Handtasche.

»Um Gottes willen, wo ist sie geblieben? Ich habe sie doch noch soeben gehabt?«

»Da liegt sie ja, Fräuleinchen. Ganz sicher!«

Die schlanken Hände rissen den festen Bügel ungestüm auf, tasteten unter den Papieren herum und brachten einen dicken Umschlag ans Licht.

»Schauen Sie nur – wie viel Geld.« Das alte Mädchen staunte.

»Wirklich!«, machte sie unsicher.

»Und nun seien Sie mir nicht böse, wenn ich nichts essen mag, Pauline. Nur schlafen muss ich. Nachher will ich gleich wieder fort. – Meine Sachen sollen doch bald abgeholt werden. Und fertig packen muss ich auch noch.« –

Dann war sie allein! – Und das Geld, das der alte Tabaksbauer kurz vor der Abreise der Präsidentin zurückgezahlt hatte, war immer noch in ihrem Besitz. Die Wucht der schweren Ereignisse, die seither über sie hereingebrochen, löschten die Erinnerung daran bis zu dieser Stunde aus. Jetzt aber wollte sie sogleich den Justizrat Weißgerber anklingeln und ihm davon Mitteilung machen. –

Sein Büro war bereits geschlossen. Er selbst befand sich zur Zeit, wie ihr am Apparat mitgeteilt wurde, auf einer kleinen beruflichen Reise, von welcher er erst spätabends zurückerwartet wurde. Nun musste sie es bis zum nächsten Tage aufschieben.

Mit keinem Gedanken hatte sie in der Zeit der jagenden Aufregungen des ihr anvertrauten Schatzes gedacht. Die Vorstellung, dass er in dem Wirrwarr sehr leicht abhanden hätte kommen können, erfüllte sie nachträglich mit eisigem Schrecken. Vielleicht hatte die Vorsehung es beabsichtigt. Es war jedenfalls gut gewesen, dass sie das Geld der alten Pauline vorzeigen konnte. Nun brauchte sie kein Bettelbrot zu essen. Denn sie hatte dumpf gefühlt, dass sie sonst dem heftigen Drängen nachgegeben haben würde.

Das Gefühl der Mattigkeit war geschwunden. Sie suchte wieder ihre Habseligkeiten zusammen. Ihre Hände zitterten nicht mehr. Sie war ganz ruhig geworden. Einmal ging sie zum Nachttisch, auf dem die frischgefüllte Wasserflasche stand. Wie durstig sie war und wie gut der billige Trunk mundete.

Dann schaffte sie weiter. Die Sonne warf eine Handvoll Strahlen durch das Fenster auf die kleine Handtasche und hob sie empor wie auf einem goldenen Brett. Eva von Ostried nickte herüber, als grüße sie etwas. Das viele – viele Geld! Wenn es ihr Eigen wäre, käme alle Not zu Ende. Was könnte es alles schenken?

Ein Bett, in dem sie ausruhen konnte, solange es ihr gefiel. Einen Tisch mit einer Lampe darauf, die leuchten durfte – auch zu dem Flügel hin, den sie sich davon erstehen würde. Der Flügel, an dem sie sitzen und sich ihres Lebens Glück ersingen konnte.

Sie schauerte zusammen. Wie war es möglich, dass sie überhaupt dieser Vorstellung Raum gab. Fremdes Geld? Anvertrautes Gut! Was ging es sie an? Mochten sich die verschiedenen überreich bedachten Stiftungen darin teilen. Mechanisch häufte sie, was ihr gehörte, weiter zusammen. Wohin nun aber mit all diesem Tand?

Ihr Blick fiel auf die an der Brücke gekauften Tageszeitungen. Sie vertiefte sich in die Menge feingedruckter Anzeigen. An der einen blieben ihre Blicke haften und kehrten dorthin zurück:

Suche sofort aus bester Familie für meine Tochter gebildete Gesellschafterin. Ernste Lebensauffassung, fester Charakter neben guten Zeugnissen Bedingung. Vorstellung jederzeit. Auch abends bis zehn Uhr bei Frau Eßling, Eisenacherstr. 10, Grunewald-Berlin.

Also ganz nahe. Mit einer spitzen Schere schnitt sie sorgfältig die Reihen aus. Sobald sie hier fertig war, wollte sie sich vorstellen.

Sie legte das schmucklos schwarze Kleid an, in dem sie ihren Vater betrauert hatte. Den wertvollen Spitzenkragen, ein Geschenk der Präsidentin, zerrte sie so heftig herunter, das die spinnwebenfeinen Sternchen zerrissen. Zu diesem Gange durfte sie sich nicht schmücken. Als Gesellschafterin einer sicherlich jungen Tochter musste sie hässlich, unscheinbar und wesenlos sein. Der Spiegel gab ihr Bild in seiner vollen Schönheit wieder. Die Kämpfe, die rückwärts lagen, quälten sie von Neuem. Die unverdiente Eifersucht ihrer früheren Herrinnen – der Neid der Dienstboten wegen ihrer Sonderstellung im Hause, der eigene, lodernde Zorn, stumm die tiefe Einschätzung zu ertragen und nicht zuletzt die Angst, dass sie eines Tages aus Groll, Einsamkeit und Lebensdurst – verdient wäre.

Und nie – nie mehr die geliebte Kunst? Daran hatte sie überhaupt nicht denken wollen. Das zerbrach ihre Kraft. Nun lag sie wieder matt und frierend da und konnte nichts denken. Dumpf fühlte sie, dass dies mehr als ein Grauen vor dem nahen Wege nach dem Golgatha zur Pflicht war. Ein Lebensabschied; der Tod aller Wünsche und Freuden!

Diese zu erwartende Not jagte ihr eine fiebernde Gier durch das Blut. Ein paar Tausend Mark nur. Denn jene kleine eroberte Summe würde kaum für die notdürftigsten Anschaffungen genügen. Freilich verwahrte Amtsrat Wullenweber noch einige Möbelstücke aus mütterlichem Besitz für sie. Wo aber war der Raum, der sie bergen konnte?

Das Leben war unerhört teuer. Wiederum nach wenigen Schritten stehen zu bleiben und rückwärts zu müssen. Nur das nicht abermals!

Jenes vorübergehend von ihr vergessene Geld, dessen Vorhandensein niemand ahnte – denn die Präsidentin hatte ihr das Nähere erzählt – wäre übergenug, um sie glücklich zu machen.

Aber ein Gefühl des Ekels über sich selbst stieg ihr in die Kehle. Wie tief sie gesunken war, dass solche Gedanken kommen konnten. Sie schloss die Tasche in den Schreibtisch ein und suchte eine andere hervor. Dabei sah sie einen Zettel, den die Präsidentin an eine der zahlreichen Geburtstagsgaben geheftet hatte.

»Meinem Sorgen- und Glückskinde!«

Sie sah auch das gütige, feine Gesicht deutlich vor sich und hörte die Worte, mit denen sie in Öynhausen ihre Zukunft erleuchtet und festgelegt hatte. Kam nicht das Versprechen solcher Frau bereits der vollzogenen Handlung gleich. Hatte sich die unabänderliche Tat der Schenkung nicht schon damals vollzogen? – Wen träfe das Verschwinden dieses Geldes? – Es wäre ja gar kein Raub.

Aber was wäre es denn? – Aber eine Mahnung ward ihr im Innern: Eine zerlumpte Zigeunerin hatte einst auf dem väterlichen Majorat der Mamsell aus deren Schlafkammer den unechten Sonntagsring entwendet. Die Knechte liefen ihr mit Wagenrungen und Heugabeln nach, weil es gleich zutage kam, griffen sie und spien nach ihr, denn zum Schlagen war sie ihnen zu schlecht gewesen.

Die kleine Eva hatte das alles mit angesehen und ebenfalls versucht das flinke, rote Zünglein zu recken, um nicht hinter den Erwachsenen zurückzustehen.

Jener Ring! Ach – das war etwas ganz anderes. Er hatte eine Besitzerin gehabt, die ein armes Mädchen gewesen und sich nur mühsam so etwas leisten konnte.

Dies Geld aber – –

Sie lag plötzlich auf den Knien und rang die Hände. Ihr Hirn war leer. Im Herzen – am Halse – in den Fingerspitzen jagte eine entsetzliche Angst. Ein Name klang gellend – in Todesfurcht herausgeschrien – durch das Zimmer.

»Mutter – Mutter – hilf mir doch!«

Auf dem stillen, süßen, scheuen Frauenantlitz, das aus vergoldetem Rahmen auf die verlassene Tochter herabsah, lag der Schatten des scheidenden Tages und ließ es noch leidvoller erscheinen!

Kein Rettungsanker hielt stand. Nirgends war eine Stätte der Zuflucht für sie bereitet.

Die roten Türme des Waldesruher Heimatschlosses würden zwar noch erhaben über alles andere hinwegsehen und die Gräber der Eltern gehörten ihr nach wie vor. Ein verwitweter Vetter gleichen Namens saß jetzt als Erbberechtigter auf dem alten Majorat und mochte den Zufall segnen, der dem tollen Ostried einen Sohn versagte. Vielleicht bei ihm untertauchen – wenn auch nur für kurze Zeit? – Aufnahme würde sie finden. In der Familienchronik war der jeweilige Besitzer ausdrücklich angewiesen, jeden bedürftigen und würdigen weiblichen Nachkommen eines Vorgängers für mindestens sechs Monate unentgeltlich im Schlosse zu beherbergen.

Der bloße Gedanke daran peinigte sie aber schon!

Stellte sie nicht in Wahrheit die Bettelprinzess dar, wie ihr das einst ein Trunkener höhnend nachgerufen hatte? Keine andere Macht, meinte sie, käme der des Geldes gleich. Das Blut des Vaters kreiste in diesen Augenblicken wild durch ihre Adern, sie wollte gefeiert und verwöhnt werden. Es war undenkbar, dass sie untertauchte, um im Dunkel ewiger Entbehrungen zu verkommen.

Ein harter Trotz kam über sie. Sie war sich der Macht, die sie auf Paul Karlsen ausübte, voll bewusst. Und er war doch reich geworden, wie aus jedem seiner Worte hervorging.

Sie riss das schlichte Kleid herunter und suchte eins aus weicher, fließender Seide hervor. Wie eine Braut geschmückt wollte sie zu ihm gehen und wie eine Königin Gnaden spenden.

Und dann lag sie doch wieder mit dem Gesicht auf der blanken Platte des Mahagonitisches und grub in Scham und Not die Zähne tief in das Gewebe der seidenen Zierdecke.

»Nie – nie – nie kann ich das tun!«

Wenn er sie aber zu seinem Weibe begehrte? Und was konnte er anders mit dem heimlichen Werben in jedem Blicke gemeint haben? Paul Karlsens Frau, die Genossin des Künstlers, die treue Kameradin eines gleich ihr Emporstrebenden?

Warum schüttelte sie sich plötzlich? Das Blut der Mutter kam nun auch zu seinem Recht. – Ohne Liebe sich verkaufen – das war noch härter wie die Fron des Alltags.

Auch nicht um der Kunst willen? Sie fühlte, dass es ihr ans Leben gehen wollte.

Wenn sie vor jedem entscheidenden Schritt erst zu Ralf Kurtzig, dem alten Meister, gehen würde? Vielleicht wusste er ihr einen Gönner, der aus Freude an ihrem Talent freigebig war. Vielleicht riet er ihr aber auch, dass sie lieber hungern und verzichten solle, als ihre Kunst aufzugeben. Ja – es war sogar sicher, dass er diesen Rat erteilte. –

Befolgen hätte sie ihn nicht können. Nach dem Tode ihres ersten Gönners hatte sie damit einen kurzen Versuch gemacht. –

Die alte Pauline klopfte leise und trug ein vollbesetztes Tablett herein. »Jetzt müssen Sie etwas genießen, Fräuleinchen.«

Eva von Ostried wollte fest bleiben. Es gehörte ja alles der Frau, die wohl doch im letzten Augenblick ihr feierliches Versprechen bereut hatte. Aber das Hungergefühl schmerzte beim Anblick der guten Sachen. Sie überlegte nicht länger.

Erst, als sie völlig gesättigt war, verachtete sie sich deswegen. Jäh packte sie die Angst, dass sie sich letzten Endes auch zu dem andern zwingen lassen könnte.

Stumpf legte sie das kostbare Kleid wieder ab und schlüpfte in das schmucklose Trauerfähnchen. Dann ging sie langsam den Weg, der zur Eisenacherstraße führte.

Irgendwo auf dem Wege dorthin zu ihrer Linken lag ein weinumwachsenes Haus. Der goldgelbe Kies war stumpf und bleich geworden, weil ihn die Sonne nicht mehr beschien. Es war eben acht Uhr. Sie wusste die Zeit nicht. Mit schleppenden Schritten ging sie an dem Hause im Schatten vorüber. Ein paar volle Akkorde schlugen von dem tönenden Reichtum drinnen, an ihr Ohr. Sie wollte nichts hören. Eine Stimme erhob sich:

Geschmolzen ist der Winter Schnee
Ganz stumm und still verfalln dem Grabe ...

Ein Krampf schüttelte sie. Nur nicht stehen bleiben. Weiter. –

Aber sie ging doch nicht. An das kunstvoll gehämmerte Gitter gelehnt, lauschte sie gierig.

Herr Tristan hob vom heißen Pfühle
Sein mattes Haupt und sprach - - -
Nicht länger trage ich die Scham,
So bloß zu stehn mit meinem Gram ...

Der Gesang schwieg. Ein Fenster schlug auf. Sie stand wie verzaubert. Über den blassen Kies knirschten die Schritte eines Mannes.

»Kleine Mignon!«

Sie fühlte sich an die Hand genommen und in das Haus gezogen.

»Ich will nicht! Ich will nicht!«, stammelte sie. Leise lachte er auf.

»Sie hat's nicht erwarten können« dachte er und fand sie schöner und begehrenswerter als je in dem klösterlich strengen Gewande.

– Paul Karlsens schneller Entschluss, sie in das Musikzimmer und nicht, wie er das ursprünglich beabsichtigt, in sein Herrenzimmer zu führen, erwies sich als sehr klug. Die Bildnisse der Meister edler Tonkunst, die von den Wänden herab grüßten, wirkten beruhigend und anheimelnd auf Eva von Ostrieds Fassungslosigkeit. Sie empfand plötzlich ihre Anwesenheit hier nicht mit quälendem Vorwurf. Es blieb ungewöhnlich. Jedoch auch nichts weiter.

Paul Karlsen neigte sich mit ritterlicher Besorgnis zu ihr herab. »Ist es Ihnen auch zu feierlich bei mir, Fräulein von Ostried?« Sie hob den Blick frei zu dem seinen.

»Hier weht Heimatsluft, Herr Karlsen. Übrigens – war ich nicht auf dem Wege zu Ihnen.«

»Ah«, machte er.

Sie errötete, weil sie fühlte, dass er ihr nicht glaubte. Sollte sie ihm von ihrem eigentlichen Vorhaben, dessen Ausführung sein Gesang nur verzögert haben würde, erzählen? Sie brachte es nicht über die Lippen. Einen Augenblick saßen sie sich schweigend gegenüber. Dann sagte sie, in ehrlicher Bewunderung umherschauend:

»Wie wunderschön Sie es haben, Herr Karlsen! Die Goldader, von der Sie sagten, muss wirklich ergiebig sein.« Er nickte zufrieden.

»Unerschöpflich fließt sie sogar. Wir haben einen Diener, eine Köchin und noch mehrere beigeordnete Untertanen im Hades der Küche, die ich freilich noch nicht zu Gesicht bekommen habe.«

Er zählte es mit der Wichtigkeit und dem Stolz eines fröhlichen Jungen her, der sich sehr wohl in den neuen, glanzvollen Verhältnissen fühlt. Eva von Ostried war nicht neugierig. Sie hätte aber dennoch gar zu gern gewusst, wie ein Schicksalsgenosse, von dessen Schulden man sich in Öynhausen Wunderdinge erzählte, plötzlich zu diesen Märchendingen gekommen war.

Er hatte das vorausgesehen und sich bereits auf dem Heimgang von seiner Schwiegermutter eine durchaus glaubhafte Erklärung zurechtgelegt.

»Es war ein Onkel von Thule«, summte er Desdemonas zitterndes Lied vom König. »Und dieser alte Herr mit Druckknöpfen von Eisen und Feuer an der gewichtigen Geldkatze besaß einen Neffen. Einen Nichtnutz natürlich, der todsicher vor die Hunde gehen würde. Dieser Schlingel bildete sich felsenfest ein, eine Stimme zu haben, die anders wäre, wie die des Onkels von Thule. Frechheit, nicht wahr? – Er glaubte weiter, dass die Dummen in absehbarer Zeit mal ihr Geld ausgeben würden, um sie hören zu dürfen. Man bedenke – der Onkel aus Thule war in seinem Leben niemals in eine Oper gegangen. Und besagter Neffe hätte in seinem Tabak- und Kaffeeexportgeschäft wundervoll unterkommen können. – In Hamburg. Er bot es ihm sogar schriftlich an. Der Bengel antwortete überhaupt nicht darauf, trotzdem eine Freimarke beilag. Er pumpte ihn aber auch nicht an. Lieber ganz Fremde, die sich wirklich überraschend leicht finden ließen. – Und der Onkel von Thule kam – zwar nicht zum Sterben, wohl aber nach Öynhausen, denn er war immer ein kleiner Schlemmer gewesen und nun lag sein Herz im Fett. Und er gab auch nicht seiner geehrten Buhle den bekannten güldenen Becher, sondern seinem Nichtsnutz von Neffen einen Wink, damit er sich mal zu ihm ins Hotel begeben möchte. – Dass er ihn zuvor ein paarmal aus sträflicher Langeweile, von einem leidenden, zufällig hochmusikalischen Geschäftsfreund verführt, in allen damals gegebenen Opern gehört hatte, nur nebenbei. Jeder, der einen stumpfsinnigen Badeaufenthalt von mehreren Wochen durchgemacht hat, wird ihm diese Entgleisung vergeben. – Also – der Bengel erschien und nun machte sich das Weitere ganz von selbst. – Wir sind nach Berlin übergesiedelt, denn die Exportgeschichte in Hamburg hatte genug für uns abgeworfen und – na ja – da wären wir nun.«

Keinen Augenblick zweifelte sie an der Richtigkeit seiner Erzählung.

»Wie schön ist es, dass sich Ihr Talent voll entfalten kann«, sagte sie und kämpfte gegen allen Neid.

»Das hätte es auch ohne den Onkel fertiggebracht. Wie können Sie das von einem – nun nennen wir es getrost Zufall, abhängig machen! Schwerer wäre es freilich gewesen und länger würde es mit dem Aufstieg vielleicht gedauert haben. Auf die Spitze wäre ich doch gekommen.«

»Das ist Manneskraft.« Es klang wie eine Klage.

»Nein, das ist die gesunde Erkenntnis des eigenen Könnens«, widersprach er, »die sollte jedes haben, das sich seine Begabung nicht lediglich einbildet. Sie also auch, Fräulein von Ostried.«

»Ich habe es mir anders überlegt. Ich will nicht weiter.«

»Was wollen Sie nicht, bitte? – Nicht mehr singen? Einfach abschwenken? Gehen Sie doch! Jetzt wären wir endlich bei unserm eigentlichen Thema angelangt. – Nachdem Sie sich umgesehen und meine Geschichte vernommen haben, werden Sie auch glauben, dass mir die Gelder nicht mehr knapp sind.«

»Was geht das mich an?«, fragte sie brüsk und machte Miene, sich zu erheben. »Ich will jetzt gehen. Ihr Herr Onkel wird Sie nicht länger entbehren mögen.«

»Mein Herr Onkel ist bei seinen Whistbrüdern«, lachte er leise. »Von denen macht er sich bestimmt nicht vor Mitternacht los. Denn – eine Frau haben wir nicht mehr. Die ist lange, lange tot. – Nur der alte Franz passt derweilen auf, damit ich keine Dummheiten mache. Denn der Onkel von Thule macht sie lieber noch selber. Wundern Sie sich also nachher etwa in ein paar Stunden nicht, wenn er plötzlich stocksteif – stockdämlich irgendwo herumsteht. Sonst habe ich es aber wirklich in jeder Beziehung ausgezeichnet. Kann sozusagen tun und lassen, was ich will. Die Geldkatze steht unverschlossen zu meiner Verfügung. Dazu ist mein fester Monatswechsel blendend.«

»Wozu sagt er mir das alles?«, dachte Eva von Ostried und ihr Herzschlag drohte in einer erstickenden Angst auszusetzen. »Er will doch nicht etwa selbst –?« Das Gefühl des Widerwillens, stärker noch als dasjenige der Empörung und des Zornes über die unerhörte Kühnheit, mit der er sie damals beleidigt hatte, regte sich wieder.

Sie begriff nicht mehr, dass sie ihm willenlos hierher folgen konnte, nach diesem Erlebnis. Ihr Gesicht war sehr bleich geworden. Ihre Augen irrten mit einem flackernden Blick umher, als sie sich jetzt erhob.

»Wie mich das für Sie freut! Lassen Sie sich's weiter wohl sein, Herr Karlsen.« Jedes Wort musste sie erkämpfen. »Und schnellen, sicheren Aufstieg.« Es klang tonlos. Er war gleichfalls aufgestanden und sah auf sie herab – immer noch, als sie längst zu Ende gesprochen hatte.

Das brachte ihr eine größere Unsicherheit. Sollte sie ihm jetzt die Hand reichen oder – grußlos entfliehen.

»Nur noch einen Augenblick«, forderte er und seine Brauen schoben sich eng zusammen. »Zwar weiß ich wirklich nicht, womit ich diesmal Ihre Unzufriedenheit erregt haben könnte – irgendwie werde ich mich ja aber doch wohl vergangen haben. Denn für solche Wirkungen besitze ich auch ein musikalisches Feingefühl. Sicherlich habe ich zu viel um den Brennpunkt herumgeredet. Verzeihen Sie mir. – Als ich Ihnen von dem mir gutbekannten Gönner sprach, der Ihnen auf mein Wort helfen würde – stand mein Plan bereits fest. Und das ist er geblieben. – Entschuldigen Sie mich für einen Augenblick. Ich hole nur eine wichtige Kleinigkeit nebenan aus meinem Studierzimmer.«

Ehe sie eine Entgegnung fand, war er bereits verschwunden. Durch die zurückgeschobenen Vorhänge konnte sie den Raum übersehen. Ihre Blicke lösten sich von seinen Händen, die hastig in den aufgezogenen Schiebladen des Schreibtisches herumkramten und wanderten – gedankenlos – umher. Es trieb sie zur Flucht und sie blieb dennoch. Sie nahm nichts von alledem, was sie anstarrte, in sich auf. Die Bilder verschwammen zu farblosen Massen. Die wuchtigen Vasen auf hohen Sockeln, die sicher ein kleines Vermögen kosteten, wuchsen wie Steine auf, die in unsichtbarer Faust nach ihrem Herzen zielten. Mit fast übermenschlicher Gewalt zwang sie sich dazu, etwas zu denken – zu sehen – zu empfinden.

Da lag, gerade über seinem Kopf, ein großer grüner Fleck mit leuchtenden Blutstropfen. –

Nein, ein Bild war's; als sie schärfer, sich dazu zwingend, hinsah, erkannte sie die überschlanke Gestalt eines weiblichen Wesens darin, die unter rotem Mohn auf grüner Wiese stand. Auf dem Gesicht lag der volle Schein einer glutrot gemalten Sonne und hob es scharf heraus. In seiner rührenden Anspruchslosigkeit wirkte es fast mit diesem Leuchten, das von innen heraus zu strahlen schien, lieblich. Obwohl Nase und Mund viel zu groß darin standen. Sie prägte es sich ein, um nur nicht denken zu müssen, dass sie mit jeder Minute ihres längeren Verweilens von ihrem Mädchenstolz verschwende.

Endlich kam er zurück. – Hochrot! Zornig!

»Niemals kann ich das finden, was ich gerade suche. Das ist grässlich! Jetzt endlich ist es gelungen. Sehen Sie, bitte! Nun – was ist das?«

»Ein Scheckbuch«, sagte sie tonlos, »aber ich begreife nicht.«

»Ganz recht. Sie haben also viel mehr Geschäftssinn wie ich – etwa vor sechs Monaten. Genauere Anweisungen brauche ich Ihnen also wohl nicht mehr zu erteilen. – Sie nehmen dies an sich und füllen einfach mit einer bestimmten, von Ihnen beliebig festzusetzenden Summe jeden Monat die Geschichte aus. Das Weitere macht dann schon die Bank!« Sie streckte beide Hände von sich, als wehre sie eine furchtbare Versuchung ab.

»Um Gottes willen, nur das nicht!«

»So verhasst bin ich Ihnen, Eva? Was Sie ohne Bedenken von dem alten Blutsauger, der Sie zur Bretteldiva machen wollte, angenommen hätten, ohne diese Bedingung, das wollen Sie mir nicht gestatten?«

»Ich weiß nicht, ob ich es Ihnen jemals zurückerstatten kann.«

»Darüber sorgen Sie sich nicht. Zinsen allerdings – verlange ich.«

Dass er sachlich zu sprechen begann, machte sie ruhiger.

»Wovon sollte ich die zahlen.« Er sah sie fest an.

»Wovon? Fühlen Sie das nicht, Eva?«

Ihre Hände hingen matt hernieder. Er betrachtete sie lange. Aber er nahm sie nicht in die seinen. Nur nichts übereilen. Langsam begann er ihr in Worten ein lebendiges Bild zu malen.

»Sie beziehen, am liebsten in meiner Gegend, eine kleine feine Wohnung. Nur kein Kellerloch oder Dachstübchen. Das drückt von vornherein das Können nieder. Auch die öffentliche Meinung. Dann schaffen Sie sich jemand, der Ihnen den Kleinkram des täglichen Lebens fernhält und nebenbei diskret ist. Dann erst sehen Sie sich nach geeigneten Lehrern um. Natürlich müssen sie erstklassig sein. Auf die Honorare darf es nicht ankommen. Und dann – ergibt sich das Schönste wie von selbst. Das Lernen. Das Vertiefen. Die Seligkeit, dass es bestimmt geschafft wird. Die Vorausempfindung all des brennenden Neides der liebwerten Kollegenschaft – aber auch der Macht, die täglich wachsen und genau wie die meine, zur Andacht niederreißen wird – mag die Menge willig sein oder nicht.«

Mit weitvorgestrecktem Haupt hatte sie ihm gelauscht. Das war ein Klang aus jener Welt, in der allein sie glücklich zu werden wähnte. Ein echter Klang. Das fühlte sie. In diesem Augenblick empfand sie auch keinen Widerwillen gegen Paul Karlsen. Seine Güte zurückzuweisen, erschien ihr unnatürlich. Ja – unmöglich, je länger sie über seinen Vorschlag nachdachte.

»Die Zinsen – wie hoch?«, fragte sie nur noch.

Da lag er ihr zu Füßen und zwang sie in einen tiefen, niederen Sessel hinein.

»Deine Liebe und sonst nichts! Fühlst du immer noch nicht, wie ich mich nach dir verzehre. Siehst du nicht, dass ich dir alles zu Füßen legen möchte und nur verlange, dass du dich von mir anbeten und lieben lässt?«

Sie stieß ihn nicht zurück, trotzdem sie unter seiner Berührung zusammenschauerte. Nur ein Gedanke hämmerte in ihrer Stirn:

»Bin ich jetzt seine Braut? – Und muss ich nun auch sein Weib werden?«

Ein Finger pochte leise an die hohe Tür. Paul Karlsen fuhr auf und setzte sich ihr gegenüber.

»Haben Herr Karlsen gerufen?« Der alte Diener streckte sein unbewegliches Gesicht bescheiden in das Zimmer hinein.

– Der Zauber dieses Augenblickes war ihm unwiderbringlich verloren. Ihre Not für ein Weilchen überwunden.

Sie schickte sich an zu gehen, und er hielt sie nicht zurück.

»Ich werde Nachricht geben. Vielleicht morgen schon«, flüsterte sie und glaubte zu wissen, dass sie sich ihm aus Liebe zur Kunst verkaufen könne.

7.

Kaum tausend Schritt von Karlsens Villa entfernt stand abseits von der Verkehrsstraße eine Bank. Auf diese strebte Eva von Ostried zu. Im Augenblicke war es ihr unmöglich, ihren Weg fortzusetzen. Alles Denken, bis zur äußersten Grenze erschöpft, setzte aus und sie gab sich willig dieser Müdigkeit hin.

Sie fühlte, dass sie sich dem Manne, der ihr seine Liebe geboten, anverlobt habe. Dass sie überhaupt nach seinem Kuss zu ihm ging, ließ nur diese Deutung zu. Er musste annehmen, dass sie sein Gefühl erwiderte!

Und es war doch eine Lüge! Sie fühlte nichts für ihn.

Die Blicke, die er auf ihr hatte ruhen lassen, peinigten sie noch nachträglich! Das Erinnern an seine heißen, zuckenden Hände, die sie umklammert hatten, als er vor ihr kniete, brachte ihr erneut die starke Empfindung des Widerwillens gegen seine Zärtlichkeiten.

Das Verhältnis zwischen ihren Eltern fiel ihr ein. Der Vater hatte zuweilen, nach einer besonders guten Flasche Wein von der hingebenden Zärtlichkeit ihrer Mutter in der Verlobungszeit gesprochen. Und doch war später aus der Ehe das geworden, was Evas erste Jugend unaussprechlich ängstigte und sie noch jetzt mit Grauen erfüllte! An dem unverbesserlichen Leichtsinn des schönen Ostried zerbrach die Kraft und das Leben ihrer Mutter, nachdem wohl schon längst ihre Liebe dem starren Pflichtbewusstsein weichen musste.

Und sie selbst wollte sich jetzt ohne einen Funken schlummernder Zärtlichkeit binden?

Um den roten Mund grub sich eine Falte, die ihr Gesicht hart machte. Der Preis, den sie sich dadurch erringen würde, war hoch genug, um einem törichten, streng verschwiegenen Mädchentraume dies Opfer zu bringen.

Sie war bereit! Aber nicht mehr völlig bedingungslos. Das Gesuch der Frau Eßling wegen der Gesellschafterin für die Tochter fiel ihr ein. Sie wollte versuchen, dort ein paar Wochen unterzuschlüpfen, um sich eine Bedenkzeit zu sichern.

Frau Kommerzienrat Eßling befand sich in einer selten weichen Stimmung, als ihr gemeldet wurde, dass eine Bewerberin draußen warte. Der Sieg über den Willen des Schwiegersohns hatte sie vorübergehend versöhnlicher gestimmt. Ihr Gerechtigkeitsgefühl konnte sich zudem gegen die Wahrheit seiner Bitterkeiten nicht verschließen. In der Hauptsache füllte sie die Freude, die Tochter wieder – wenn auch nur für kurze Zeit – bei sich zu haben, gänzlich aus. Daneben verschwand jede Trauer und Auflehnung.

Elfriede Karlsen lag, wie einst während langer Jahre, auf dem Ruhebette und ließ sich mit dem Lächeln eines dankbaren Kindes von ihrer Mutter verwöhnen. Noch ahnte sie die neueste Fürsorge der Kommerzienrätin nicht. Mit wenigen hastigen Worten wurde sie ihr jetzt als eine Notwendigkeit hingestellt.

»Aber, Mama«, sagte sie flehend, »das ist grausam von dir –«

»Du solltest froh sein, dass ich auf diesen erlösenden Gedanken gekommen bin, Elfriedchen. Die vielen einsamen Stunden taugen nicht für dich. Du grübelst zu viel.«

»Ich warte auf meinen Mann und das ist wunderschön«, sagte sie. Es lag alle Treue und Zärtlichkeit darin.

»Diese Stunde ist nicht geeignet, um darüber zu streiten, Kind. Schnell nur eins: Ihr betont beide bei jeder Gelegenheit, dass ein Künstler frei sein muss und du willst ihn doch nicht von der Kette lassen?«

Das blasse Gesicht rötete sich trotz der weißen Puderschicht, die Frau Eßling ihrer Tochter niemals zugetraut.

»Soll das heißen, dass ich ihn ungebührlich in Anspruch nehme, ihn in seiner Entwicklung hemme? – Das aber kann unmöglich deine wahre Ansicht sein, Mama. Noch vor wenigen Tagen hast du mir den ernsthaften Vorwurf einer viel zu großen Anspruchslosigkeit gegen Paul gemacht!«

»Darin liegt kein Widerspruch, mein Kind! Natürlich und verständlich, wenn eine junge, verliebte Frau die Minuten zählt, bis ihr der Gatte endlich wiedergeschenkt ist. Aber auch ebenso begreiflich, wenn bei einer Veranlagung wie dein Mann sie nun doch einmal hat, ihn jeder leiseste Zwang behindert und vielleicht sogar verstimmt und hemmt.«

»Hat er sich etwa dir gegenüber beklagt, Mama?«

Die Kommerzienrätin lachte bitter auf.

»Wo denkst du hin, Elfriedchen. Ein so großer Künstler nimmt sich nicht die Mühe, eine gewöhnliche Sterbliche, wie mich, in seine Empfindungen einzuweihen. Aber erinnere dich nur. Ist er nicht häufig genug ungehalten gewesen, wenn du etwa eine Stunde oder noch länger wie ein geduldiges Lämmchen mit dem Essen auf ihn gewartet hast?«

»Mama, nimm den alten Franz wieder zu dir«, bat die junge Frau gequält. Sie wusste sofort, aus welcher Quelle ihre Mutter die Kenntnis jedes auch des kleinsten und unwichtigsten Geschehnisses aus ihrem Leben schöpfte.

»Du hast mich schon mehrmals darum gebeten, Elfriede. Und heute, wie früher sage ich dir, dass er bleiben wird und muss.«

Elfriede Karlsen seufzte tief auf.

»Was also soll diese Gesellschafterin mir helfen?«

Frau Eßling fühlte, dass der anfängliche Widerstand zu wanken begann. Etwas wie Neugier klang aus der Frage.

»Unendlich viel, Elfchen! Natürlich muss sie klug und gebildet, frisch und einwandfrei sein. Ihr werdet Euch schnell anfreunden. Du hast niemals eine Freundin besessen. Dann sind die Stunden des Wartens plötzlich ausgefüllt. Vielleicht erscheinen sie dir im Laufe der Zeit sogar, wenn Ihr zusammen ein nettes Buch lest – Spaziergänge macht, Einkäufe erledigt und Bilder anseht, zu kurz. Jedenfalls, ein vorwurfsvolles Gesicht oder gar, was mir bei Weitem gefährlicher erscheint, ein abgespanntes, enttäuschtes und nicht gerade glänzend aussehendes Frauchen wird Karlsen nicht vorfinden, auch wenn er sich selbst erheblich verspäten sollte. Was meinst du, muss die Folge hiervon sein? So viel habe ich gelernt, um zu wissen, dass Karlsen launenhaft ist. Das Geringste kann ihn verstimmen; eine Kleinigkeit kann ihn aber zu einem hinreißenden Gesellschafter machen.«

»Ich habe keine Ahnung gehabt, dass du ihn so genau kennst«, sagte Elfriede.

»Höre nur weiter, Friedchen! – Indem du nicht länger mit dieser deutlich zur Schau getragenen Sehnsucht nach ihm schmachtest – nicht mehr die Hände ringst, wenn eine seiner Leibspeisen ungenießbar geworden ist, dir die Augen auch nicht mehr rot und trübe weinst, wirst du dir deinen Mann zu einer Dankbarkeit verpflichten, die dich ihm wichtiger und damit unentbehrlicher machen muss, als dies leider bisher der Fall gewesen ist.«

Die junge Frau hatte sich aufgerichtet und sah unsicher zu ihrer Mutter hinüber.

»Wenn du wirklich recht hättest, Mama! Aber ich kann nicht daran glauben. Beständig eine Dritte am Tische zu haben denke ich mir qualvoll. Vergisst du, dass sie mir von der kurzen Zeit des Beisammenseins das Beste wegnimmt?«

»Kind, du bist die *Frau* eines Künstlers. Du musst sorgen, dass du sie auch *bleibst*!«

Elfriede Karlsen war sehr bleich geworden.

»Du glaubst doch nicht, dass mich Paul nicht mehr liebt?«

»Wenn ich das auch nur fürchtete, würde ich anders mit meinem Herrn Schwiegersohne umspringen. Nein, davon ist bis jetzt keine Rede. Aber ich will verhüten, dass es jemals zu einer merklichen Abkühlung käme. Glaube mir, Friedchen, mein Rat ist klug und wohlerwogen. Dies Mittel, das ich ihm ebenso wie dir verordne, wird dich voll glücklich machen. Nicht wahr, das wäre doch schön, mein Kind?

Jetzt geh einen Augenblick ins Nebenzimmer. Zuerst will ich alles Unwesentliche mit der Bewerberin besprechen. Scheint sie mir die Rechte für dich zu sein, so rufe ich dich.«

Eva von Ostried ließ die prüfenden Blicke und die gründlichen Fragen der Kommerzienrätin in vollendet guter Haltung über sich ergehen. Sie zeigte keine Empfindlichkeit, weil sie draußen ungewöhnlich lange zu warten gehabt hatte. Mit ruhiger Selbstverständlichkeit nahm sie in einem ihr von Frau Eßling gebotenen Sessel Platz und beantwortete kurz und klar deren Fragen.

»Die Zeugnisse, die Sie vorweisen können, sind nicht eben glänzend, Fräulein von Ostried.«

»Eher das Gegenteil, gnädige Frau! Kaum siebzehnjährig nahm ich die erste Stelle an und besaß doch keinerlei Vorkenntnisse, nur den guten Willen, meine Pflicht zu erfüllen.«

»Wollen Sie mir nun etwas über Ihre Jugend – die Jahre vorher, meine ich und vor allem von der Notwendigkeit, die Sie auf den Erwerbsweg zwang, erzählen?«, fragte die Kommerzienrätin.

»Gern! – Mein Vater war Besitzer des Majorats Waldesruh im Kreise Köslin, Provinz Hinterpommern. Meine Mutter, eine geborene Baroness Strachwitz, starb, als ich vierzehn Jahre zählte. Unsere Verhältnisse waren stets die denkbar schlechtesten. Waldesruh war bereits unter meinem Großvater arg heruntergewirtschaftet. Bei dem Tode meines Vaters blieb mir nichts Nennenswertes. Mein Vormund, Amtsrat Wullenweber, wünschte zudem, dass ich mir sogleich einen Erwerb schaffe. Besondere Sachen hatte ich nicht erlernt. So stand mir lediglich der Weg des Kinderfräuleins oder der Hausstütze offen.«

»In der zweiten Stelle, in der Sie kaum vier Monate weilten, müssen doch ganz besonders wichtige Gründe die Veranlassung zu so schnellem Wechsel gegeben haben? Ich sehe, dass dies Zeugnis die Bemerkung ›auf ausdrücklichen Wunsch entlassen‹ enthält.«

»Diese Gründe waren allerdings vorhanden, gnädige Frau«, gab Eva ruhig zu. »Des Hausherrn Verhalten. Jedenfalls konnte ich nicht länger in seinem Hause bleiben.«

»Ich verstehe! Es gefällt mir ausnehmend, dass Sie so empfinden. Sie sind ein sehr schönes Mädchen. Das werden Sie nicht nur von andern gehört haben, sondern selbst genau wissen.«

Eva von Ostried nahm diese Worte als das einfache Feststellen einer Tatsache hin. Es wäre ihr kindisch erschienen, abzuwehren oder gar zu widersprechen.

»Darum fühlte ich mich auch im Hause der verwitweten Frau Landgerichtspräsident Hanna Melchers überaus glücklich. Drei Jahre war ich bei ihr und kann wohl sagen, dass eine Mutter nicht gütiger und liebevoller zu mir hätte sein können.«

»Und dieses letzte und wichtigste Zeugnis, Fräulein von Ostried? Sollten Sie vergessen haben, es mir auszuhändigen?«

»Leider besteht es nicht, gnädige Frau. Frau Präsidentin ist während einer allein unternommenen Reise unerwartet einem Herzschlage erlegen. Sie könnten sich aber über mich bei Justizrat Dr. Weißgerber, dem langjährigen Freund und Testamentsvollstrecker der Frau Präsidentin, erkundigen.«

»Wann ist er daheim? – Wissen Sie das? In sein Büro möchte ich diese Sache nicht gern tragen.«

»Er hatte heute außerhalb zu tun. Immerhin wäre es möglich, dass er schon zurückgekehrt ist.«

Sie sagte das leise und zögernd, weil ihr plötzlich einfiel, dass auch sie ja eigentlich noch wegen des Geldes den Versuch der späten Rücksprache hätte machen sollen. – Der Kommerzienrätin war das Schwanken in der jungen Stimme nicht entgangen. Auch wunderte sie sich über den plötzlich veränderten Ausdruck des schönen Gesichtes. – Erst in diesem Augenblick dachte Eva von Ostried daran, dass es leicht möglich sei, der Justizrat sage am Apparat etwas von ihren vernichteten musikalischen Aussichten. Darüber hatte sie aus guten Gründen geschwiegen.

Frau Eßling aber glaubte bestimmt, dass Eva von Ostried jene Auskunft, trotzdem sie auf dieselbe ausdrücklich hingewiesen, zu fürchten hatte und war umso mehr entschlossen, den Justizrat zu befragen. – Der Justizrat war soeben angekommen und bestätigte am Fernsprecher kurz und klar, dass Eva von Ostried zur vollsten Zufriedenheit der Verstorbenen drei volle Jahre in deren Hause gewesen sei, und dass sie auch von ihm persönlich in jeder Beziehung als ausgezeichneter Charakter geschätzt werde. Er ließ sogar mit einfließen, dass die Präsidentin fest entschlossen gewesen, die junge geliebte Hausgenossin sicherzustellen. Zweifellos habe sie an der Ausführung dieses Entschlusses der schnelle Tod gehindert.

Frau Eßling kam befriedigt vom Fernsprecher zurück.

»Ich möchte es gern mit Ihnen versuchen, wenn Sie denselben Wunsch haben«, sagte sie freundlich. »Ich hoffe, wir werden sehr schnell miteinander einig werden. Nur wenige Anweisungen und Bedingungen müsste ich Ihnen zuvor nennen: Sie würden nicht in meinem Hause zu leben haben, sondern bei meiner jungverheirateten Tochter, die Sie gleich noch kennenlernen sollen. Denn sie weilt vorübergehend bei mir. Ihre Pflichten werden sich leicht gestalten. – Sind Sie musikalisch?«

»Ja«, sagte Eva. »Es dürfte sicher genügen. Ich singe.«

»Das ist mir sehr angenehm. Meine Tochter hat entschieden ein feines Gehör, war aber stets zu leidend, um sich den Anstrengungen langen Übens auszusetzen. Würden Sie ihr etwa auch Unterricht erteilen können?«

Evas Hände wurden eiskalt. Wie ein Hohn des Schicksals erschien ihr das alles. Aber sie nickte bereitwillig.

»Gut. Für häusliche Arbeiten ist im Übrigen eine Kraft vorhanden. Es kommt mir, wie Sie gemerkt haben werden, lediglich darauf an, dass meine Tochter zerstreut und froh erhalten wird. Sie muss zu viel allein sein. Das taugt nicht für ein stilles, ja scheues Wesen, wie das ihre. Können Sie lustig sein, Fräulein von Ostried?«

»Ich werde es vielleicht lernen, gnädige Frau.«

»Und treu, Fräulein von Ostried? Absolut? In jeder Lage? Bei jeder Versuchung?«

»Wie habe ich das zu verstehen, gnädige Frau?«

»Wie ein Mädchen Ihrer Herkunft und Bildung dies verstehen muss. – Treu der Herrin. Was das heißt – hm – eine Erklärung ist nach Ihren Erfahrungen in Ihrer zweiten Stelle wohl kaum notwendig. – Mein Schwiegersohn ist Künstler. Ich weiß nicht mal, ob ich das schon erwähnte. Künstler entzünden sich zumeist sehr schnell und heftig. Und Sie sind, wie ich das bereits feststellte, von der Natur besonders reich bedacht.«

»Ich würde lieber sterben, als eine Ehe zu zerbrechen helfen.«

»Den Eindruck habe ich auch von Ihnen. – Meine Erfahrung mag Ihnen wiederholen, was Sie längst selbst erfahren haben werden. Das Köstlichste und Wertvollste bleibt das gute Gewissen. ›Der Übel größestes aber ist die Schuld!‹, schrieb mir mein seliger Vater unter den Einsegnungsspruch. Seither habe ich es als Wahrheit immer wieder bestätigt gefunden. – Treu der Herrin, sagte ich, die Sie sehr gütig – sehr schwesterlich behandeln wird. – Treu aber auch mir. – So selbstverständlich das Erfüllen der ersten Bedingung ist, so sonderbar wird Sie die zweite anmuten. Ich«, ihre Stimme klang plötzlich gedämpft, »habe nicht dasjenige Vertrauen zu meinem Schwiegersohn, das nötig sein sollte, um ruhig und sorglos das Glück des einzigen Kindes in seinen Händen zu lassen. Diese Heirat ist nur ungern von mir zugegeben. Ich misstraue ihrer Beständigkeit. – Wollen Sie, im Fall Sie die untrüglichen Beweise für die Berechtigung meines sehr regen Misstrauens haben, mir dies unverzüglich mitteilen?«

»Das muss ich entschieden ablehnen«, erwiderte Eva von Ostried bestimmt. »Ich erwähnte bereits, dass ich mich verachten würde, wenn ich Unfrieden zwischen Eheleute streute.«

»Wenn ich auf diese Erklärung hin auf ihre Dienste bei meiner Tochter verzichten müsste, Fräulein von Ostried?«

Eva zögerte mit der Antwort. Das Verlangen nach einem Platze, der sie vorläufig – vor der Not des Lebens schützte – an dem sie sich, fern von der leiblichen Not, ungehindert prüfen konnte, ehe sie sich fest an Paul Karlsen band, drängte sie zum Einlenken. – Die innere Wahrhaftigkeit aber verbot ihr ein Nachgeben.

»Trotzdem könnte ich es nicht versprechen, gnädige Frau.«

Die Kommerzienrätin betrachtete das junge Gesicht lange. Dann reichte sie Eva von Ostried die Rechte hin.

»Also gut. – Die Treue für meine Tochter soll mir genügen. – Vergessen Sie das andere. – Noch ein Wort über Ihr Gehalt. Ich beabsichtigte Ihnen hundert Mark monatlich anweisen zu lassen. Sind Sie damit zufrieden?«

»Fünfzig Mark weniger, wie das Gnadengeld der alten Pauline beträgt«, dachte Eva bitter, obschon ihr diese Summe genügte.

»Es wird reichen, gnädige Frau«, sagte sie eintönig.

»So, damit wäre alles besprochen. Jetzt werde ich meine Tochter benachrichtigen. Einen Augenblick, bitte.« – –

»Ich fürchte nur, das Sie sich neben mir langweilen werden«, sagte die junge Frau.

Eva lächelte.

»Wir wollen versuchen, uns jeden Tag mit einer besonderen Freude zu erheitern, gnädige Frau.«

Die Kommerzienrätin fand den Ton, in dem ihre Tochter zu der neuen Gesellschafterin sprach, für den Anfang viel zu warm. Gewiss hatte auch sie vorhin ein schwesterliches Verhältnis als sehr wahrscheinlich erwähnt. Immerhin musste dies doch erst verdient werden. Sie riss deshalb das Gespräch wieder an sich.

»Ist Ihnen der Montag nächster Woche als Tag des Eintritts recht, Fräulein von Ostried? Sie sind doch durch nichts gebunden, nicht wahr? – Oder wollten Sie noch etwas im Hause der Verstorbenen ordnen?«

»Ich könnte bereits morgen kommen, gnädige Frau! Das alte treue Mädchen, das der Präsidentin lange Jahre diente, besorgt alles Nötige allein. Aber Sie haben mir noch gar nicht Namen und Wohnung Ihrer Frau Tochter genannt.«

Die junge Frau antwortete anstelle ihrer Mutter. Es gewährte ihr immer aufs Neue eine stolze Freude, sich als Frau des jungen Künstlers zu bekennen.

»Unser Häuschen liegt sehr nahe hier; Karlsbaderstraße 10. Wir haben es wundervoll. Nur ein wenig dunkel und kühl. Auf dem Schilde am Gittertore steht Paul Karlsen. – Das ist mein Mann.«

Eva von Ostried blinzelte, als werde sie aus dem Dunkel in einen grellerleuchteten Raum gestoßen.

Sie sollte also zu Paul Karlsens Frau? In sein Haus? Und achtgeben, dass er die – eheliche Treue halte?

Das Frauenbild auf grüner Wiese im roten Mohn hatte bereits den Mann zu ihren Füßen gesehen. Den Mann, als dessen Braut sie sich betrachtet hatte.

»Was ist Ihnen«, fragte die junge Frau ängstlich und sah hilflos zu ihrer Mutter hin. Hatte Eva von Ostried wirklich aufgestöhnt, als werde sie von heftigen Schmerzen gepeinigt?

Es musste ein Irrtum gewesen sein! Jetzt stand sie mit dem Ausdruck eines Lächelns da. Nur auffallend gerade und steif hielt sie sich.

»Verzeihen Sie – ich bekam soeben wieder einen jener kleinen Anfälle, mit denen ich, leider, häufiger zu kämpfen habe.«

Frau Eßlings Stimme klang erregt.

»Warum haben Sie bisher nicht davon gesprochen?«

»Gott – man will doch ›unter‹, gnädige Frau. Nicht wahr?«

»Du wirst sie darum nicht fortschicken«, flüsterte die junge Frau bittend.

Die Kommerzienrätin überhörte den Einwand ihrer Tochter völlig.

»Durchaus begreiflich, liebes Fräulein. Sie finden auch ganz sicher ein Haus, in dem diese Kleinigkeit nicht stört. Nur für meine Tochter passen Sie, leider, nicht als ebenfalls Schonungsbedürftige. Das sehen Sie auch ein?« Eva von Ostried nickte mechanisch.

»Vollkommen, gnädige Frau.«

Warum ging sie jetzt nicht. Ihr Lächeln wurde der Kommerzienrätin unerträglich, bis ihr ein Gedanke kam.

»Kann ich Ihnen vielleicht in anderer Weise etwas helfen, Fräulein«, fragte sie, im Grunde herzlich froh darüber, dass sich ihre Handlung auf gütlichem Wege ungeschehen machen ließ. »Ich halte Sie doch für ein vernünftiges Mädchen.«

Eva von Ostried neigte ein wenig den Kopf, als danke sie für eine Huldigung. – Sie blieb aber weiter unbeweglich stehen und lächelte maskenhaft. Der jungen Frau kamen die Tränen.

»Ich würde Sie trotzdem bitten, Fräulein von Ostried«, sagte sie rasch und herzlich, »aber wenn Mama nicht will, muss ich mich stets fügen. Seien Sie, bitte, nicht so sehr traurig. Ich werde Sie all meinen Bekannten warm empfehlen und bis Sie etwas gefunden haben, besuchen Sie mich fleißig alle Tage. Auch zu den Mahlzeiten. Wir speisen gegen zwei und sieben Uhr. Ja, wollen Sie das tun?«

Frau Eßling war ins Nebenzimmer gegangen und kam jetzt eilig zurück. Sie drückte einen verschlossenen Umschlag in Eva von Ostrieds Hand.

»Alles Gute für Ihren Weg und fallen Sie beim Hinausgehen nicht über die dumme Stufe, die zur Diele hinabführt.«

»Sie sind sehr gütig, gnädige Frau! Verlassen Sie sich darauf. Ich werde nicht fallen!«

Hatte sie sich verneigt oder – war sie grußlos geschieden? Die ausgestreckte Rechte und den bittenden Blick der jungen Frau musste sie wohl übersehen haben.

»Sie hat etwas verloren«, sagte Frau Elfriede verwirrt und zeigte auf das Weiße, das dort lag, wo noch soeben die schöne stolze Gestalt gestanden hatte.

Es war der Umschlag, in den Frau Eßling großmütig einen Fünfzigmarkschein getan hatte.

Am nächsten Morgen gegen neun Uhr war Justizrat Weißgerber schon wieder in der Wohnung seiner alten, toten Freundin. Er ging durch die nur angelehnte Gartenpforte über die Diele sofort zur Küche. Denn er wollte ungestört mit der alten Pauline sprechen. Diese hatte eine mächtige Hornbrille auf der Nase und fertigte umständlich und sorgsam das Verzeichnis der mit Obst und Gemüse gefüllten Gläser an. Offensichtlich war ihr eine Störung bei dieser Arbeit sehr unangenehm.

»Es gibt soeben noch etwas Wichtigeres für Sie zu tun, Pauline«, sagte der Justizrat eilig. »Sehen Sie mal her. Auf diesem Zettelchen, den ich in einem Notizbuch aus dem Jahre 1917 fand, spricht unsere Frau Präsident von allerhand wichtigen Aufzeichnungen, die sich in einer kleinen, schwarzen Kiste, um deren Verbleib die gute Pauline wisse, finden lassen sollen. Haben Sie eine Ahnung, wo sich besagte Kiste zur Zeit befindet?«

»Eine kleine schwarze Kiste? – Jawohl! Die habe ich selbst auf der Bodenkammer in eine größere gestellt.«

»Wir müssen sie eiligst herunterschaffen.«

»Wozu denn, Herr Justizrat?«

»Denken Sie ein wenig nach. Sie wissen nun ja auch darin Bescheid. Uns fehlt doch etwas, nicht wahr?«

In das alte Gesicht kam ein Zug von Spannung.

»Sie hoffen geradeso wie ich, dass sich was für das Fräulein finden lassen muss. Ach – Herr Justizrat, sie ist wie außer sich. Zum Erbarmen sieht sie aus. Die halbe Nacht habe ich gesucht. Da ist kein Eckchen, das verschont wär'. Ich hatte bestimmt im Gefühl, dass ich es finden müsse, glauben Sie mir. Sogar das Bett unserer Frau Präsident hab ich aufgetrennt. Meine selige Großmutter hatte auch was Schriftliches in ihrem Kopfkissen versteckt. – Aber alles umsonst. Wie vor einem Rätsel steh ich. Alles, was unsere Frau Präsident anfasste und sagte, war so klar wie Glas. Aus diesem Dunkel kann ich mich mein Lebtag nicht rausfinden.«

»Wenn ich Sie recht verstehe, ist Fräulein von Ostried nun doch zusammengebrochen, so tapfer sie sich angestellt hat. Mir gegenüber würde sie sich zweifellos weiter zusammennehmen. Sie werden darüber mehr wissen. Oder doch nicht? – Ich glaube, dass sie wieder in Stellung zu gehen beabsichtigt? Eine Dame verlangte telefonisch ausführliche Auskunft über sie.«

»Sie ist sehr stolz, Herr Justizrat. Das habe ich früher nie gefühlt. Ist's ihre adlige Herkunft, oder was anderes. Sie will jedenfalls nichts von unsereinem annehmen. Und wie gern tät ich's doch!«

»Das kann ich ihr nicht verdenken, Pauline. Es tut ihr weh, dass sie leer ausgegangen sein soll. Am meisten quält sich darüber ihr Stolz, auf den Sie schlecht zu sprechen sind. Glauben Sie mir, es ist gut, dass sie den besitzt. Hat Sie sich heute zu Ihnen ausgesprochen?«

»Sie hat nur gesagt, dass gegen Mittag jemand ihre Sachen abholen würde.«

»Und über das ›Wohin‹ kein Wort?«

»Nichts. Fragen habe ich nicht mögen. Es kam mir zu aufdringlich vor. Sie hat ja eigenes Geld, Herr Justizrat. Ich hab's mit meinen Augen gesehen. Das wird sie nun wohl erst aufbrauchen.«

Selbst seinem juristischen Scharfsinn fehlte im Augenblick die Verbindung zwischen Eva von Ostrieds ihm gegenüber getaner Äußerung und ihrem scheinbar ganz neuen Entschluss, nun doch wieder in Stellung zu gehen.

»Gleichviel, Pauline, tun wir unsere Pflicht, indem wir die Kiste durchstöbern. Wenn sie auch nichts von Wichtigkeit bringt, müssen wir uns bescheiden!«

Trotzdem er sich wiederholt sagte, dass eine erfahrene, klardenkende Frau wie es die Präsidentin gewesen, Beschlüsse von größester Wichtigkeit unmöglich zusammen mit wertlosen Zeilen, die lediglich einen Erinnerungswert für sie selbst haben mochten, zusammenschichten würde, durchsuchte er – eine Viertelstunde später – umständlich jedes noch so kleine Blättchen.

Auch dies war vergeblich, genau, wie er es gefürchtet hatte, und seufzend klappte er endlich den Deckel herunter und legte das viel zu wuchtige Schloss eigenhändig in die Krampe.

»Am liebsten ginge ich zu ihr und bäte sie vorläufig in mein Haus«, sagte er vor sich hin.

»Ich fürchte, Herr Justizrat, das wird nichts helfen. Sie ist wie von Stein geworden. – Als ich ihr heute Morgen den Kaffee gebracht habe, war sie kalkweiß. ›Haben Sie schlecht geschlafen, Fräuleinchen‹, hab ich gefragt und wollte ihre Hand ein bisschen streicheln. Denn so ein Elternloses mag sich jetzt doppelt und dreifach einsam fühlen. Aber, was meinen Sie, Herr Justizrat; weggezogen hat sie ihre Hand und ganz vergnügt getan. Dass sie prachtvoll geschlafen hätt und sich wer weiß wie sehr auf die Arbeit freue. Ja, das hat sie gesagt. Angesehen hat sie mich dabei aber nicht. – Seitdem war ich nicht wieder bei ihr drin. Nur ein bisschen gehorcht hab ich mal, ob sie vielleicht geweint hat. Ich glaub aber wohl nicht. Laut geredet hat sie. Ich hab sogar verstanden, was es war. ›Der Übel größtes …‹ Jawohl, immer nur diese drei Worte sind's gewesen.«

»Wäre sie nicht bereits volljährig, hätte ich mich ihretwegen längst mit dem Vormund in Verbindung gesetzt.«

»Ich glaube, damit wär' sie auch nicht zufrieden gewesen. Sie hat kein Vertrauen zu ihm fassen können und wird froh sein, dass er ihr nichts mehr zu sagen hat.«

»Besitzt sie denn keine Freundin. – Niemand, der einigen Einfluss auf sie ausüben könnte, Pauline?«

»Davon hab ich nie etwas gemerkt. Unsere Frau Präsident hat ihr in meiner Gegenwart mehr als einmal zugeredet, sie sollte doch mit diesem oder jenem jungen Mädchen, das in unser Haus kam, spazieren gehen. Das hat sie immer abgelehnt. Den Grund kann ich mir auch denken.«

»Ich wüsste keinen. Ich habe vielmehr die Überzeugung von ihr, dass sie ein guter und zuverlässiger Kamerad sein müsste.«

»Sie ist aber zehnmal hübscher wie die andern. Sie sollten nur mal die Blicke sehen, wenn sie auf der Straße geht. Mit ihr zusammen Einkäufe zu machen, war ein richtiger Spaß. War das ein Herumgedrehe und Nachgegucke. – Hinterhergelaufen sind sie auch wohl. – Fremdes junges Blut freut sich darüber aber nicht. Das wird leicht neidisch.«

»Möchte ihr die Schönheit nur nicht zum Unsegen werden.«

»Die Angst ist unnötig, Herr Justizrat. Sie konnte zu kalt und stolz aussehen, wenn's einer von den jungen Herren gar zu auffällig mit seiner Bewunderung trieb.«

Der Justizrat musste lächeln.

»Sie haben auch diesmal recht, Pauline. Es will mir nur nicht in den Kopf, dass man sich jetzt einfach nicht mehr um sie bekümmern soll.«

»Das wär allerdings traurig. Aber ich werde, ob sie will oder nicht, aufpassen auf sie. – Geht es ihr schlecht, komm ich zu Ihnen, Herr Justizrat. Das andere besorgen Sie denn.«

Eben ging Eva von Ostried, wie in tiefen Gedanken versunken, unten vorüber, ohne die beiden sorgenvollen Gesichter zu bemerken. Sie hatte einen eiligen Gang vor. Noch einmal wollte sie versuchen, unterzukommen. Die neueste Tageszeitung hatte ihr wiederum einen Fingerzeig gegeben. Die hastige Unruhe des Verkehrs war ihr etwas Ungewohntes. Ihr Kopf begann von Neuem zu schmerzen. Trotzdem dachte sie nicht daran, umzukehren. Ein verbissener Trotz lag auf ihrem bleichen Gesicht, als sie endlich in die Friedensstraße einbog und die bezeichnete Nummer zu suchen begann. Das neue Gesuch verlangte eine gebildete Stütze im Osten Berlins.

Das Haus, in das sie eintrat, war so dunkel, als sei es ohne Fenster erbaut worden. Im Flur roch es nach Mittagskohl, Kaninchen und Leim. Jeder einzelne Geruch für sich wäre erträglich gewesen. Die Vereinigung erregte ihr Übelkeit. – Das im dritten Stock auf ihr Klingeln öffnende Mädchen, lächelte ihr vertraulich zu:

»Na, denn man rin in die gute Stube. Drei sind all vor Ihnen.«

Sie wurde in die Küche gewiesen. Eine der Wartenden rückte gefällig auf ihrem Schemel zur Seite.

»Wir werden uns schon vertragen.«

Eva kam der freundlichen Aufforderung nicht nach. Sie kämpfte mit dem Gefühl des Schwindels. »Ein Glas Wasser«, bat sie matt.

Eins der Mädchen hielt einen Tassentopf ohne Henkel unter die aufgedrehte Leitung. An den schneeweißen Lippen der Neusten merkten sie, dass deren Einsilbigkeit nicht dem Hochmut entsprang. Eva von Ostried wollte trinken, aber sie vermochte das unsaubere, abgestoßene Gefäß nicht an den Mund zu führen. Stumm setzte sie es nieder und wandte sich zum Gehen.

– – Am Spätnachmittag dieses Tages hielt eine Droschke vor dem Haus der verstorbenen Präsidentin. Eva von Ostried hatte bereits auf sie gewartet. Nun trat sie vom Fenster zurück. Koffer und Handtasche waren fertig zum Fortschaffen. Sie selbst zum Einsteigen bereit. Auf dem Mahagonitisch lag wieder die kleine schwarze Tasche mit den zwölftausend Mark anvertrauten Geldes. Ihre Hand streckte sich danach aus und zuckte doch wieder leer zurück. Dann aber presste sie die Lippen zusammen und riss sie an sich. –

Nun war es entschieden! –

Die alte Pauline kam angelaufen: »Sie wollen doch nicht etwa schon weg, Fräuleinchen?«

»Ist es nicht höchste Zeit damit«, fragte sie ruhig. »Leben Sie wohl, Pauline.«

»Wohin soll es denn nun gehen? Das ist doch gar nicht möglich.«

»Wohin?« Die schönen Augen schlossen sich leicht. Der Raub in ihrer Hand hatte ihr Herz erkältet. »Vielleicht schreibe ich Ihnen einmal, beste Pauline.«

8.

Amtsrat Wullenweber auf Hohenklitzig erwartete Gäste. Sein einziger Bruder, der als Major a. D. in Berlin lebte, sollte, geleitet von dem Sohne, eintreffen.

Dieser Bruder war ein schwererträglicher Egoist geworden, nachdem ihn ein hartes Geschick zweimal grausam strafte. Der erste Schlag raubte dem verschwenderischen und von jeher leichtsinnigen, daneben aber im Dienst tüchtigen und ehrgeizigen Offizier die bis dahin ausgezeichnete Gesundheit. Ein ungeschickter Schütze schoss ihn auf einer Treibjagd so unglücklich an, dass er sich seither nur an zwei Krücken fortbewegen konnte. Der zweite Hieb traf ihn schwer an seiner Ehre und machte ihn zum schroffen Verächter jeglichen Menschenwertes, weil er die helfenden Krücken verzeihender Einsicht nicht zu finden vermochte.

Amtsrat Wullenweber hatte von einem persönlichen Empfange am Bahnhof abgesehen. Er stand auf der Steintreppe vor seinem unscheinbaren Gutshause und spähte nach der Staubwolke aus, die ihm das Nahen des Wagens verraten sollte.

Und nun saßen sie zu dreien an einem runden Tische und sprachen über völlig gleichgültige Dinge. Das Zimmer blitzte in Frische und Sauberkeit. Auf den kalt und steif wirkenden Möbeln aus hellster Birke zeigte sich kein Stäubchen. Es fehlte aber dennoch jede Spur einer liebreich schmückenden Frauenhand. Das Mahl war einfach, aber schmackhaft zubereitet, doch schien keiner den rechten Genuss daran zu finden.

Amtsrat Wullenweber, der ein ebenso ausgezeichneter Ackerwirt wie schlechter Diplomat war, setzte das Grübeln über die ungefährlichste der persönlichen Fragen mit stummer Energie fort. Endlich meinte er sie gefunden zu haben und wandte sich an den Neffen, der

schlankgewachsen, blond und merkwürdig ernsthaft für seine zweiund-
dreißig Jahre, zwischen ihnen saß.

»Na, Walter, nächstens musst du nun auch wohl schon drei Jahre
Assessor sein, nicht wahr?«

Doktor jur. Walter Wullenweber besaß die strahlend blauen Augen
eines reich Begnadeten, der sich trotz aller Lebenshärten, seine kleine
Welt voller innerer Schönheit unversehrt erhalten hat.

»Etwas länger bereits, Onkel«, erwiderte er und seine Stimme klang
weniger klar, wie bisher.

»Nun – und –«

»Immer noch nicht Präsident«, scherzte er. »Trotzdem fühle ich
mich den Umständen nach recht wohl. Die Arbeit befriedigt mich,
nachdem ich meinen auch dir ja zur Genüge bekannt gewordenen
Jugendwunsch überwand. Ja, ich freue mich sogar darauf, als Richter
zu wirken. Am liebsten in einer möglichst kleinen Stadt mit viel
ländlicher Umgebung.«

»Dann melde dich hierher an das Amtsgericht Köslin«, riet der
Amtsrat. »Da hast du alles. Alltäglich machst du in Straf-, Zivil- und
Grundbuchsachen. Sonntags flitzt du zu mir raus und speist von der
Glanzdecke.«

Der Major a. D., der missmutig und schweigsam zugehört, mischte
sich jetzt ins Gespräch.

»Und ich schimmele indessen in unserer hochherrschaftlichen
Hofwohnung am grünen Strand der Spree und warte auf irgendeinen
geduldigen jemand, der mich die Hühnerstiege herunterschleift, damit
ich nicht gänzlich verkomme.«

In dem ernsten Gesicht des jungen Juristen zuckte es unwillig. Aber
er blieb ruhig.

»Wenn du dich nicht zum Mitkommen in besagtes Städtchen entschließen könntest, müssten wir uns allerdings zuerst nach einer
kräftigen Stütze für dich umsehen«, sagte er ohne Empfindlichkeit.

»Soll ich jetzt vielleicht auch noch in eines jener mir schon als
Fähnrich unausstehlichen Nester unterkriechen?«

»Von einem Zwang kann natürlich keine Rede sein, Vater. Auch
ich ließe mich nie mehr zu etwas zwingen.«

Der alte Herr sah scharf zu dem Sohn hin.

»Was soll das heißen, bitte?«

»Dass ich den Weg gehen werde, den ich mir, nach manchem inneren Kampf, ausersehen habe.«

»Darf ich wenigstens erfahren, wohin er dich führen soll.«

»Ganz gewiss. Zur Anstellung als Richter, dem gewöhnlich Gegebenen, wenn man die nötigen juristischen Vorstufen überwunden hat.«

»Mach dich gefälligst nicht lächerlich, Walter! Wenn man in unserer Lage sitzt, kommt es lediglich aufs Geldverdienen an.«

Assessor Wullenweber schüttelte den Kopf.

»Über dieselbe Ansicht wäre es – vor ungefähr zwölf Jahren – beinahe zwischen uns zum Bruch gekommen. Damals ließ ich mich von dir zwingen. Mein bescheidenes Muttererbe hätte vielleicht wirklich nicht zu dem als sinnlos von dir bezeichneten von mir ersehnten Lebensberuf ausgereicht und du hattest recht, mir ein persönliches opfern deiner Mittel als ausgeschlossen hinzustellen. Heute jedoch«, und seine Stimme wurde hell und scharf, »wäre jeder Versuch zu meiner Umstimmung für dich aussichtslos. Oder doch nur von Erfolg, wenn ein sehr trauriger Grund dazukäme.«

Der Major hatte sich zurückgelehnt und spielte an den schwarzen Heften der Bestecks. »Was verstehst du darunter?« Für eine harmlose Frage war der Ton zu scharf.

»Ehrenschulden, die unbedingt abgetragen werden müssen. Und ich habe keine, Vater.«

Das Mahl war beendet.

»Wir setzen uns noch eine Pfeife lang auf die Veranda«, schlug der Amtsrat, der seinen heftigen, verbitterten Bruder nicht sogleich am ersten Tage durch eine schroffe Einmischung reizen wollte, vor.

Sie saßen alle drei auf den sauber gescheuerten Steinfliesen und stießen dicke Tabakswolken aus den kurzen Rohren. Zu einer gemütlichen Unterhaltung wollte es auch jetzt nicht kommen. Die Luft schien wie mit Zündstoff angefüllt.

»Sage mal selbst«, wandte sich der Major plötzlich an seinen Bruder, »hältst du es für möglich, dass einer mit seiner kleinen Pension auskommen kann?«

Der Assessor wechselte die Farbe.

»Was soll das heißen, Vater?«

»Bleib ruhig sitzen! Schlimm genug, dass dir das nicht längst allein klar geworden ist.«

»Ich verstehe nicht, worauf du hinaus willst.«

»Scheinst ja merkwürdig schwer von Begriff in diesem Punkt zu sein. Kurz – ich mag nicht länger rumhocken und entbehren – stillhalten und abstreichen.«

Der Amtsrat sah das bleichgewordene Gesicht seines Neffen und nickte ihm fast väterlich zu, obwohl sie sich bisher merkwürdig fremd gegenüber gestanden hatten. »Nimm's nicht tragisch, Junge. Wir ändern ihn doch nicht mehr«, sollte es heißen. Dann zog er die Stirnhaut empor, wodurch er sich schon als Sechsjähriger unter seinen Brüdern eine besondere Achtung verschaffte und kniff ein wenig die Lippen ein, als schlucke er eine bittere Arznei. Aber er wurde damit fertig!

»Du hast's wirklich verteufelt eng und dunkel in Berlin, Bruder. Davon habe ich mich ja vor ein paar Wochen selbst überzeugen müssen. Aber dein Junge soll's und kann's diesmal nicht ändern. Das siehst du bei ruhiger Überlegung auch ein. Ich mache dir einen vernünftigen Vorschlag. Packe deinen Kram und zieh zu mir. Zwei Stuben kannst du ganz für dich haben und diese Veranda und den ganzen Garten, denn ich sehe auf dem Felde genug Grünes. Jawohl – meinetwegen auch noch das kleine Seezimmer dazu, obgleich ich mich daran gewöhnt habe. Nur den Jungen lass endlich von der Leine!«

»Ich geh nicht raus aus Berlin«, knurrte der Major eigensinnig.

»In deiner Lage ist das ein Wahnsinn, Richard.«

»In meiner jetzigen – vielleicht! Darum soll sie eben auch geändert werden. Walter kann leicht und angenehm das dreifache verdienen, wenn er nur mal ruhig nachdenkt. Wir mieten uns nachher irgendeine kleine Villa. Ich kann mir einen Diener halten. Und das Leben wird wieder einigermaßen anständig.«

»Du hast mir bereits neulich etwas Derartiges angedeutet, Vater. Ich fasste es keinen Augenblick als Ernst auf.«

»Darum habe ich mir die Wiederholung bis heute aufgespart. Onkel soll zuhören. Nicht wahr, Wilhelm«, wandte er sich an den Amtsrat, »ein guter Rechenmeister warst du immer.«

»Ich rechnete aber für mich und mit mir als Verdiener, mein Lieber.«

»Soll das ein versteckter Vorwurf sein?«

»Deute es dir, wie du willst! Dass Walter nicht Musik studieren durfte, darin mischte ich mich nicht ein. Das verstehe ich schließlich nicht. Wie er sich damals als grüner Bengel damit abgefunden hat, das gefiel mir, wennschon er sich auffallend ablehnend zu mir benommen hat. Darum nehme ich heute und später seine Partei.«

»Ihr tut gerade, als wollte ich ihn zu etwas Unerhörtem verleiten und ich will ihn doch lediglich in eine gute, ja famose Lage bringen.«

»Über dies Kunststück würde ich gern näheres erfahren«, lachte der Amtsrat gemütlich.

»Er soll als Teilhaber bei einem äußerst geschätzten, erstklassigen Anwalt eintreten. Der Mann hat ohne Vermögen angefangen und eine aus sieben Köpfen bestehende Familie durchgebracht. Neben der seinen, erhält er noch die Familien seiner beiden ältesten verwitweten Töchter. Das Geschäft muss also einträglich sein. Als anfänglichen Monatsgehalt ist er willens, einem tüchtigen Assessor, der dauernd eintritt, vorläufig neunhundert Mark zu gewähren. Nachher soll es steigen oder gar zur Hälfte gehen, denn er hat einen Knacks weggekriegt und kann's allein nicht mehr schaffen. Später besteht natürlich die sichere Aussicht zur gänzlichen Übernahme seiner juristischen Praxis. Ich habe die Empfindung, dass dieser Zeitpunkt nahe ist. Der Mann macht's wohl kaum noch sehr lange.«

Walter Wullenweber war anfangs mit einem ungläubigen Lächeln der Schilderung seines Vaters gefolgt. Jetzt begann er damit zu rechnen, dass tatsächlich etwas Wahres daran sein musste.

»Woher weißt du das alles«, fragte er sachlich und noch vollkommen beherrscht.

»Gott – ich habe mal was bei dem Mann zu tun gehabt. Wir sind ins Gespräch gekommen. Er hat mich sogar mal in deiner Abwesenheit freundschaftlichst besucht. Verzeih nur gütigst, wenn ich mich ein paar Straßen weiter ohne deine gnädige Mithilfe oder Erlaubnis davonmache.«

Walter Wullenweber kannte seinen Vater genau. Darum wusste er auch jetzt, dass der nicht etwa unter seiner Bevormundung litt, sondern, dass sein Gewissen in irgendeiner Beziehung nicht das reinste war. Diese bestimmte Annahme schärfte ihm in plötzlich erwachsender Angst den Blick.

Zeigte der Sechzigjährige nicht die deutlichen Spuren einer nervösen Unsicherheit wie nach jeder begangenen Torheit? Und war sein ohnehin sprunghaft wechselndes Benehmen in letzter Zeit nicht noch unbeständiger geworden? Jetzt musste sich Wullenweber mit aller Kraft zur Bewahrung seiner Ruhe zwingen.

»Konnte ich dir nicht ebenso gut raten und helfen, wie es der Justizrat Weißgerber imstande war, Vater? Du siehst, so ganz blind und taub bin ich doch nicht neben dir dahingegangen. Ich sah Euch vor einiger Zeit aus einem Weinlokal herauskommen. Das nahm mich bei dem Vielbeschäftigten eigentlich Wunder – ich wollte dich auch fragen – vergaß es aber nachher über etwas wichtigerem. Nicht wahr, bei ihm gedachtest du mich auch unterzubringen? Aber, lassen wir das jetzt. Etwas anderes erscheint mir wichtiger. Wozu brauchtest du einen fremden Juristen? Wozu trugst du das Geld aus dem Hause?«

Der schwache Versuch, die Angelegenheit ins Scherzhafte zu ziehen, misslang.

»So weit bin ich noch nicht heruntergekommen, mein Sohn, um mir dauernd und in jeder Kleinigkeit von dir Vorschriften machen zu lassen. Noch bestimme ich. Und wenn einer von uns beiden zu gehorchen hat, bist du es. Das merke dir.« Der Amtsrat versuchte zu beschwichtigen.

»Kinder, nur keinen Streit!«

»Verzeih, Onkel, dass dies gleich die erste Stunde ausfüllen muss. Du hast ja aber selbst gehört, dass sich Vater die Auseinandersetzung ausdrücklich für diesen Tag aufgespart hat.«

»Zänkereien vertrage ich nicht«, begehrte der Major auf. »Meine Ruhe wollte ich endlich mal haben, frei sein. Du sollst nicht wieder aus einer Lappalie ein Erdbeben machen, Walter.«

Ein langer strenger Blick streifte ihn.

»Du weißt, dass ich schon übermorgen abreisen muss, Vater. Dann ist also dein Wunsch erfüllt. Ich möchte aber nicht mit dieser seltsamen Unruhe an die Arbeit zurück. Wir wollen uns aussprechen. Ich erkläre dir nochmals, dass alles, was du über mich bestimmen solltest oder bereits, ohne mein Wissen, bestimmt hast, hinfällig ist. Niemals werde ich nur um des Geldes willen einen Weg, den mir mein Innerstes vorzeichnet, aufgeben.«

»Ich hätte wissen müssen, dass du keiner Kindesliebe fähig bist.«

»Sprich nicht weiter, Vater. Denke rückwärts.«

»Habe ich nicht nötig! Was ich getan habe, auch das, woran du jetzt vielleicht auch noch rühren möchtest, ich täte es gleich wieder.«

»Richard«, mahnte der Amtsrat still. »Lass die Schatten ruhen.«

»Ihr meint wohl, ich fürchte mich vor ihnen? Weit gefehlt, was sich an meinem eigenen Stamm nicht biegen lassen will, muss weggebrochen werden.«

»Versündige dich nicht, Bruder.«

»Sprecht doch endlich ihren Namen aus. Macht mir Vorwürfe. Schiebt mir alle Schuld in die Schuhe. Ich kann's ertragen. Ich werde Euch Rede und Antwort stehen.«

Er war der Überzeugung, dass seine Stimme im Zorn gellte, und sie war doch nur ein zitterndes, angstvolles Flüstern. Der Schatten, dem er anscheinend mutig begegnete, musste ihn atemlos gehetzt haben. Das Gespräch verstummte. Der Atem des alten Offiziers bekam keine Kraft mehr. Sein Gesicht erschien in der ungewissen Beleuchtung des schwefelgelben Abendsrots grau und verfallen. Ein junges, leidenschaftliches Geschöpf, dem die Mutter zu früh sterben musste, saß plötzlich auf dem vierten Stuhl. Und doch lag in Wahrheit nichts als der unruhige Schein wilden Weinlaubs darauf. Die einzige Tochter des Majors und Walters Schwester!

Der Amtsrat wischte sich über die Augen. Seitdem das mit ihr geschehen war, hatte der Bruder sein Haus gemieden. Erst jetzt war er, ohne besondere Einladung, wiedergekommen.

»Die Reise hat mich etwas angestrengt«, sagte der Major plötzlich. »Ich will schlafen gehen.« – –

Eine Weile verharrte der Amtsrat noch in nachdenklichem Schweigen. Dann tippte er dem Neffen auf die Schulter.

»Du musst mir alles von damals erzählen, Walter. Aus den Briefen, die mir der Vater geschrieben hat, bin ich nicht klug geworden. Hast du irgendetwas über sie erfahren können?«

»Nein, Onkel. Es ist alles vergeblich geblieben. – Du weißt, Vater war stets ein leidenschaftlicher Schachspieler. Auch unser Leben hat er berechnen wollen, weil es für sein eigenes nicht mehr anging. Mancher Zug mag richtig gewesen sein! Nur der Grundgedanke blieb falsch. Nach ihm waren wir, seine beiden Kinder, willenlose Figuren. Dir ist die Lieselotte auch lieb gewesen. Ihre Tollheiten erfrischten, ihr Liebreiz entzückte jeden. Der Vater war sehr stolz auf sie, solange sie sich ihm bedingungslos fügte. Sie hatten stets miteinander Geheimnisse vor mir. Ich durfte ihr daher meine brüderliche Liebe nicht so voll zeigen, wie ich sie empfand. Musste streng mit ihr sein, denn ich wollte doch nicht, dass sie verloren gehen sollte. – Sie fügte sich dem

Vater also willig, bis die Liebe über sie kam. Den Anfang habe ich miterlebt. Er sang auf der Abendgesellschaft einer reichen Frau, die sich einbildete, seine Stimme entdeckt zu haben. – In Berlin selbst lebte er nicht dauernd, und das machte mich ruhig. Er nannte sich Schauspieler und zog überall umher, wo man ihn bezahlte. Einen ersten Brief fing ich ab – las ihn und nahm sie mir vor. Sie versprach, ihn zu vergessen. Das Versprechen hat sie aber nicht gehalten. Die kleine Lieselotte war mit einem Schlage Komödiantin geworden.«

»Und hat Euer Vater nichts davon gemerkt.«

»Du weißt, er besitzt die Fähigkeit, Unbequemes so lange zu übersehen, wie es nur irgend angeht. Eines Tages hatte er aber seinen größten Schachzug fertig überlegt. – Ein Millionär hatte die Lieselotte auf einem Winterball kennengelernt und begehrte sie. Die Anbetung des älteren reichen Mannes hat ihr bis zu einem gewissen Grade sogar Spaß gemacht. Als sie merkte, dass er ernste Absichten hatte, wurde sie zuerst ängstlich, dann scheu, und schließlich energisch. Sie wollte ihn nicht. – Es war aber bereits alles zwischen dem Vater und jenem abgehandelt. Er hatte ihm auch eine Menge Schulden bezahlt, von denen wir Kinder nichts wussten. Es war also seiner Ansicht nach eine Unmöglichkeit, die Sache rückgängig zu machen. – Lieselotte hat nicht an den Ernst seiner Drohung, dass sie sich diesmal unweigerlich fügen müsse, geglaubt. So hinreißend lieblich sie war, ebenso unbändig, leidenschaftlich und lebenshungrig ist sie gewesen. Von dieser Seite kennst du sie nicht. Hier war sie lediglich das spielerische Kind. Allmählich wuchs sich ihr Durst nach Freiheit zu einer fast krankhaften Gier heraus. Vielleicht hätte sie doch schließlich eingewilligt, wäre der andere, an dessen ehrliche Absichten ich niemals glaubte – nicht immer wieder dazwischen getreten. – Ein Lump, Onkel, in der Maske eines bildhübschen Schlingels. – Sie blieb taub und blind. Ich habe in jenen Zeiten täglich versucht, auf sie einzuwirken, schließlich in jener Nacht nach den letzten, wilden Auseinandersetzungen mit dem Vater, auch fest geglaubt, dass sie zur Einsicht gekommen wäre. – Nach ein paar Monaten, hoffte ich, würde sich der Grimm des Vaters und ihre eigene blinde Leidenschaft verebbt haben. Ich hatte mich gründlich verrechnet. Am nächsten Morgen war sie verschwunden. – Du kannst überzeugt sein, Onkel, das Menschenmögliche, um ihren Aufenthalt herauszubringen, habe ich versucht.«

»Und der Millionär, Walter?«

»Hat umgehend seine Forderungen eingeklagt.«

»Pfui Teufel.«

»Ich glaube, als ordentlicher Geschäftsmann musste er das tun.«

»Wie habt Ihr's möglich machen können, Junge?«

»Es ging schon!«

»Viel Vertrauen hast du nicht zu mir gezeigt.«

»Doch, Onkel! Ich wusste zum Beispiel ganz genau, dass du helfen würdest, wenn ich dich darum gebeten hätte.«

»Ich versichere dir, dass mir niemals eine Bitte oder Anfrage von Euch zugegangen ist.«

»Das weiß ich! Weil ich unbedingtes Vertrauen in deine Bereitschaft setzte, durfte der Brief des Vaters, der deine Hilfe forderte, nicht abgehen.«

»Das verstehe ich nicht, Junge.«

»Du hättest dein Geld niemals von ihm zurückhalten und wenn er es dir hundertmal zugesichert hätte.«

»Darum also hast *du* es nicht erlaubt? Ich habe dich bisher nicht richtig gekannt.«

»Das hat mir oft genug leidgetan, Onkel. Sehr gern hätte ich vieles mit dir besprochen, was ich nun allein mit mir ausfechten musste. Wie sollte ich es aber ändern? Ehe ich nicht die alte Rechnung des Vaters beglichen hatte, mochte ich das nicht anstreben!«

»Das wäre dir wirklich gelungen?«

»Ja, seit einem Monat bin ich diese Last los.«

»Aus eigener Kraft?«

»Ich glaube, ein glattes Bejahen gäbe ein falsches Bild. Mein Studium wurde billiger, als ich es mir ausgerechnet hatte. Ein paar Tausend Mark erübrigten sich davon. Und der Rest? Weißt du, es mag einer so viel auf Berlin schelten, wie er Lust hat. Ein Gutes bringt es zweifellos. Erwerbsmöglichkeiten, an welche man selbst in einer größeren Mittelstadt gar nicht denken würde. Einige, die ich benützte, mögen nicht gerade standesgemäß gewesen sein. Dass sie durchaus anständig waren, bedarf nicht der Zusicherung. In der Hauptsache verdiente ich durch Repetitorien. Mir saß alles noch frisch im Gedächtnis. Da habe ich ein halbes Dutzend Referendare zum Examen eingepaukt. Sie schafften es und das brachte mir weitere. So ist eigentlich nicht mal ein Wunder dabei gewesen.«

»Und du meinst, dass dein Vater jetzt endlich gelernt hat, mit dem Seinen auszukommen?«

»Bisher habe ich den Gedanken an neue Schulden nicht haben können. Er hat ja doch gesehen, wie ich schuften musste. Vorhin wurde ich allerdings stutzig. Hattest du nicht auch das Gefühl, als schleppe er an einer Last, die er überängstlich zu verbergen versucht?«

»Ich schob das auf die Erinnerung an Lieselotte.«

»Die wirkt ganz anders! Danach kommen Stunden, in denen er sich einschließt und nachher trinkt.«

»Und das ist nun deine Jugend!«

»Meine eigentliche Jugend ist der unerschütterliche Glaube an eine gute Zukunft.«

»Du hast eine von Herzen lieb, nicht wahr, mein Junge?«

»Nein, Onkel, noch nicht! Mir blieb zu wenig Zeit dazu, glaube ich.

Aber ich fühle, dass es eines Tages kommen wird. Und darum lebe ich trotz allem auch gern. Ein Ziel ist da und ein fester Wille zur Erfüllung aller Pflichten.«

»Sonderbarer Heiliger.«

»Bis heute habe ich zu keinem davon gesprochen, Onkel.«

»Das glaube ich dir aufs Wort! Siehst du, da haben wir uns nun jahrzehntelang gekannt und ich habe doch nichts weiter von dir gewusst, als dass du einen Jugendwunsch, von dessen Ernsthaftigkeit ich mich allerdings überzeugt hatte, überwunden hast. Ich fand das riesig vernünftig und die Art, in der du es tatest, hat mir gefallen, wie ich ja schon erwähnte. – Diese eine Stunde hat gründlichere Arbeit als die ganzen Jahre getan. Nun kenne ich dich wirklich. Weiß Gott, viel Freude ist nie in meinem Leben gewesen. Nicht mal das Ziel, das du dir gesetzt hast, war darin vorgesehen. Nur immer der graue Alltag. Ich habe viel Staub schlucken müssen, denn zu den Sonn- und Feiertagen ließ ich mir nie recht Zeit. Jetzt freue ich mich und bitte meinem Leben manches ab. Sieh hinaus. Der Mond scheint gerade hell. Die Felder mit Stoppeln haben ihre Ernte hinter sich. Das Brachland muss ausruhen, damit es im nächsten Jahre wieder seine Schuldigkeit tut. Sogar die Fichtenkusseln wachsen langsam aber sicher ins Geld. – Ich hab bloß immer in meinem Dasein säend geschuftet. Ohne Sinn und Verstand. Denn für wen? Ein ekliges Geschäft, wenn man darauf keine Antwort weiß. Jetzt wird's anders werden. Du musst öfter zu mir kommen, Junge!«

Einen Augenblick ruhten ihre Hände fest ineinander! Das war wie ein Schwur, obgleich kein Wort dabei gesprochen wurde.

»Und jetzt wollen wir in die Klappe gehen«, sagte der Amtsrat wieder in seinem alten, fast befehlshaberischen Tone, den sich ein Herr leicht angewöhnt, der auf seinem Stück Eigenland streng nach Ordnung sieht. – –

Walter Wullenweber konnte nicht schlafen. Hinter der weiß getünchten Wand ruhte sein Vater und war ihm, nur durch eine dünne Verschalung getrennt, so nahe, dass er das unruhige Umherwerfen des schwerfälligen Körpers vernehmen musste. Im Karpfenteich und in den sich daranschließenden Sumpfgräben quakten die Frösche. Aus den Viehställen sang zuweilen eine klirrende Kette.

Hinter der weißen Wand ward ein Stöhnen hörbar. Er erhärtete sich dagegen. Musste er nicht auch, schweigsam, oft genug leiden? Tief wühlte sich sein Kopf in den verschwenderischen Reichtum der weichen Federkissen ein. Und doch lauschten die Sinne – wider Willen – und erlauschten, dass sich der Mann, der um keinen Preis alt und schwach sein wollte, in Schmerzen wand. Da sprang er auf und ging zu ihm.

»Was hast du, Vater? Soll ich dir von deinen Tropfen geben?«

Der Major winkte ab. »Lass nur. Dagegen helfen sie doch nicht! Ich halte das nicht länger aus.«

»Luft und Stille hier werden dir gut tun. Nur Geduld.«

»Dazu habe ich keine Zeit mehr.«

»Was hast du, Vater?«

»Du musst mir helfen, Walter!«

»Sobald es Tag geworden, wollen wir nach einem Arzt senden«, sagte Walter Wullenweber und glaubte doch nicht, dass der hiergegen etwas vermöge.

»Was soll mir der? Ich brauche nur dich!«

»Ich bin ja bei dir!«

»Du willst mich nicht verstehen. Da in der Tasche steckt der Wisch.« Und Walter Wullenweber las:

»Wenn Sie innerhalb von zwei Wochen nicht Ihr mir gegebenes Ehrenwort einlösen und das Geliehene zurückzahlen mit 7 Prozent Zinsen, mache ich die Sache anhängig. Halten Sie mich nicht für ganz dumm. Ich kenne Mittel und Wege, die Sie klein bekommen.

Erst im vergangenen Jahre ist einem alten Offizier ein gebührender Denkzettel vom Ehrenrat aus ähnlichem Anlass erteilt. Denn wenn einer sein Ehrenwort bricht, so ist er nichts weiter als ein Schuft. – – –«

»Ist das wahr, was hier steht?«

Hart und fast mitleidslos klang die Frage.

»Ja, es ist wahr! Aber –«

Walter Wullenweber ließ sich schwer auf den Schemel sinken, der irgendwo stand. Er empfand in diesem Augenblick nichts als Verachtung für den Mann, der ihm alles zerschlug, was er sich mühsam errang.

»Es geht mich nichts an«, sagte er sehr langsam.

»Du willst mich nicht – retten?«

»Nein.«

»Ich soll also –?«

»Ganz recht; du sollst endlich einmal selbst tragen, was du verschuldet hast. Ich bin nicht länger willig, mich zu opfern!«

»Es ist auch dein Name.«

»Leider! Ich werde meiner vorgesetzten Behörde unverzüglich von dem Beschluss der deinen, sowie ich davon Kenntnis erhalte, Bericht erstatten und tragen, was daraus für mich kommt!«

»Und wenn ich dir schwöre, dass dies das letzte Mal sein soll.«

»Ich würde keinen Glauben mehr an dich aufbringen können. Damals, ja, da bildete ich mir ein, dass ein Mensch so etwas nicht zum andern Mal fertigbrächte. Kein Fremder einem Fremden gegenüber. Und dich betrachtete ich damals noch als meinen Vater.«

»Soll das heißen, dass du heute – nicht mehr?«

»Ja! Das wollte ich damit sagen!«

»Walter sei barmherzig.«

»Bist du es jemals gewesen? Hast du uns nicht alles zerschlagen, Wunsch, Jugend, Zukunft?«

»Aber die Ehre, die habe ich doch hochgehalten!«

»Das bildest du dir nur ein.«

»Du bist nicht Offizier!«

»Auf meine Auffassung kommt es aber zur Zeit mehr an.«

»Wenn ich dir mein Ehrenwort verpfände, dass ich nie wieder.«

»Spare es dir! Ich lege keinen Wert darauf!«

Ein Schrei gurgelte aus dem weit geöffneten Munde. Das Gesicht nahm eine bläuliche Färbung an. Die Züge spannten sich. Das Kinn schob sich weit vor. Und dann kam jäh ein sichtbarer Verfall.

»Ob das der Tod ist«, fragte sich Walter Wullenweber und zog, wie bei dem juristischen Aufbau eines wohlgelungenen Gutachtens die einzig mögliche Folge aus der Bejahung: »Dann trage ich die Schuld!«

Es war aber nur ein leichter Schlaganfall, wie der aus der nächsten Stadt zugezogene Arzt am Spätvormittag des neuen Tages feststellte. Lebensgefahr lag nicht vor. Alle merklichen Folgen würden sich voraussichtlich nach einiger Zeit verlieren.

Walter Wullenweber wich dem fragenden Blicke seines Onkel aus. Am nächsten Tage rüstete er sich zur Abreise, ohne Nachurlaub erbeten zu haben. Er fühlte, dass seine Anwesenheit den Kranken nicht förderte.

»Du machst dem Futternapf meiner alten Klidderten wenig Ehre«, sagte der Amtsrat in der letzten Stunde zu dem Neffen. »Was ist's denn? Hast du mir nichts zu sagen, Junge?«

»Herzlichst zu danken. Sonst wüsste ich nichts.«

»So, ich dachte! Na schön. Warst du schon bei deinem Vater?«

»Ich stehe eben im Begriff.«

»Warte einen Augenblick. Ich begleite dich.«

Walter Wullenweber wollte eigentlich die paar letzten Minuten mit dem Kranken allein sein. Er schwieg aber. »Vielleicht ist es besser so«, dachte er stumpf und trat scheinbar ruhig an das Bett des Majors.

»Ich muss nun fort.« Der Kranke wollte sich auf die Ellbogen stützen, um sich ein wenig emporzuringen. Es gelang aber nicht.

»Ich gebe dir mein Wort, dass alles anders werden soll. Willst du mir nicht die Hand reichen, Walter.«

Ein kurzes Zaudern. Dann reichte sie ihm der Assessor hin. »Werde gesund, Vater!«

Da weinte Major a. D. von Wullenweber die ersten Tränen, seitdem ihm das von dem ungeschickten Schützen geschehen war.

Eine Woche später erhielt er Nachricht von seinem Sohne.

Lieber Vater! Heute nur kurz die Mitteilung, dass ich von meiner Behörde den Abschied aus dem Staatsdienst erbeten habe, um, sobald er mir erteilt sein wird, bei Justizrat Weißgerber, mit dem ich bereits einig bin, einzutreten.

Teile es auch Onkel mit. In Eile

Dein Walter.

Als auch der Amtsrat den Inhalt kannte, schlug er mit der Faust auf den Tisch.

»Und das erfahre ich erst heute? Was hast du denn wieder angestellt? Konntest du wenigstens deinen Mund nicht rechtzeitig aufmachen, damit dies verhindert wurde?«

Da erzählte der Major das Hauptsächlichste. Das Fehlende dachte sich der andere schon hinzu.

»Wie viel war's denn zum Kuckuck?«

»Viertausend Mark!«, gestand der Major zerknirscht.

»Und wofür? Für Lumpereien natürlich!«

9.

Das Nationaltheater hatte seinen großen Tag. Die Aufführung des ersten Aktes des »Parsifal« war vorüber. Die Reihen lichteten sich. Es strömte die Stufen hinab, die in den Garten des Theaters führten. Auf den meisten Gesichtern lag noch die Andacht des Weihespiels. Einzig eine Frauengestalt hatte ihren Stuhlplatz inne behalten und saß mit zusammengelegten Händen. In ihr zitterten die heiligen Klänge nach: »Selig im Glauben.«

Zwei Herren waren, abseits des flutenden Menschenstromes, stehen geblieben und sahen zu ihr hinüber.

»Sie haben vor Beginn im Erfrischungsraum mit ihr gesprochen, Kurtzig«, sagte der Jüngere, »kommen Sie, wir gehen jetzt zu ihr.«

»Das wage ich nicht, Baron Alvensleben. Sie wissen, wer einen Gottesdienst stört, muss eines Strafbefehls gewärtig sein.«

Der alternde Meister schüttelte den Kopf.

»Sie steht doch aber in der Öffentlichkeit, mein Lieber!«

»So – tut sie das? Ich dachte, wir wären uns gestern Nacht nach ihrem Konzert gerade darüber einig geworden, weshalb sie an der Laufbahn einer Bühnensängerin vorbei, in der musikalischen Welt Berlins in der Hauptsache als erste Bildnerin verheißungsvoller Stimmen gilt und sich nur selten zu einer Konzertreise versteht.«

»Gott ja, gestern Nacht! Inzwischen habe ich darüber nachgesonnen und muss gestehen, dass mir die Aufgabe, sie umzustimmen, sehr verlockend erscheint.«

»Sie sind nicht der Erste, der das erkannt und auch versucht hat, Baron.«

»Vielleicht aber der erste Leiter einer hocheingeschätzten Oper, der willig ist, sie sogleich in seinen Verband zu übernehmen.«

»Auch diese Freude muss ich Ihnen leider zerstören. Vor einem halben Jahre, als sie noch lange nicht so weit wie heute gekommen war, machte bereits Ihr Kollege Spartenberg denselben recht energischen Versuch.«

»Sie kennen sie länger, Kurtzig?«

»Ungefähr fünf Jahre.«

»Da werden Sie auch um die Gründe wissen? Sie kennen auch mich. Ich bin verschwiegen. Was käme da in Betracht?«

»Da fragen Sie mich zu viel, Baron.«

»Vielleicht erblich belastet?«

»Möglich! Die Mutter, nach dem Bilde zu urteilen, war eine Schönheit! Der Vater soll ein flotter Herr gewesen sein, der ihr nichts als Schulden und den alten Namen hinterließ.«

»Verdreht«, sagte Baron Alvensleben, »aber hören Sie, versucht wird es dennoch. Wenn nicht jetzt, ganz bestimmt am Schlusse. Wenigstens ein Plauderstündchen im Parkhotel mit ihr.«

»Schön! Machen Sie sich das Vergnügen! Sie können sich meinetwegen als Zeuge ihrer gestrigen Triumphe einführen. Nur, sagen Sie ihr nichts von unserer Bekanntschaft.«

»Na nu!«

»Ja, Baron. Sie vertraut mir voll und ich möchte nicht, dass dies jemals anders würde. Kein Missverstehen, Ihr Lächeln ist unangebracht. Die Kunst kann, wie wir soeben festgestellt haben, sehr rein sein. Der Künstler in mir freut sich an ihr, ringt um die Erhaltung ihrer Gunst, zollt ihr neidlos die verdiente Anerkennung.«

»Das haben Sie mir gut gegeben, Kurtzig. Ich nehme es Ihnen nicht übel. Kommen Sie. Nein, nicht in den Prunksaal. Sehen Sie, da schreit der Unterschied zwischen Bayreuth und München. Die Aufführung verspricht auch diesmal ganz hervorragend zu bleiben. Nur das Drum und Dran ist's, was hier nie erreicht wird. Die Weihe fehlt. An Kosimas Brandaugen vorbei schlich man sich dort während der Pausen, trunken vor Begeisterung in das sanfte Grün eines wirklichen Götterhains und entheiligte sich nicht, bis die feierlich rufenden Tubenklänge wiederum erbrausten.«

Ganz einsam saß Eva von Ostried in dem weiten Raume. Sie war auf vier Tage nach München gekommen, um im Anschluss an die beiden Konzerte, in denen sie sang, den »Parsifal« vor allem zu hören. Nun hatte die Musik alles Schlafende in ihr wachgerüttelt. In Berlin konnte sie es zurückschieben in das Dämmern eines dauernden Halbschlummers. Während sie bereits seit Jahresfrist lehrte, vernachlässigte sie das Selbstlernen nicht. Ihre Zeit war dadurch mit jeder Stunde, ja, mit jeder Minute, im Voraus berechnet. Hier ruhte sie aus.

Aber überwand sie jetzt auch die Schatten, bezwang sie alle Gedanken, indem sie sich zu der Menge begab, zum Einschlafen brachte sie sie nicht wieder. Sie würden sich zwischen ihre Empfindung und die Gestaltung der nächsten Aufzüge drängen und ihr nichts hinterlassen als das bittere Gefühl, plötzlich vor der verschlossenen Pforte zum Allerheiligsten zu stehen. Darum ließ sie sich willig von ihren Gedanken zwingen.

Wie war es doch damals gewesen, als sie die Villa der toten Präsidentin verließ? – Sie hatte sich eine kleine Wohnung genommen. Wirklich in guter Gegend. Und eine Bedienung, die in jeder Beziehung ausgezeichnet für sie sorgte, war auch schnell gefunden, weil sie mit dem Entgelt nicht kargte. Dann kamen die Lehrer an die Reihe. – Die allerersten. Ralf Kurtzig blieb ihr treu, wie sie ihm. Seine Gegenwart war ihr ständig mit einer Feier verbunden, die sie wunderbar für die nüchternen Arbeitsstunden des Unterrichts stärkte. Ohne das gesteckte Ziel jemals zu verlieren, schritt sie weiter. Das Ziel, auf Heller und Pfennig einst zurückzuerstatten, was – –

Jede neubeginnende Woche bestimmte sie zum Beginn des Zurücklegens. Es wollte aber immer noch nichts damit werden.

Sie wurde erschreckend mager, nervös und hilflos. Denn ihre Nächte hielten tausend Rächer für die durchhetzten, gedankenlosen Tage in Bereitschaft. Der Inhalt der kleinen schwarzen Handtasche nahm merkwürdig schnell ab. Es kostete alles noch viel mehr, als sie berechnet hatte. Von den zwölftausend Mark hatte das erste Jahr mit seinen zahlreichen Anschaffungen die Hälfte verbraucht. Nach dieser Feststellung änderte sie auch ihren Lebensplan. Bis dahin sah sie Unterrichtsstunden lediglich als eine Hilfsquelle an. Jetzt stellte sie nach

Rücksprache mit ihren Lehrern fest, dass bis zum ersten Geldverdienen als Opernsängerin noch eine geraume Zeit vergehen musste. Denn als abgeschlossen konnten sie die Ausbildung ihrer Stimme vorläufig noch nicht bezeichnen.

Und danach?

Sie zweifelte nicht daran, dass ihr die breite Öffentlichkeit mit Huldigungen und Beifall danken würde. – Ob sich aber auch in gleichem Maße die Gagen einstellen würden? – Toiletten würden nötig werden, die erschreckend viel kosteten, wenn nicht ein anderer sie bezahlte.

Auch jener andere hatte sich zur Verfügung gestellt. Paul Karlsen, der sich aus den Berichten seiner ahnungslosen Frau die Zusammenhänge leicht aufbaute, fand sie schnell und flehte um ihre Vergebung. Als Eva von Ostried ihm für immer die Tür gewiesen, wusste sie, dass das Blut ihrer Mutter in ihr stärker geworden, als dasjenige ihres Vaters. Auf der einen Seite lockte ein Erfolg, wie sie ihn niemals auf der andern erwarten durfte.

Knie beugten sich vor ihr! Hände haschten nach dem Saum ihres Gewandes. Geld und Schmuck leuchteten. Lorbeer duftete. Und sie hielt es für unmöglich, zu entsagen! Aber aus dem wirren Hetzen der Gespenster rang sich eine Aussicht zum Frieden durch: Gutmachen!

Es war schwer, wenn nicht unmöglich! Und der heimliche Fluch würde weiter lasten. Vielleicht, dass ihn der Beifall einer dankbaren Menge – die Leidenschaft eines Einzelnen für Stunden abnahm?

Und wiederum danach? – Was sind Stunden im Vergleich zu Jahren – Jahrzehnten?

In jener Zeit der härtesten Kämpfe klopfte eine blutjunge, blasse Verkäuferin an ihre Tür. Sie hatte Eva von Ostried singen hören und wusste seit diesem Augenblick mit dem feinen Gefühl der Ringenden, dass jene eine Gottbegnadete war. – Fast weinend vor Verlegenheit und Erschrecken über ihre Kühnheit hatte sie ihre Bitte vorgetragen.

»Helfen zum Aufstieg!« – Retten aus dem Schlamm, der schon ihre Füße netzte.

Eva von Ostried war voller Mitleid gewesen, obwohl sie nicht an die Berufung dieses blassen Kindes zur Kunst glaubte. Warum sollte sie sich aber kein kleines Liedchen von ihr anhören? Summte ihre Köchin nicht auch beständig.

Das kleine Lied aber war zur Offenbarung eines großen Talents geworden! Die schmale Verkäuferin schied mit dem Strahlen eines sie überwältigenden Glücksgefühls. So kam Eva von Ostried zu ihrer ersten allerdings nicht zahlungsfähigen Schülerin, und erlebte, wie diese wuchs und strebte, wie Schlacke um Schlacke abfiel und das Edelmetall alle Tage herrlicher hervorleuchtete. Sie würde es wohl auch noch erleben müssen, wie jene einst von sich reden machen, Bewunderer haben, die Menge hinreißen würde, während sie selbst nichts weiter war als deren Förderin und Schleiferin.

»Der Übel größtes aber ist die Schuld!« Davor gab es keine Rettung!

Einzig, wenn sie der Schar ihrer beständig wachsenden Schüler dienend, sich selbst und die zuckenden Wünsche immer aufs Neue überwand, fühlte sie Ruhe, die fast dem Frieden gleichkam. Und doch blieb es nur ein Scheinfrieden! An der Empörung ihrer Lehrer, als sie ihnen den Entschluss bekannt gab – an jedem Blicke offenkundiger Huldigung, der ihr gezollt wurde, empfand sie die unerhörte Härte ihres Opfers. Unzählige Mal war eine Umkehr von ihr beschlossen. Und dann musste der leidenschaftlich gefasste Vorsatz doch unter dem Vernichtungsfeuer der Gewissensangst verbrennen!

Sie hatte nicht gewagt, jenes Geld aus dem Hause zu geben. Konnte die Bank nicht nach seiner Herkunft forschen und sie entlarven?

Noch bevor die Tubenklänge die andächtige Gemeinde zurückgerufen hatten, begann sich der Zuschauerraum zu füllen. Eva von Ostrieds Blicke wurden plötzlich von etwas Flammenden gefesselt. In dem brandroten Haar einer üppigen Erscheinung glühte ein Halbmond köstlicher Edelsteine auf. Sie empfand den Anblick des auffallenden Schmuckes an dieser Stätte als etwas Ungewöhnliches. Ernst und feierlich, wie zum Tisch des Herrn waren die meisten erschienen. Es reizte sie, nun auch das Gesicht unter dem lohenden Haar zu sehen. Die leuchtend weiße Haut, der stark sinnliche Mund, die unnatürlich schwarzen dichten Brauen kamen ihr bekannt vor.

Das war doch eine im Palasttheater beschäftigte Soubrette, die für kurze Zeit ihre Flurnachbarin gewesen! – Und ihr Begleiter? Denn immer wieder neigte sie sich in eifrigem Tuscheln zu dem schlanken Nachbar hinüber. – Paul Karlsen!

Ein Wort von ihm – nahe an ihrem Ohr geflüstert – ließ sie zusammenfahren. »Dummerchen!« War das zu der andern gesagt oder belustigte er sich über ihre Zurückweisung, sie als etwas unbeschreiblich Albernes und Törichtes verhöhnend? Dann lachten beide.

Lachten sie etwa gemeinsam über sie? Hatte er ihr von jener Stunde erzählt, die sie neben ihm in seinem Musikzimmer verbrachte oder die Komik jener andern geschildert, die sie zum Hüter seiner ehelichen Treue machen wollte? –

Ihr schossen die Tränen der Empörung in die Augen. Zum ersten Male spürte sie ein starkes Verlangen nach einer Hand, die sie an diesem allen vorüber, in die Stille und Klarheit führen und dort festhalten würde.

– – Karfreitagsehnen! Unbeschreibliches Verlangen nach Glück und Frieden! Heiligste Verzückung! Lossprechung von aller Schuld! Sei heilig!

Der Lichtschein aus der Höhe erfüllte den Gral mit hellstem Erglühen. Die Andacht war vollendet!

Eva von Ostried ahnte nicht, dass sie tränenüberströmt, in zitternder Ergriffenheit fassungslos auf den sich langsam senkenden Vorhang starrte. Sie merkte erst, dass sie gehen müsse, als sich leise eine Hand nach der ihren tastete.

»Kommen Sie, Kind. Sonst sperrt man die heiligen Tore zu.«

»Sie sind's, Meister?« Zutraulich schob sie ihren Arm unter den seinen. »Jetzt gehen wir ein wenig an den Hildebrand-Brunnen, ja?«

Er wäre gern dorthin und überall weiter in dem weichen, fließenden Grau dieser Dämmerstunde mit ihr gewandert, aber ein Dritter war plötzlich neben ihnen und ließ sich nicht wegschieben.

»Baron Alvensleben!«, bequemte sich Ralf Kurtzig endlich seinen Namen zu nennen. – Nun waren sie zu dreien! Es war kein Zauber mehr dabei. Alles sah nüchtern und verwaschen aus, denn der Regen rieselte leise aus der Luft herab. Das gewahrte Eva von Ostried erst jetzt.

»Wir wollen uns möglichst schnell ins Parkhotel begeben«, schlug der Baron vor, als sei es ganz selbstverständlich, dass sie für den Rest dieses Tages zusammenblieben. »Ihnen ist es doch recht, gnädiges Fräulein? Ich habe einen kleinen Tisch am offenen Fenster bestellt. Die Anlagen des Maximilianplatzes sind in diesem Jahre besonders schön.«

Sie sah bittend zu Ralf Kurtzig hinüber.

»Nicht wahr, ich vertrage nach solcher Musik keine fremden Menschen?«

Baron Alvensleben lachte leise. »Empfinden Sie mich etwa als fremd? Mir sind Sie eine liebe Bekannte – seit vorgestern und gestern her. Ich hörte Sie zweimal. Ihre Schubertlieder am ersten Abend waren eine wundervolle Leistung, hinter welcher die sonst recht saubere Kunstfertigkeit des Violinisten leider abgrundtief versank. Am künstlerisch wertvollsten freilich fassten Sie am zweiten Abend das Lied der Carmen auf, wie Sie ja auch mit dem hinreißenden Glanz und der einzigen Wärme Ihrer Stimme der Bühne und nicht dem Konzertsaal gehören.«

Er tat, als merke er ihr Zusammenzucken nicht. Heimlich aber freute er sich daran und pries die gründliche Kenntnis von der Beeinflussung auf die Künstlerseele.

»Aha, der Köder lockt schon. Alter, guter Kurtzig, wir kennen doch den Rummel«, dachte er dabei. Er glitt klug und geschickt, als sei dies nichts anderes, als eine bedeutungslos gemeinte Feststellung gewesen, zu ihren Liedern zurück. Sie war ein seltener Vogel. Scheu – trotzig und unsäglich empfindlich. Das fühlte er deutlich. Bestimmt eine, die einen Regisseur zur Verzweiflung bringen konnte, daneben aber auch das liebe Publikum vor Wonne rasen machend.

»Von wem stammte übrigens das kleine Lied, das Sie als Zugabe sangen«, fragte er weiter. »Die Liederfolge verriet den Komponisten nicht. Die drei Sternchen anstelle des Namens pflegen sonst zu einem gewissen Misstrauen zu berechtigen. Diesmal nahm bei aller Schlichtheit die Originalität der führenden Melodie stark gefangen.«

»Den Komponisten vermag ich nicht zu nennen«, gestand Eva von Ostried, »das kleine Lied hat eine eigene Geschichte.«

»Die Sie am offenen Fenster erzählen werden, ja«, bat er mit einem knabenhaft fröhlichen Blick.

»So lang, dass sie nicht zuvor beendet sein dürfte, ist sie nicht, Herr Baron. – Ich saß eines Tages in einem Berliner Café und fand auf dem Platze neben mir ein mit Noten bedecktes Blatt, augenscheinlich erst ein Entwurf, denn es war viel ausgestrichen und verbessert. Ich nahm's mit nach Hause. Und seither singe ich es jedes Mal als Zugabe. Die Wirkung, die es zuerst auf mich ausübte, ist die gleiche geblieben.«

Sie waren sehr schnell vorwärts gegangen. Ohne, dass Eva von Ostried früher etwas davon gemerkt, standen sie vor dem Parkhotel. Mit einer abwehrenden Bewegung wandte sie sich zur Umkehr.

»Jetzt wäre es geradezu eine Beleidigung, wollten Sie uns verlassen«, sagte Alvensleben entrüstet.

»Ich begreife nicht, was Ihnen an meiner Gesellschaft liegen kann, Herr Baron? Mir wäre es jetzt eine Qual in einem besetzten Raume zu sitzen«, sagte Eva. »Das können Sie sicher am besten begreifen, Herr Baron. Der Regen hat aufgehört. Ich gehe zum Hildebrand-Brunnen. Wenn Sie beide mich dort später noch aufsuchen wollen, sollen Sie mich schon finden. Ein Stündlein bleibe ich bestimmt.«

»Warum sind Sie so schweigsam, Kurtzig«, fragte der Baron, als sie sich endlich unter dem geöffneten Fenster gegenüber saßen. »Sie sehen doch, ich ärgere mich auch nicht, obgleich mir eine ähnliche Abfuhr noch nicht vorgekommen ist. Wer mag wohl der Glückliche sein, der sie irgendwohin an ein Tischlein-deck-dich führen darf?«

»Es fällt ihr nicht ein, sich an den ersten besten zu hängen.« Ralf Kurtzig erwiderte das in einer ihm sonst fremden Gereiztheit.

»Aber bester Meister, wer traut ihr denn eine Geschmacklosigkeit zu? Sicher ist er ein Auserwählter. Ob Adonis oder Künstler – oder gar beides vereint – das wage ich nicht zu entscheiden. Sie werden ihren Geschmack besser kennen.«

»Ihr Herz hat bestimmt noch nicht gesprochen.« Das klang nicht mehr so sicher, wie das erste Mal. In der Stimme lag ein gequälter Ton, der den Baron aufhorchen ließ. Er kniff das linke Auge zu und hob spähend das gefüllte Glas empor.

»Wenn Sie das genau wissen – und Sie waren ja stets ein sehr sicherer Beobachter – ja, warum zögern Sie dann noch, alter Freund?«

Ralf Kurtzig fuhr jäh zurück.

»Ich verstehe Sie nicht, Baron. In dieser Sache vertrage ich keinen Scherz.«

»So tief sitzt es schon! Dann beeilen Sie sich gefälligst, ehe Sie zu spät kommen. Eine Stunde Bedenkzeit hat sie Ihnen gegeben und zu einer Verlängerung dürfte sie sich kaum verstehen.«

»Ich verbitte mir alles weitere in dieser Sache.« Der alternde Meister war so hastig aufgestanden, dass er dabei sein Glas vom Tische stieß.

»Kurtzig, machen Sie keine Geschichten. Sie werden doch wohl von einem guten Freund eine harmlose Neckerei vertragen? Wozu hätte ich meine gesunden Augen? Sie hängt augenscheinlich sehr an Ihnen, kennt Sie durch verschiedene Jahre, lächelt Ihnen zu, strahlt Sie an. Herrgott, was ist denn dabei? Haben wir nicht schon ganz andere Sachen erlebt? Denken Sie an den alten Dresdner Amfortas aus den achtziger Jahren und seine jugendschöne kaum zwanzigjährige Gattin, die Heroine des W.'r Stadttheaters.«

»Ich bin ihr Lehrer, vor dem sie – genau wie meine andern Leute – zittert und bebt.« Es klang schon milder.

»Wenn Sie das sagen, wird es ja wohl stimmen. Mir scheint, das Zittern und Beben liegt reichlich lange hinter Euch beiden, was?«

»Ich habe Anteil an ihrer Entwicklung – Freude an ihrer Kunst und Schönheit. Es fällt mir nicht ein, das zu bestreiten.«

»Na, sehen Sie wohl.«

»Mehr aber nicht!«

»Wozu das betonen. Lassen Sie. Wenn es uns noch hascht, will die Scham kommen und einen großen Zorn daraus brauen. Dabei, großer Gott! Was hat das Altwerden mit der Abkühlung der Gefühle zu schaffen? Die bleiben nicht nur. Nein, sie werden stärker und klarer, wie alter Wein, der doch auch den begehrtesten Rausch bringt. Danach gibt's keinen Jammer. Fahren Sie nicht auf. Wer ihn kennt, wirklich kennt, der zieht ihn dem Most und dem feurigsten Heurigen allemal vor. – Und nun die Hand her, alter Sturmgeselle. Dafür darf keine Scham auf Lager sein. Das Einzige, was Sie bewegen kann, wäre ein großer und gerechter Stolz. Ich streite nicht mal ab, dass mir ein Neidgefühl hochsteigen wollte. Sehen Sie, so ehrlich bin ich Ihnen gegenüber. Und nun Schluss damit. Wenn wir mit dem Essen fertig sind, mache ich noch einen Spaziergang an der Isar entlang. Vielleicht allein. Vielleicht auch nicht. Aber auf Ihre Begleitung rechne ich nicht. Sie gehen ja wohl nachher noch ein bisschen an den Hildebrand-Brunnen?« – – –

Ralf Kurtzig spürte eine wohlige Wärme durch seine Adern glühen. Der Wein war gut. Und schließlich – der Alvensleben ein anständiger Kerl, von dem man sich auch mal eine kleine Entgleisung gefallen lassen konnte.

War's denn überhaupt eine?

Sie sprachen jetzt eifrig von dem Winterspielplan, den der Baron schon bestimmt hatte. Ralf Kurtzig hörte ihm nur scheinbar aufmerksam zu. Seine Blicke irrten durch das geöffnete Fenster und suchten den Brunnen. Er saß träumerisch da und nahm kaum etwas von den Speisen.

»Dann trinken Sie wenigstens, Kurtzig.« Und der Baron schänkte ihm fleißig ein. Dabei lag das wissende Lächeln eines, dem die Frauen keinerlei Überraschungen mehr bestreiten können, um seinen glatt rasierten Mund. Mit dem verwöhnten Auge des Feinschmeckers kostete er die zunehmende Spannung in den geistvollen Zügen des ihm gegenüber Sitzenden behaglich aus. Er hatte doch stets das richtige Gefühl. Schon gestern kam ihm die Gewissheit, dass es nur eines Fünkchens bedürfe, um den Brand dieser späten Leidenschaft zu entzünden. Und dieser Funke war gefallen. Weiterer bedurfte es nach seiner Erfahrung nicht mehr. Ralf Kurtzig fühlte sich heiß, jung und sehnsüchtig. Und daran trug der schwere Oberungar den Löwenanteil.

»Ich denke, wir sind jetzt voll befriedigt«, sagte er und ließ die Augen schärfer in die Ferne spähen.

Bereitwillig erhob sich der Baron.

»Das ist auch meine Ansicht. Man soll dem kühlen, grauen Tone dieses Abends etwas Rot auflegen. Besorgen wir das also.«

Vor dem Eingang des Hotels trennten sie sich. Ohne zu zaudern setzte Ralf Kurtzig seinen Weg in der Richtung auf den Hildebrand-Brunnen fort. Erst nach einigen Minuten blieb er stehen, riss den Hut herunter und ließ sich die müde, schwere Spätsommerluft um die Stirn gehen.

Was hatte er vor?

Es zuckte in seinen Armen, als wolle er Lasten heben und in die Lüfte emporwerfen. Seine hohe, edel geformte Stirn wurde flammend rot.

Er war ein Narr! Hundertmal war er zu diesem Mädchen gegangen – hatte auch wohl seine Hand gehalten – Rat erteilt – gescholten – und jetzt plötzlich? Der Wein war schuld!

Er hatte es im Untergefühl, dass sie schließlich nur ihn auf der Welt besaß, wenn sie auch noch niemals miteinander darüber gesprochen hatten. Zuerst war es das Verhältnis zwischen Lehrer und Schülerin, später dasjenige eines Vaters zur Tochter, eines Freundes zur Freundin.

Noch einmal, Ralf Kurtzig, du bist ein Narr!

Aber wahr blieb's trotzdem, dass der sechzigjährige Amfortas mit der Zwanzigjährigen über alle Maßen glücklich geworden war. Noch ein rosenrotes, dufterfülltes Spätglück.

Warum sollte es also ihm unmöglich sein? –

Was denn? Keinen Schritt weiter. Nicht zum Hildebrand-Brunnen. Nicht den Wahnsinn einer Stunde in das Leben einer tragen, deren einziger Freund und Schutz er werden durfte. Sich selbst nicht zum Bettler machen.

Und doch ging er weiter.

Da saß sie. Zusammengekauert. Verträumt. Er sah ihre Hände. Weiß und zart hoben sie sich von den Spitzen ihres Kleides ab. Und jetzt winkten sie ihn heran. Da war er neben ihr und nahm an ihrer Seite Platz.

Ihre Augen leuchteten voller Glanz. Der leichte Schleier war verschwunden. An ihren dichten langen Wimpern hing eine Träne.

»Warum haben Sie geweint«, fragte er und wusste nicht, dass in seiner Stimme die Leidenschaft zitterte. Sie hörte den Klang und wunderte sich. Er war ihr fremd.

»Ich fühlte mich sehr einsam, aber dann habe ich mich auf Sie freuen müssen«, sagte sie dankbar.

»Auf mich?« Wie ein Rausch stieg es von seinem wildpochenden Herzen zum Hirn empor. Der Wein trug die Schuld. Nein, die weiche, graue Luft.

»Auf mich?«, fragte er noch einmal.

Sie nickte ihm zu und legte ihre Hand auf die seine. – Da lag sie. Nicht zu berühren wagte er sie, obgleich alles in ihm danach schrie, sie mit glühenden Küssen zu bedecken.

»Was wäre ich ohne Sie«, fragte sie leise und weich.

Ist er ein Narr? Starr und steif saß er neben ihr. Ihre Hand war bei einer hastigen Bewegung von der seinen herabgeglitten und hing nun – matt und verlassen – zwischen ihm und ihr.

Der Brunnen plätscherte. Irgendwo durchschnitt das sanfte Dämmergrau ein kleines funkelndes Licht. War das schon das Rot, von dem Alvensleben gesagt hat? Seine Stirn wurde feucht. Mühsam erhob er sich.

»Ich muss fort.«

»Meister, was ist Ihnen? Habe ich Sie verletzt?« In ihrem Ton lag tiefe Traurigkeit. Da blieb er neben ihr.

Und plötzlich. – Er war nicht länger Herr über sich. Er hatte ihre beiden, weichen, weißen Hände an sich gerissen und an sein Herz gepresst.

»Hörst du das schlagen? Für dich! – Für dich!«

Sie wurde unruhig, obwohl sie den Wechsel in seinen Stimmungen kannte.

»Was haben Sie, Meister? Sind Sie krank?«

»Was mir ist? Fühlst du das nicht?«

Er hat sie »du« genannt. Wie seltsam. Früher hatte sie sich das brennend gewünscht. Heute ängstigte es sie.

»Fühlst du meine Liebe nicht? Ich kann sie nicht länger verbergen. Ein Jahr ist lang. Seitdem weiß ich es schon und habe dagegen gerungen. – Nun geht's nicht mehr. – Werde mein Weib!«

Sie starrte ihn fassungslos an. War er irregeworden? Er sprach weiter, ohne ihre Antwort abzuwarten.

»Du gehörst mir ja schon längst mit jedem deiner Gedanken. Weißt du das nicht?« Sie fühlte seinen heißen Atem – das Nähern seiner Lippen und wurde von einer wilden Angst, von einem Entsetzen emporgerissen. – –

»Ich kann nicht! Ich kann nicht!«

Er wollte sie küssen. Wild wehrte sie sich und stieß nach ihm, nach ihrem geliebten, verehrten Meister, dem einzigen Menschen, dem sie voll vertraut hatte. Er fühlte den Stoß und sah das aufsteigende Grauen in ihren Augen – taumelte zurück, sah sie irre an und stammelte etwas.

Was? Sie verstand es nicht. Sie sah nur, dass er von ihr ging.

Nun hatte sie keinen mehr auf der Welt!

10.

Ein ganzes langes, reiches Leben umsonst gelebt! Den angestrebten Daseinszweck verfehlend – nichts anderes in ihren Augen als eine Beute wahnwitziger Lächerlichkeit!

Er konnte ihr nach diesem nie wieder begegnen. Das stand in ihm fest.

Eva von Ostried war in ihr Hotel zurückgekehrt. Hastig wollte sie die Treppe emporeilen, da winkte das Fräulein aus der Buchhalterei ihr durch das herabgelassene Schalterfenster zu.

»Ein Herr hat schon zweimal nach Ihnen gefragt. Jetzt wollte er sich nicht wieder fortschicken lassen. Er wartet auf dem Gang vor Ihrem Zimmer. Es war nichts dagegen zu machen.«

Eva von Ostried war sehr müde. Jeder Schritt wurde ihr schwer. »Wer kann das sein«, dachte sie ohne sonderliches Interesse.

Es war ein ihr gänzlich Fremder, klein und beleibt, im Äußeren elegant, der Anzug von modernstem Schnitt, Wäsche und Schlipsnadel leuchteten um die Wette. Nur seine Hände passten nicht dazu, die sich, dicht behaart und mit kurzen, dicken Fingern und ungepflegten Nägeln ihr wie freundschaftlich entgegenstreckten.

»Sakra, das hat lang gedauert, meine Gnädigste.«

Sie wich einen Schritt zurück. Ihr fiel es nicht ein, ihre Hand zu heben. »Ich wüsste nicht, dass ich eine Verabredung mit Ihnen getroffen hätte«, entgegnete sie kühl.

Der Wohlbeleibte schien indes ihre Zurechtweisung nicht zu empfinden. Er sah sie in strahlender Zufriedenheit an.

»So unschlau würden's doch auch net sein«, sagte er mit gutgespielter Treuherzigkeit. »Wer zuerst kommt, tut halt auch zuerst mahlen, net wahr?«

»Der heutige Tag war sehr anstrengend für mich. Bitte fassen Sie sich kurz.«

»Sie werden schnellstens wieder aufg'lebt sein, Gnädigste. Ich hab nämlich grad kei Kartl zur Hand. Mei Name ist Alois Sendelhuber. Gnädigste wird schon meinen Namen g'hört haben.«

»Nein«, sagte Eva von Ostried und betrachtete die klauenartig gebogene Hornkrücke seines kräftigen Stockes, die wenig zu dem eleganten andern passen wollte.

»Sollt' man's glauben? Mei kloans G'schäfterl hat sonst a guten Ruf.«

Eva von Ostried meinte endlich zu begreifen. Vielleicht war er gestern oder vorgestern in ihren Konzerten gewesen und sprach nun das, was der Kollege von der Geige ihr zart anzudeuten wagte, in schöner Offenheit aus.

»Ich brauche gar nichts, Herr Sendelhuber. Danke vielmals für Ihre Bemühung. Berlin, wohin ich mich morgen zurückbegebe, versorgt mich schon ausreichend.«

Sein Gesicht wurde plötzlich unendlich schlau und vergnügt.

»Auch kein neues Konzört-Angaschemang, meine Gnädigste?«

»Wie sagten Sie«, fragte Eva von Ostried auflauschend und blitzschnell überlegend, dass sie jetzt Geld verdienen müsse und dies am ehesten durch Konzerte vermöchte. Ja, das wäre schön. Da kämen neue Einnahmen zusammen und der Zeitpunkt der ersten ruhevollen Nacht würde näher gerückt. Die weiche Wölbung seines mächtigen Bauches begann sich mit zu freuen.

»Gelt's, da spitzens? Also, wollen wir nun 'n eingehen. Wenn's g'fällig ist.«

Sie saßen sich in dem geräumigen Zimmer mit der geschmacklosen Ausstattung der Dutzendräume gegenüber.

»I hätt für den November Neigung«, meinte er und blätterte in seinem nicht ganz saubern Notizbuch. »Den Ersten, Fünften und Neunten –«

»Den Neunten bin ich bereits versagt, Herr Sendelhuber.«

»Schad't nix. Sagen Sie wo und bei wem, das andere mach i halt scho. Kleinigkeit.« Sie sah kühl und sehr hochmütig aus.

»Das gibt es bei mir nicht. Was ich versprochen habe, wird auch erfüllt.«

»S' sind halt noch a Anfangerin. Ach i über dö damische Konkurrenz weg, mach i scho das G'schäft für uns zwei beid'. Also den Ersten, Fünften und Neunten hab i g'sagt. Am Erst und Fünften hier, wo man Sie bereits kennen tut. Am Neunten in Nürnberg. Und die Einnahm'? Wir teilen's halt!«

»Nein, das genügt mir nicht.«

»Schauens – schauens!«, sagte er nachdenklich und begann zu rechnen.

Sie saß ganz still und musste denken, was ihr Ralf Kurtzig jetzt wohl raten würde.

»Unter zwei Drittel für mich tu ich's auf keinen Fall, Herr Sendelhuber.« Dann zogen sich ihre Brauen zornig zusammen. Warum griff sie nicht sofort zu? – Ralf Kurtzig hätte seinen Vorschlag für den Anfang durchaus annehmbar gefunden? Ihm beugte sie sich schließlich und sagte unsicher, noch ehe Herr Sendelhuber mit dem Rechnen zu Ende gekommen war.

»Schön, meinetwegen, für diesmal die Hälfte.«

Sofort stellte sein Stift die emsige Arbeit des Zahlenmalens ein.

»'s is auch klüger. Sie stehen sich, im Vertrauen, bei der Hälft' besser!«

»Also ein kleiner Gauner«, dachte sie und äußerte doch nichts dergleichen. Sie wollte plötzlich vor allen Dingen möglichst schnell einen guten Ruf als Konzertsängerin haben und dazu brauchte sie solche Leute. Denn unter den verschiedenen Abschriften alter Verträge, die er ihr als Beweis seiner Tüchtigkeit und Beliebtheit vorlegte, befanden sich lauter gute, bekannte Künstlernamen.

Er schrieb bereits auf einem umfangreichen Bogen.

»Also am Ersten, Fünften und Neunten. So war's doch? Die damische Feder tut's scho wieder net, is halt a Kreiz.« Er stieß sie kräftig auf die Decke des Tisches, wischte mit dem breiten Zeigefinger den entstandenen Tintenfleck fort und schrieb weiter.

»Den Neunten werde ich unter keinen Umständen singen, Herr Sendelhuber. Sie haben das wohl schon wieder vergessen.«

»Wo werd i? Da is nix weiter drüber zu reden. Also den N–eu–n–ten –«

Sie setzte ihren Namen darunter, ohne den Entwurf durchzulesen. Er faltete ihn umständlich zusammen und barg ihn bei den andern.

»An Umsatz werden wir schon hab'n! Mähnetscht Sie wer?«

»Wie meinen Sie das, Herr Sendelhuber?«

Er machte eine kleine, vertrauliche Bewegung, führte sie aber nicht voll aus, sondern lachte tonlos.

»I sah Sie halt mit dem Herrn Baron Alvensleben z'sammen. Und der Kurtzig war auch dabei. Schaun's – München ist net Berlin. Koane G'schäftsstadt. Sei Ruh und sei Maß. Das wär den meisten Leut g'nug. Bequem sind s' halt. Wollen gern wissen, ob eins scho G'schmack g'fund hat.«

Sie begriff endlich.

»Bei so einem Wuchs und G'schau und denn die Stimm.«

»Nett, dass er auch die Stimme erwähnt«, musste sie denken und wollte auffahren. Damit hätte sie sich indes nur lächerlich gemacht. Und, was die Hauptsache blieb und wohl ewig bleiben würde, solange es Kunst und Künstlerinnen auf der Welt gab, sie musste jetzt Geld verdienen.

»I lass' Ihnen den Vertrag fein ausfertigen und schick'n nach Berlin.« Das letzte Wort sprach er mit einer leichten Senkung in der fetten Stimme, die seine Verachtung für die von ihm gemiedene Stadt beweisen sollte.

»Ich danke Ihnen, Herr Sendelhuber.«

Sie wollte allein sein. Eine schwere Müdigkeit drückte ihr die Lider zu. Weil er nicht Miene machte, aufzustehen, überwand sie sich und reichte ihm, über den Tisch, die Hand hin. Er war zu sehr mit dem Einschrauben seines Füllfederhalters beschäftigt, als dass er sie etwa aus Nichtachtung übersehen haben könnte. Lächelnd ließ sie sie sinken.

»Nun er mich sicher hat, ist das ja auch überflüssig.«

Endlich war er fertig.

»S–o, jetzt will i noch meine geröhste Kartoffeln ess'n und dann für heut genug. A Wort noch, Freilein! Pfi–it! I muss ja noch a Depesch'n geb'n! An die Gret Melchenhuber oder Margarete Kolwinirgers, wie sie sich zu nenne beliebt. A schlaues Luderchen. I bin aber scho allemal a Minut vor ihr aufg'wacht. – Also, Freilein, nix übel nehmen. Aber Sie sollten a bessere Zeugmach'rin nehmen. A Adress'n kann i gern geben.« Und er suchte wieder in seinem Notizbuch. »Bestell'n Sie a schönen Gruß von mir. Dann pumpt's halt gern.«

Sie lachte nun auch. Es machte sie noch reizvoller. Blitzschnell fuhr er mit der roten Zunge über die wulstigen Lippen.

»Na also! Wir verstehe uns scheint's doch ganz gut mitsamm'n. I hab die Ähre, Freilein und mit dem Zuschicken bin i pünktlichst.«

– – Eva von Ostried hatte sich noch ein kleines Abendessen nach oben bestellt. Es war inzwischen zehn Uhr geworden; viel Gutes stand also kaum mehr zu erwarten. Früher hätte sie nach einer ähnlichen Erschütterung gar nicht daran denken können. Jetzt wies sie das Pflichtgefühl, sich leistungsfähig zu erhalten, darauf hin und verlangte gebieterisch Gehorsam. Was sollte werden, wenn sie zusammenbrach, ohne zuvor ihre Schuld getilgt zu haben? –

Das Essen widerte sie an. Die Kehle war ihr wie zugeschnürt. Aber die Mattigkeit, die ihre Hände beim Zufassen erzittern ließ, zwang sie zur Vernunft. Außer der ersten Frühmahlzeit hatte sie heute noch nichts weiter genossen, als das hastig gelöffelte Fruchteis im Speiseraume des Prinzregenttheaters. Und morgen musste sie doch frisch sein für die Reise und die anstrengende Tätigkeit in Berlin.

Mechanisch stocherte sie in dem »Karfiol« herum und bemühte sich von den goldbraunen »Pflanzerln« etwas in den Mund zu schieben. Es deuchte sie eine schwere Arbeit. Sie zwang alle Gedanken zu dem geschäftskundigen Herrn Alois Sendelhuber und konnte doch damit das Bild nicht verscheuchen, das überall auftauchte und ihr Empfinden peinigte. Die Erinnerung an den alternden Meister, der ihr einziger Freund gewesen war.

Warum schob sie ihn in die Vergangenheit? Er stand trotzig und stark im Leben und würde es überwinden! War sie mit ihrer entsetzten Verneinung, von welcher der Verstand nichts wusste, voreilig gewesen? Musste es nicht ein wundervolles Ausruhen neben seiner reifen Persönlichkeit sein? Ein einziges dankerfülltes Streben, um ihm zu vergelten, dass er so eine wie sie ...

Da war es wieder, was nun Stunden fest geschlafen hatte. Die heiße Gewissensnot, weil sie einmal gestrauchelt war.

Davon ahnte er nichts. Sie hatte auch niemals in Betracht gezogen, es ihm zu beichten.

Und doch mit dieser Lüge einen, der ihr seinen Namen geben wollte, zu belasten, war das nicht die zweite Sünde? Darüber hätte sie in diesem Fall hinwegkommen können, weil sie ihn nicht als den Erwählten ihres Herzens empfand. Nur, wo strömende, tiefe, gewaltige Liebe sich hingab, durfte kein Geheimnis walten.

Wie friedlich es wohl dauernd mit ihm sein musste. Geborgen von seiner Stärke, getragen von der Abgeklärtheit seiner Lebensauffassung, gestützt von den Erfahrungen seiner ruhmreichen Vergangenheit. Konnte es eine bessere Erfüllung aller Jugendträume geben? Sie empfand plötzlich heftige Sehnsucht nach der Festigkeit seiner Stimme. Daneben stieß die Furcht vor dem ersten Wiedersehen nach dieser Stunde ihr Herz.

Drei Türen weiter wohnte er. Ob er endlich daheim sein mochte? Was würde sie tun, wenn er jetzt zu ihr treten und sagen würde, dass sie ihn nach diesem Scheiden nicht mehr wiedersehen werde, es sei denn, dass sie die drei Worte am Hildebrand-Brunnen zurücknähme.

Ohne ihn würde es kalt und leer sein. Der Tag keine Freuden mehr. Sie selbst müssten ratlos und unsicher in allen Dingen stehen. Sie malte sich aus, wie er bei ihr gesessen hatte in Zeiten strengster Arbeit.

Ein unerbittlicher Lehrer, der quälen konnte, bis die Tränen der Erschöpfung und des Zornes flossen.

Ein Finger pochte an die Tür. Eine Bedienerin trat über die Schwelle.

»Verzeihung, gnädiges Fräulein, ich soll nachschauen, ob der Herr von Nummer 41, Herr Kurtzig ist sein Name, bei Ihnen wäre?«

»Wer fragt das?«, forschte Eva von Ostried erstaunt.

»Die Herrn Künstler, die von der Klause herübergekommen sind und ihn schon überall gesucht haben.«

»Ich bin allein, wie Sie sehen. Er wird in seinem Zimmer sein.«

»Nein, der Schlüssel hängt unten in der Buchhalterei. Er hat befohlen, dass ihm zu elf Uhr eine Flasche Sekt aufs Eis gelegt werden möchte. Und zwei Gläser dazu bestellt. Und einen kleinen Tisch mit lauter roten Rosen. Die Blumen sind gerade vorhin gebracht worden vom Michelsberger Franzel, der beim englischen Garten die schönste Binderei hält.«

»Wann hat er den Sekt bestellt? Erinnern Sie sich der Stunde?«

»Gleich nach acht Uhr kann's gewesen sein, per Telefon aus dem Parkhotel.«

»Bei wem machte er die Bestellung?«

»Bei mir, gnädiges Fräulein. Ich bediene ihn seit Jahren, wenn er herkommt. Er weiß, dass Verlass auf mich ist.«

»War er fröhlich, ich meine, klang seine Stimme so, als er mit Ihnen sprach.«

Die frische kräftige Kellnerin nickte zutraulich.

»So froh hat er's geschmettert, wie nur einer sein kann, der nachher Sekt trinken will mit zwei Gläsern, gnädiges Fräulein! Und dazu die roten Rosen. Wir sind halt alle sündige Menschen. Und der Herr Ralf Kurtzig ist einer von denen, die mit achtzig Jahren noch nicht alt sind.«

»Die roten Rosen werden welken«, sagte Eva von Ostried träumerisch.

»Schon möglich. Die Hitze war heute groß. Man konnte ja kaum atmen.«

»Und der Sekt und die beiden Gläser? Das Eis wird schließlich auch schmelzen –«

»Wär alles recht schade, gnädiges Fräulein. Der Tropfen, der unge-
trunken bleibt, kann nicht einheizen und die meisten Leut' können
doch nicht leben beim toten Ofen.«

»Der tote Ofen – was meinen Sie damit?«

»Was man meinen muss, wenn man ein Herz im Leibe hat. Wein
und Lieb sind halt Zwillinge. Wenn einem das erste bitter schmeckt
oder vor der Nase weggetrunken wird, ist gewöhnlich das andere
versalzen.«

»Und was, glauben Sie, wird dann aus ihm?« Eva von Ostried hatte
vergessen, mit wem sie sprach. Der Klang einer menschlichen Stimme
tat ihr wohl.

»Danach? Es kommt drauf an. Einer wirft sich in die Brust und
versuchts mit einem feinen Pelz aus andern Sachen, Gott weiß, da
gibt's ja genug. Die einen spielen oder arbeiten gar wie wild und
manch einer soll dabei auch schon den Verstand verloren haben. Die
andern mögen nicht weiter. Die machen Schluss.«

Schluss – Schluss schrie es in plötzlich erwachender Angst in Eva
von Ostried. Die Kellnerin lauschte aufmerksam auf und deutete dann
mit schalkhafter Miene und weit von sich gestreckten Armen geradeaus.

»Hören Sie das Poltern, gnädiges Fräulein? Ich wette, dass das die
ungeduldigen Herren Künstler aus der Klause sind. Sie werden sich
einfach vor seine Tür hinhocken. Ja, das machen die! Passen Sie mal
auf.«

Und mit einem Lachen in den Augen lief sie aus dem Zimmer,
nachdem sie noch vielmals um Vergebung wegen der dummen Rederei
gebeten hatte.

– Eva von Ostried wollte sich endlich zur Ruhe begeben. Denn
morgen. Da war sie schon wieder bei Ralf Kurtzig. Vor der Abreise
nach Berlin hatten sie miteinander noch in die Pinakothek gehen
wollen. Während sie das dachte, lauschte sie nach den Geräuschen
vor ihrer Tür. Da trappten wohl wirklich Ralf Kurtzigs frühere Schüler,
um noch ein Stündlein bei ihrem Meister zu sitzen. Sie fühlte, dass
er sich darüber freuen würde, wenngleich sie seine polternden Worte
bei der Erkenntnis ihrer Huldigung zu hören meinte. »Geht lieber
schlafen – Ihr. Das ist Euern Stimmen zuträglicher.«

Sie öffnete die Tür. Ihre Blicke irrten den matterleuchteten Flur
entlang. Vier erwartungsvolle Gesichter wandten sich ihr entgegen.

»Grüß Gott, werte Kollegin! Halt – dageblieben? Rede und Antwort gestanden: Wo haben Sie ihn gelassen?«

»Ich warte auch auf ihn«, sagte sie und erschrak nun selber, denn sie hatte sich das bisher nicht zugestanden.

»Da ist es das Einfachste und Erfreulichste, wenn wir das fortan gemeinsam besorgen.« Sie schüttelte den Kopf.

»Das geht leider nicht.«

»Und warum nicht«, staunte der Sprecher. »Ich denke, Sie sind sein Liebling?«

»Wer sagt Ihnen das?«

»Einer, der es bestimmt wissen muss. Können Sie gut raten?«

»Sie scherzen.«

»Fällt mir nicht ein. Er hat, als ich ihm vorgestern durch ein Dutzend Straßen nachgejagt bin und zuletzt auch glücklich eingefangen habe, immer nur von Ihnen gesprochen. Denn ich war sein Lieblingsschüler! Sind wir also nicht zwei ganz alte, sehr gute Bekannte?«

Sie wollte wissen, was er gesprochen hatte von ihr.

»Gott, was einer, wie er, halt so sagt. Nicht besonders viel! Zusammengefasst wohl kaum zehn Druckzeilen. Es kommt ja auch lediglich auf den Inhalt an. Ist's Ihnen wirklich um den zu tun?«

»Ja«, nickte sie.

»Auch wenn Sie rot werden müssen, vor Stolz?«

»Auch dann!«

»Vielleicht bringe ich alles zusammen. Also, dass er Sie gefunden hätte, dass er Ihnen zum Aufstieg helfen dürfte, das wäre doch das Allerschönste aus seinem Leben.«

Sie blickte versonnen vor sich hin. Das Allerschönste.

»Nun verlange ich auch die Belohnung. Kommen Sie, einen fünften Schemel besorgen wir. Uns hat gerade noch die Frauenstimme gefehlt. Sowie wir das erste Geräusch hören, soll's losgehen.«

»Was haben Sie vor?«

»Einen Willkommensgruß natürlich zur Begrüßung. Alle vernünftigen Leute wären längst zur Ruhe, sagt die Kellnerin aus Berlin. Einen falschen werden wir also nicht ansingen.«

»Nein, ich kann nicht bleiben, aber ich werde innen warten«, sagte sie, nickte ihnen freundlich zu und ging. Aber sie blieb wirklich in den Kleidern.

Lange, lange! Da hub draußen ein Singen und Klingen an:

Geschmolzen ist der Winterschnee,
Der Hornung wandelt sich zum See.

Nun kam er also!

Aber mit einem schrillen Misston brach der Gesang ab und ein Raunen und Reden und Laufen hörte sie herein.

Da eilte sie mit bangem Herzen hinaus zur Treppe – –

Auf einer Bahre hatten sie ihn gebracht. Einer der Träger erzählte mit umständlicher Wichtigkeit, ohne dass ihn jemand darum befragt hätte: »Wir gingen gerade vorüber, als sein Körper unten aufgeklatscht ist. Es war nicht leicht, ihn rauszufischen. Hier ist seine Brieftasche, in der wir eine Karte von diesem Hotel mit seinem Namen darauf gefunden haben.«

– Sein langes, eisgraues Haar hing tief in die Stirn hinein. Mit großem hellen Blicke starrten die offenen Augen. Seine Lippen waren nicht ganz so fest wie sonst geschlossen. –

Da warf sich Eva von Ostried neben der Bahre auf die Knie und presste seine schlaffen Hände an ihr Herz, wie er es am Brunnen mit den ihren getan hatte. Und *er* wehrte ihr nicht.

Sie legte ihren Kopf dorthin, wo seine Liebe für sie gepocht. Es war still – für immer.

11.

Nach vier Tagen sandte Herr Alois Sendelhuber die Abschrift des Vertrages an Eva von Ostried. Sie war gerade im Begriff, zu einer Unterrichtsstunde nach dem Grunewalde hinauszufahren. Ihre neueste Lernbegierige war die Tochter eines mehrfachen Millionärs und hatte bei gutem musikalischen Gehör ein recht bildungsfähiges Zwitscherstimmchen.

Vor ihr lag, soeben abgeschlossen, ein Heft, in dem sie alle Ausgaben und Einnahmen zu buchen pflegte. Sie hatte festgestellt, dass sie die letzten fünf Wochen mit ihrem Verdienst allein ausgekommen war, ohne den Rest des andern Geldes anzugreifen.

Freilich, was war das für ein Leben gewesen.

Der Spiegel warf ihre Gestalt in dem reichlich abgetragenen Kleid getreulich zurück. Herrn Sendelhubers Kleidermacherin wäre mindestens vier Wochen zu beschäftigen gewesen.

Demnach fehlte ihr alles, was sie einst als begehrenswert erstrebte. Sie litt unter diesem gewaltsam durchgeführten Mangel wie an einer schleichenden Krankheit.

Und *schön*!

Das alte jäh aufwallende Verlangen nach äußerem Tand packte sie ungestüm. Nach der Stunde im Grunewald würde sie endlich alles notwendig Gewordene in einem der ersten Geschäfte bestellen.

War denn aber wirklich dazu das Geld vorhanden? Sie hatte sich gelobt, fortan – selbst wenn sich die Einnahmen vorläufig nicht steigern sollten – den kleinen Blechkasten mit des ehrbaren Tabaksbauern Zurückgezahlten nicht zu öffnen.

Aber jetzt riss sie ihn aus dem Dunkel des Schreibtisches hervor, ließ die Feder aufspringen und entnahm dem dünngewordenen Päckchen *einen* Schein! Er würde genügen.

Nach kaum einer Minute legte sie ihn wieder zu den andern zurück. Ihr Gesicht war sehr blass geworden.

Was hatte sie vorgehabt? Einen Teil des Raubes dazu verwenden wollen, um der alten Eitelkeit zu dienen. Die mühselige Arbeit restloser Selbstbezwingung also einfach vernichtend, indem sie von Neuem sündigte.

Das konnte allein kommen, weil ihr Ralf Kurtzigs Beistand fehlte. Sie nahm die Kreidezeichnung, auf der ihn ein junger, talentvoller Maler mit klarem Blick für seine innere Größe darstellte, zur Hand und vertiefte sich darin.

Ob sie ihn nicht doch geliebt hatte? Unbewusst?

Der Alltag entriss sie endlich allem Grübeln. Herrn Alois Sendelhubers Vertrag sah sie vorwurfsvoll ob der Vernachlässigung an und verwandte sich in dessen kleine, schlau zwinkernde Augen. Sie nahm ihn an sich, um ihn später auf der Fahrt zu lesen. Jetzt galt es keine weitere Zeit zu verlieren. In diesem Augenblick steckte aber die unzufriedene Bedienerin den Kopf zur Tür hinein.

»Sie brauchen nicht zu glauben, dass ich Ihr Frühstück vergessen hätte, Fräulein. Es war nur nichts mehr im Hause. Und wieder um Geld bitten und das Gefrage und Vorwürfemachen mit anhören, gerad als ob man ein kleiner Betrüger wär', nee, lieber nich! Unterwegs wird ja auch wohl was zum präpeln zu kriegen sein, denke ich.«

Eva von Ostried war das Blut in die Wangen gestiegen.

»Ich habe mich genau erkundigt«, sagte sie kurz, »die Summe, die ich hingebe, genügt für uns beide völlig.«

»Könnte ich mich denn nich auch mal bei derselben Quelle ein bisschen belehren«, fragte das Mädchen höhnisch und stemmte lachend beide Hände in die Seite. »Oder hat's vielleicht der Spatz gesagt, der hier alle Morgen rumpiept, weil ihm keine Krume mehr gegönnt wird?«

»Sie werden unverschämt«, sagte Eva von Ostried und bezwang ihre Empörung.

»Nicht im Geringsten, Fräulein. Bloß tückisch, weil ich immer an einem leeren Futternapf stehen muss. Und darum, sehen Sie, ich bin viel zu abgewachsen für Ihr Portemonnaie. Eine, die 'nen Kopf kleiner ist wie ich und noch ein bisschen was von der vorigen Stelle auf den Rippen hat, die müssen Sie sich nehmen. Ich geh nämlich in vierzehn Tagen.«

»Es ist gut«, sagte Eva von Ostried und musste doch schaudernd an die neuen Unbequemlichkeiten denken, die daraus entstehen würden.

»Ich hätt noch was zu sagen.«

»Dann beeilen Sie sich. Ich muss fort.«

»Es nimmt bloß ein paar Minuten weg. Bis vor Kurzem, na, sagen wir mal, bis Sie nach München gondelten, habe ich doch im Ganzen recht ordentlich gewirtschaftet, nich?«

Eva von Ostried dachte nach und musste zugeben, dass die Mahlzeiten zumeist reichlich und schmackhaft gewesen.

»Daraus erkennen Sie selbst, wie gut Sie mit dem Wochengeld auskommen können«, stellte sie fest.

»Nee«, triumphierte das Mädchen, »die Rechnung stimmt nich. Der Zuschuss hat aufgehört. So klappt's.«

»Welcher Zuschuss? Was meinen Sie damit?«

»Meine Mutter hat uns Kindern gesagt, wenn einer tot ist, dem man was geschworen hat, könnt' man getrost seinen Mund auftun. Darum will ich auch nicht länger schweigen. Herr Kurtzig hat mir doch regelmäßig Geld gegeben, damit das Fräulein seine kleine Freuden hätt.«

»Geld! Und das erfahre ich erst heute?«

»Ich hab's schon gesagt. Schwören musste ich ihm, dass ich meinen Mund hielt.«

»Wie viel?«, fragte Eva von Ostried und fühlte eine schwere Mattigkeit in allen Gliedern.

»Wie kann ich das noch wissen. Viel hat er ja auch wohl nicht gerade gehabt. Das merkt unsereins schnell. Mal zwanzig Mark, mal auch ein bisschen weniger. Unter zehn Emmchen gab er aber nie. Dazu hat er das Fräulein viel zu sehr verehrt.«

Eva von Ostried hatte die Empfindung, als wolle ihr Herz verbrennen. Und in den Blicken des Mädchens stand die helle Schadenfreude über die Bestürzung der jungen Herrin.

»Es gibt noch viele, die mehr spendieren würden, wenn sie Sonntag abends hier ab und zu ein bisschen singen und spielen könnten, Fräulein.«

»Gehen Sie auf der Stelle«, befahl Eva von Ostried und wies mit der Hand nach der Tür.

»Mach ich gern! Wollen Sie meine Sachen nachsehen, ob ich aus Versehen was Fremdes eingepackt hab? Es ist nämlich schon alles parat.«

»Nein! Nur beeilen Sie sich möglichst, damit Sie aus meiner Wohnung kommen.«

– – In der Küche polterten dann die Schritte eines Mannes, der das bereitgehaltene Gepäck abholte. Kräftig wurde eine Tür zugeschlagen. Sie machte keine Miene nachzusehen, ob das Mädchen nun endlich fort sei. Sie fühlte sich wie zerschlagen.

Aus einem matten Pflichtbewusstsein, das sich widerwillig regte, ging sie zum Fernsprecher und teilte der Schülerin im Grunewald mit, dass sie sich zu elend fühle, um heute herauszukommen. Dann saß sie stumpf und regungslos auf ihrem Platze.

Ralf Kurtzig, du hast es gut gemeint! Auch darin! Und doch, wenn du das jetzt wüsstest, du warst ein so kluger, reifer Mensch, hast du nicht geahnt, dass du dem Klatsch mit dieser Herzensgüte reichlich Nahrung gabst?

Nein, das hatte er nicht erwogen. Dazu stand sie ihm zu hoch. Konnte es wohl einen untrüglicheren Beweis als diesen für seinen unerschütterlichen Glauben an ihre unantastbare Reinheit geben? Ein edler Mensch kann ja gar nicht mit der Niedrigkeit eines andern rechnen.

Seine Liebe erschien ihr in einem völlig neuen Lichte. Ein ungeheurer Stolz, dass er sie erwählen wollte, erfüllte sie. Eine dankbare Freude, dass sie ihn erlaben durfte, bis zu jener Stunde am Brunnen.

Aber solche Liebe, mag sie auch unerwidert bleiben, verpflichtet zu einem vollgültigen Beweis von Würdigkeit. Sie nahm Herrn Alois Sendelhubers Vertrag aus der Tasche und überlas den kurzen Inhalt zweimal. Er hatte sie für den neunten November verpflichtet. Der neunte November war aber, wie sie Herrn Sendelhuber wiederholt mitgeteilt hatte, längst vergeben.

Es passte Herrn Alois Sendelhuber natürlich besser, wenn er ihren Einwand einfach vergaß. Sofort schrieb sie ihm und bat um Abänderung.

Als eine Woche später immer noch keine Antwort eingetroffen war, drahtete sie. Und wartete nun erregt und ungeduldig auf seine Erklärung.

Herrn Sendelhubers Geschäftstüchtigkeit hatte nicht unterlassen, im Falle sie sich ohne ärztliche Beglaubigung auch nur einer der drei eingegangenen Verpflichtungen entzöge, eine erhebliche Strafe festzusetzen. Die Summe würde voraussichtlich diejenige der gesamten Winterkonzerte übersteigen.

Kurz entschlossen ging sie zu einem Anwalt.

Er fragte nicht, wie sie erwartet, nach ihren Wünschen. Aber er hörte sie wenigstens an.

»Kontrakte werden gemacht, dass sie vor der Unterschrift durchgelesen werden«, sagte er großartig.

Das Gleiche hatte sich Eva von Ostried auch bereits gesagt. Trotzdem musste dieser eine Punkt mit Leichtigkeit unwirksam zu erklären sein. Das lag ihr im Gefühl.

»Ich habe Herrn Sendelhuber ausdrücklich und wiederholt erklärt, dass ich an diesem neunten November nicht mehr frei wäre«, warf sie ein.

Darauf schien er kein Gewicht zu legen.

»Sind Sie überhaupt geschäftsfähig?«

»Ich bin volljährig.« Er zuckte die Achseln.

»Meiner Ansicht nach nichts zu machen. Aber Sie können meinetwegen wiederkommen. Bei einer Stunde ist der Bürovorsteher vom Essen zurück. Und dann findet sich auch der Herr Justizrat ein.«

Als Eva von Ostried endlich wieder in der frischen Luft stand, musste sie herzlich lachen. Sie erschrak vor diesen fröhlichen Lauten. Wie lange hatte sie doch nicht mehr dies heimliche Behagen gespürt!

Die Erscheinung des würdigen Vertreters von Bürovorsteher und Justizrat hatte etwas zu köstlich Erheiterndes gehabt. Ob auch wohl der Herr Justizrat – –

Der Titel füllte sich plötzlich mit lebensvoller Erinnerung. Hatte ihr der treue Freund und Berater der Präsidentin nicht beim Abschied auf das Bereitwilligste seine Dienste angeboten? Ihre Gedanken waren seither nicht wieder zu ihm gelaufen. Sie hatte die Zeit, in welcher sie ihm beinahe täglich begegnen musste, künstlich versenkt. Nun aber beschloss sie, nachdem sie die Wartefrist auf Herrn Sendelhubers Antwort noch einmal auf vierundzwanzig Stunden verlängert hatte, ihn aufzusuchen.

12.

Als Eva von Ostried in die Mohrenstraße einbog, um Justizrat Weißgerber an seiner Arbeitsstätte aufzusuchen, klopfte ihr Herz zum Zerspringen. Alles Vergangene wurde wieder lebendig!

Der Vorraum wirkte immer noch wie ein mächtiges Abteil erster Klasse auf sie. Überall waren gradlinige, mit rotem Plüsch überzogene Sitzbänke aufgestellt. Nur der alte, würdige Bürovorsteher, der ihr einst die neuesten Tageszeitungen als Zeitvertreib freundlich gebracht, war einem jungen Kavalier mit aufstrebendem Haarwuchs gewichen, der zuweilen einem ältlichen, demütigen Fräulein eine Weisung zurief und jeder Kommende erhielt neuerdings eine Blechmarke zugeteilt, welche das Recht auf Gehör ausdrücklich verlieh.

Geduldig wartend saß sie, bis ihre Nummer aufgerufen ward.

Mit einer sorgsam zurechtgelegten Entschuldigung, dass ihre Zeit bisher keinen Besuch in seiner Privatwohnung gestattet habe, trat sie über die Schwelle, aber die Entschuldigung blieb ungesprochen. Der, welcher an alter Stelle vor dem wuchtigen Schreibtische saß, war nicht Justizrat Weißgerber.

Die Tatsache wirkte eigentlich erleichternd auf sie.

Das fremde kluge, ernsthaft männliche Gesicht flößte ihr sofort Vertrauen ein. Während sie auf eine einladende Handbewegung ihm gegenüber Platz nahm, fiel ihr die Farbe seiner Augen auf. Sie war tiefblau und so klar, wie der Himmel, wenn er vom Glanz der Sonne durchleuchtet ist. Seine Stimme freilich klang, im Gegensatz zu der des alten erfahrenen Juristen, unsicher.

Als sie mit der Darlegung ihres Falles zu Ende gekommen war, suchte er wiederholt nach passenden Worten und machte kleine Pausen, als er sie endlich gefunden, in denen er sie fast erstaunt ansah. Sie fühlte, dass er – wider Willen – ihrer Schönheit huldigen musste.

Das geschah ihr oft. Aber noch nie zuvor empfand sie eine ähnliche warme Freude darüber.

Nun hatte er sich wieder voll in der Gewalt. Sein Blick ruhte nicht mehr auf ihrem Gesicht. Er schien alles von der Spitze des Stiftes, den er unruhig zwischen Daumen und Zeigefinger wirbelte, herunterzulesen.

»Sie können beweisen, gnädiges Fräulein, dass Sie tatsächlich über den strittigen neunten November verfügt hatten, während Sie in München mit diesem – so danke sehr, Herrn Alois Sendelhuber verhandelten?«

»Einen vollgültigen Beweis nennen Sie dies wohl nicht«, fragte sie und hielt ihm das Notizbuch mit ihren Aufzeichnungen entgegen. Er ließ die Blicke länger auf den aufgeschlagenen Seiten ruhen, als es die eine ihm bezeichnete Zeile erforderte.

»Doch – doch«, meinte er zerstreut und gab es ihr noch nicht zurück. »Wollen Sie mir aber besser noch eine Bestätigung der Schwestern Moldenhauer mit der Namhaftmachung des Datums, an welchem die Abmachung geschah, besorgen.«

»Das würde sehr viel Zeit in Anspruch nehmen. Soviel ich weiß, befinden sie sich auf einer großen Konzertreise und sind erst eine Woche vor dem neunten in Berlin zu erwarten.«

»Sie könnten es aber eidlich erhärten, nicht wahr?«

»Ja, das kann ich. Außerdem habe ich Herrn Sendelhuber mehrmals darauf aufmerksam gemacht, dass ich ihm diesen Tag nicht geben kann.«

In das ernste Gesicht kam ein Lächeln, das es sehr jung machte.

»Mit Herrn Sendelhubers weitem Gewissen müssen wir uns als leidige Tatsache abfinden. Ein Zeuge war bei Ihrer Unterredung nicht zugegen?«

»Nein, wir waren allein. Ich kannte ihn bis dahin gar nicht. Er erwartete mich, als ich spätabends heimkam.«

Sie hatte die Farbe gewechselt. Das entging ihm nicht.

»Es liegt kein Grund zur Beunruhigung vor«, tröstete er. »Wir würden im gerichtlichen Verfahren zweifellos obsiegen. Aber, nicht wahr, es wäre friedlicher und erledigte sich vor allen Dingen ungleich schneller, wenn man den genannten Herrn durch einen einfachen Briefwechsel zur Einsicht brächte.«

»Mir hat er auf solche Bestrebungen nicht geantwortet.«

»Das glaube ich gern. Der Briefbogen mit der Firma zweier Anwälte ist bekanntlich wirksamer wie das schönste Schriftstück mit Röslein und Jasmin.«

Sie sahen sich beide an und mussten lachen. Das kleine Buch lag noch immer in seiner Hand.

»So ein Kunstwerk soll heute noch an ihn abgehen, gnädiges Fräulein.«

»Und dann«, fragte sie schnell.

»Dann schreibe ich Ihnen, sobald ich etwas von ihm höre.«

Sie nickte und schielte nach dem Notizbüchlein. Er wurde rot wie ein Schuljunge.

»Bitte, hier ist es wieder.« Und dann nach einer kleinen Pause: »All diese Stunden, die darin verzeichnet sind, müssen Sie die etwa erteilen?«

Da erzählte sie ihm ein wenig von ihrem Tag.

»Wie halten Sie das aus, gnädiges Fräulein?«

»Sie sehen ja, mir geht es recht gut dabei.«

»Das wird das Verdienst Ihrer Angehörigen sein. Man wird Sie sehr verwöhnen?« Das Gegenteil erschien ihm unmöglich.

Sie blickte auf das spiegelblanke Holz der Tischplatte.

»Ich stehe ganz allein.«

Sie glaubte eine heimliche Angst aus seinen Blicken herauszulesen. Eine feine Spannung hing in der Luft. In seinem Gesicht zuckte es nervös. Warum saß sie noch hier?

Aber sie blieb und fragte plötzlich nach Justizrat Weißgerber.

»Seit ein paar Monaten geht es ihm gesundheitlich durchaus nicht nach Wunsch. Darum suchte er sich einen Helfer. Und der bin nun eben ich.«

»Bleiben Sie dauernd hier?«, musste sie fragen, denn die Vorstellung, dass sie ihn, wenn sie in derselben Sache etwa noch einmal kommen müsste, nicht mehr treffen könnte, begann ihr ein unbehagliches Gefühl auszulösen.

Dass er mit seiner Antwort zögerte, fiel ihr nicht auf.

»Ja, ich werde bleiben«, sagte er endlich.

Klang das nicht, als sei er erst jetzt zu einem festen Entschluss gelangt?

»Sie haben mir noch nicht Ihre volle Adresse gegeben, gnädiges Fräulein. Herrn Sendelhubers schwer zu entziffernde Handschrift ließ mich Ihren Namen zuverlässig nicht erkennen.«

»Richtig, das hätte ich beinahe vergessen.«

Er sah von der dargereichten Karte schnell wieder zu ihr.

»Ihren Namen habe ich schon oft gehört. – Bestimmt! Es ist kein Irrtum möglich.«

»Wer könnte ihn genannt haben?«

»Sie müssen es erraten«, forderte er fröhlich.

»Wer weiß, ob ich ihn nach diesem jemals wiedersehe«, sagte sie sich heimlich. »Warum soll ich mich also mit dem Gehen übereilen?«

»Justizrat Weißgerber hat von mir gesprochen, nicht wahr? Oder mein Namen ist Ihnen in alten Schriftstücken, in denen ich als Bevollmächtigte der Frau Präsidentin Melchers, in deren Haus ich bis zu ihrem Tod gewesen, verzeichnet stehe, zu Gesicht gekommen.«

»Fehlgeschossen. Bitte – weiter raten!«

»Dann gebe ich den Kampf auf.«

»Erinnern Sie sich noch der alten Pauline?«

Alles Blut drängte ihr zum Herzen.

Wie war das möglich? Wusste er?

Nein, sie allein kannte das Geheimnis ihrer Schuld. – Er merkte auch nichts von ihrer Erregung. Er freute sich nur dieser Minuten.

»Ja, die alte Pauline! Ist sie nicht etwas ganz Besonderes? Justizrat Weißgerber empfahl sie mir, als ich ihm hilflos und, wie ich ehrlich gestehen muss, eines Tages halb verhungert den üblichen kurzen Wochenbericht über den Stand unserer Arbeit gab. Sie fühlte sich in ihrem Feriendasein todunglücklich und hatte den Justizrat als alten

Gönner gebeten, ihr wieder angemessene Beschäftigung zu besorgen. Als er meine Not sah, schickte er sie zu mir und siehe, wir schieden nicht mehr voneinander. Seitdem verwöhnt sie mich auf eigentlich unerlaubte Art.«

Eva von Ostried wollte etwas erwidern – ebenfalls eine Freundlichkeit über sie anfügen – eine Frage nach ihrem Ergehen tun – Ihre Kehle blieb wie zugeschnürt. Vor ihr stand das Gespenst des Abschiedtages aus der Villa der Präsidentin und lähmte ihre Zunge. Sie hatte es schlafend gewähnt. Nun erhob es sich und zerstörte ihr Leben.

»So musste es wohl kommen, dass sie mir auch von Ihnen berichtete.«

»Was hat sie gesagt«, stieß Eva von Ostried hervor.

»Ja, was wohl, gnädiges Fräulein? Wollen Sie das wirklich hören?«

Nun wusste sie, dass die Treue, gleich den andern, ahnungslos geblieben war.

»Sie sah immer nur das Allerbeste«, lenkte sie ab und stand auf.

»Soll ich sie nicht wenigstens grüßen?«, fragte er.

»Natürlich!«, nickte sie. »Sie hat mir ja nur Liebes und Gutes erwiesen.« Und dann nach einer Pause: »Sie geben mir wohl Nachricht, wenn Herr Sendelhuber geantwortet hat?«

Irrte er, oder war sie plötzlich verändert?

Klang ihre Stimme kühl und fremd? Hatten ihre schönen sprechenden Augen den Ausdruck der Abwehr angenommen? Erregte es vielleicht ihr Missfallen, dass er ihr seinen Namen noch nicht genannt hatte?

»Sie müssen doch wissen, wem unsere alte, gemeinsame Freundin jetzt dient, gnädiges Fräulein. Es ist ein gewisser Walter Wullenweber, bis vor zwei Jahren Königlich Preußischer Gerichtsassessor beim Landgericht 3.«

Sein Name erweckte ihr sofort die Erinnerung an den einstigen Vormund. Aber sie unterließ es nach einem Zusammenhang zu forschen. Daraus hätten sich Fragen ergeben können, deren Beantwortung einen scharfsichtigen Juristen zu allerhand für sie gefährlichen Schlüssen zwangen. Er würde es durch die alte Pauline ohnehin früh genug erfahren, wenn sie es ihm nicht bereits erzählt haben sollte.

Wenn er sich dann an den ehemaligen Vormund wandte, Fragen stellte, erfuhr, dass ihr gesamtes mütterliches Vermögen ein nichts gewesen und die alte Pauline zu ihr schickte, damit die herausbringe, wie ihr das jetzige Dasein möglich geworden war?

Ihr schwindelte. Da war die Schuld wieder, die sich quälend an ihr rächte! Sie konnte es nicht länger unter seinem klaren, warmen Blick ertragen.

Hatte sie ihm die Hand hingereicht oder nahm er sie einfach? – Sie wusste es hinterher nicht. Sie spürte nur den kraftvollen Druck, der ihre Finger umschlossen gehalten, als wären sie ein frierendes Vöglein!

An einem Spätnachmittag, als sie aus dem theoretischen Unterricht, den ihr der bekannteste Musikpädagoge Berlins erteilte, zurückkehrte, lag ein Schreiben mit der Firma des Justizrats Weißgerbers und Rechtsanwalt Wullenwebers auf ihrem Arbeitstisch.

Eva von Ostried riss ihn auf. Mit einem Schlage zog wieder die köstliche Ruhe, die sie zuletzt in dem Sprechzimmer empfunden, in ihr Herz.

»Wir teilen hierdurch umgehend mit, dass wir soeben in den Besitz der Antwort auf unser Schreiben vom 6. d. M. gelangt sind. Herr Sendelhuber erklärt sich darin bereit, ohne sich unserer Ansicht von der Rechtsunwirksamkeit des mit Ihnen bezüglich des neunten Novembers geschlossenen Vertrages anzuschließen, gegen eine von Ihnen zu zahlende Entschädigung von 300 (dreihundert) Mark, seine Ansprüche bezüglich des genannten Tages, fallen zu lassen.

Wir halten, wie wir Ihnen seinerzeit bereits mündlich ausführten, die eventuelle richterliche Entscheidung für Sie günstig. Setzen daneben aber unser Bestreben fort, diese Angelegenheit auf gütlichem Wege zu regeln. Zur Vereinbarung dieses Zweckes wäre uns Ihr Besuch in unserm Büro sehr erwünscht. Die Sprechstunden ersehen Sie oben ...«

Sie ließ das Schreiben sinken und sah starr zu der herbstlich bunten Pracht des Parkes hinüber. Eine schwere Enttäuschung lähmte ihre Denkkraft für Augenblicke.

Es war nur gut, dass diese Zuschrift nicht den Schlussvermerk trug: »Privatgespräche werden in Zukunft höflichst verbeten oder entsprechend berechnet!«

Sie riss einen Bogen aus ihrer Mappe und schrieb hastig, dass sie keine Zeit zu diesem Besuch finden könne und es daher den Unterzeichneten überlasse, einen für sie möglichst günstigen Abschluss mit Herrn Alois Sendelhuber zu erzielen. Schlimmstenfalls sei sie zu der von ihm geforderten Buße bereit, denn zu einem Prozesse fehle ihr die Zeit, sowie das nötige Vertrauen zu ihrer Geduld.

Als sie ihren Namen darunter gesetzt und das Geschriebene überlesen hatte, schämte sie sich ihrer damit offenbarten Bitterkeit.

Und plötzlich wusste sie den wahren Grund ihres unruhevollen Wartens. Wie ein Schlag war dies, der sie betäubte. Wenn er mit lächelnder Duldsamkeit schon, als sie das erste Mal bei ihm gewesen, die richtige Deutung für ihr langes Verweilen gefunden und ihr nun keine Hoffnungen erwecken wollte?

Ja, das würde es sein! Hätte er ihr sonst diesen Brief senden können? Darum musste sie nun doch zu der vorgeschlagenen mündlichen Besprechung gehen.

Sie zerpflückte ihre Antwort. Ihr Gesicht wurde hochmütig. Ihre schlanke Gestalt reckte sich auf. Er sollte seinen Irrtum sehr schnell einsehen!

Als sie ihm gegenüberstand, fühlte sie ganz klar, dass alle Unruhe durch ihn gekommen war. Sie hätte vor Scham aufschreien können und lächelte doch wie eine leblose Puppe, die Hand, die er ihr zum Gruß entgegenstreckte, übersehend.

»Darf ich bitten, dass wir uns möglichst kurz fassen. Ich bin heute sehr eilig, Herr Rechtsanwalt!«

Er sah sie erschrocken an.

»Gnädiges Fräulein, habe ich Sie neulich irgendwie verletzt?«

Jetzt lachte sie hell auf.

»Im Gegenteil, Herr Rechtsanwalt, Sie haben einer Klientin durch Ihre private Freundlichkeit mehr Zeit geopfert, als es klug war.«

»Soll das ein nachträglicher Vorwurf sein, weil ich Sie zu lange in Anspruch genommen habe.«

»Deuten Sie es ganz nach Belieben. Nur, bitte, jetzt zur Sache, wie Herr Justizrat Weißgerber früher zu sagen pflegte.«

Er saß ihr mit zornig zusammengezogenen Brauen gegenüber. Was fiel ihr ein? Neckte sie ihn einfach oder waren das Künstlerlaunen.

»Ich habe kurz entworfen, was am besten Herrn Sendelhuber zu antworten wäre. Darf ich es vorlesen oder belieben Sie selbst.«

Sie nahm ihm das Blatt mit leichtem Neigen des Kopfes aus der Hand und vertiefte sich scheinbar in seinen Inhalt. Er beobachtete sie dabei scharf.

Es währte sehr lange.

Ein kleines Lächeln durchsonnte die Finsternis seiner Mienen.

»Wenn ich es Ihnen näher erklären darf«, erbot er sich.

»Ich habe es begriffen«, antwortete sie kurz.

»Also?«, fragte er leise und sah sie mit dem Blicke an, der ihr das erste Mal die köstliche Ruhe in das Herz getragen.

»Es ist gut, wie Sie es vorgeschlagen haben.«

»Ja, aber Verzeihung, dass ich darauf aufmerksam machen muss, wir verzeichneten zwei Vorschläge. Und einer darf es doch entschieden nur sein.«

Sie wurde flammend rot, weil sie sich auf einer Unwahrheit ertappt sah. Sie hatte kein Wort begriffen.

»Ich möchte keinen Prozess«, sagte sie wie ein törichtes Kind. »Das andere soll mir gleich sein.«

Sie stand hastig auf.

»Gnädiges Fräulein«, sagte er weich und bittend, »was haben Sie? Gehen Sie nicht so fort. Ich bitte Sie herzlich.«

Sie lächelte krampfhaft.

»Was ich habe? – Nichts. Wie kommen Sie darauf, Herr Rechtsanwalt?«

Mit einer Verneigung gab er ihr den Weg frei.

»Wünschen Sie vielleicht, dass ich zuvor diese Angelegenheit noch einmal mit Herrn Justizrat, als Ihrem früheren Bekannten, durchspreche?«

»Nein, ich danke. Ich möchte alles so schnell wie nur irgend möglich vergessen und bin darum auch zu der von ihm geforderten Buße bereit.«

Er sah sie fest und lange an.

»Sie haben es ja schon vergessen, wenn Sie es überhaupt gefühlt haben.«

»Ich verstehe Sie nicht.«

»Als Sie mich neulich verließen, hatte ich die dankbare Empfindung, dass wir beide uns voll verstanden hätten.«

»Dann haben Sie sich eben geirrt. Das soll den besten Juristen bisweilen geschehen können.«

Wieder war er an ihrer Seite.

»Fräulein von Ostried, ich kann es nicht glauben. Es würde mich sehr unglücklich machen.«

Sie zerrte an den feinen Handschuhen und zerriss sie, weil sie etwas Entsetzliches fühlte. Tränen, die aufsteigen wollten und die er doch um keinen Preis sehen durfte.

Er sah sie aber doch. Und nahm ihre beiden Hände in die seinen.

»Ich flehe um ein ehrliches Wort.«

»Der Brief«, sagte sie wider Willen, »ich dachte, Sie bereuten das Private.«

Er begriff nicht sogleich.

»Warum denn um Gottes willen.« Und dann mit plötzlichem Verstehen:

»Den Zeilen, auf denen ein Dutzend fremder Augen ruhten, durfte ich nicht anvertrauen, wie es in mir aussah, während ich sie aufgab.«

Seine Stimme war plötzlich voller Jubel!

»Ein Dutzend fremder Augen«, machte sie ungläubig, noch rosenrot vor Scham.

»Ja«, nickte er eifrig. »Hören Sie einen Augenblick aufmerksam zu. – Durchschnittlich an jedem Tage gehen zwanzig bis fünfundzwanzig ähnlicher Mitteilungen heraus. Ich bediene mich dazu eines Apparats, nehme den Schalltrichter zur Hand und spreche hinein, was ich nach gründlichem Überlegen für richtig halte. Ein Referendar, der mir zur Ausbildung überwiesen ist, steht in vielen Fällen daneben und hört zu, nachdem ich die Sache zuvor mündlich mit ihm durchgesprochen habe. Oder, wie es bei dem Brief an Sie der Fall sein musste, er selbst gab ihn auf, während ich als Obergutachter zuhörte. Danach kommt der Laufjunge und holt die Walzen ab. Das Fräulein in der Nische schreibt sie getreulich herunter. Mit Durchschlag natürlich, wie das in einem richtiggehenden Betrieb selbstverständlich ist. Die Kopie wird wiederum dem Laufjungen anvertraut, der in aller Heimlichkeit danach trachtet, sie zu lesen, weil er ebenso neu- wie lernbegierig ist. Der Schreiber, der sie in das betreffende Aktenstück einheftet – denn auch Sie haben bereits ein solches erhalten –«

»Hören Sie auf«, bat sie kläglich.

»O nein, immer gründliches Verfahren. Ich erspare Ihnen nichts. Den Schreiber interessiert schon erstmal Ihr Name. Nicht wahr, er ist ungewöhnlich und klingt wie Musik. Und dann, dass Sie Künstlerin sind. Wir haben hier natürlich die verschiedensten Größen als getreue Klienten. Dies aber ist ein seltener Fall. Wie wird er ihn nicht lesen. Der Invalide, der das Amt hat, die abgehenden Schriftstücke in den Umschlag zu befördern – nun – warum soll er nicht das gleiche durchaus menschliche Verlangen haben? Durfte ich da auch nur ein Wort hineintragen, das mein Herz verraten hätte?«

Sie stand, übergossen von neuer tiefer Röte vor ihm. Noch einmal wehrte sie sich verzweifelt.

»Was hat Ihr Herz damit zu schaffen?«

»Mein Herz?«, sagte er. »Das hat keine Ruhe finden können – seitdem!«

13.

Eva von Ostried hatte seit Kurzem ein jüngeres Mädchen in ihrer Behausung, das sie in einem Zustande der Erschöpfung und Krankheit aufgefunden und zu sich genommen hatte, ein Mädchen, über dessen Vergangenheit ein undurchsichtiger Schleier gebreitet schien.

Gretchen Müller nannte es sich und niemand hier wusste um seine Vergangenheit. Die Einzige, die das recht gehabt, sie zu befragen, rührte nicht daran. So blieb die Spur verwehrt.

Gretchen hatte Stunden, in denen ihr Herz ganz leicht war. Dann pflegte sie die Blumen, besorgte wie die guterzogene Haustochter einer sparsamen Bürgerfamilie, Zimmer und Küche und setzte sich danach mit einer Handarbeit zu der wuchernden Kresse und den rotblühenden Feuerbohnen auf den kleinen Balkon.

Eva von Ostried war zu solchen Stunden nicht daheim. Über den Flügel lag eine Decke gebreitet. Es war alles verschwiegen und leise!

Und doch brauchte nur ein Klingelton zu rufen, dann war es anders! Zumeist öffnete Gretchen Müller nicht. Eva von Ostried schloss sich die Tür nach ihrer Heimkunft selbst auf.

Und jetzt klingelte es dennoch, stark und fordernd. Da entschloss sie sich nachzusehen. Eva von Ostried hatte von einer wichtigen Nachricht gesprochen, die ihr möglicherweise zugehen würde.

Als die Tür aufsprang, fuhr das Mädchen mit einem Schrei zurück. Ihre Arme streckten sich weit vor. Ihre Augen wurden starr vor Entsetzen. Ihr Peiniger, der Zerstörer ihres jungen Lebens stand vor ihr und trat fast lautlos herein.

»Diesmal hast du mir das Finden nicht eben leicht gemacht«, sagte er in einem freundlichen Unterhaltungston.

»Geh!«, stieß sie hervor. »Oder –«

»Du stockst sehr richtig, mein Herz. Jedes weiteres Wort wäre zum Mindesten eine Unvorsichtigkeit von dir.«

»Im nächsten Zimmer befindet sich meine Herrin. Sie muss sogleich herauskommen.«

»Warum nennst du sie nicht mit ihrem Namen? Eva von Ostried klingt doch sehr schön. Auch ist es eine Ehre für dich bei dieser hochbegabten Zukunftsleuchte Unterschlupf gefunden zu haben.«

»Woher weißt du auch dies?«

»Ich erfahre alles, was ich wissen will. Das sollte dir eigentlich zur Genüge bekannt sein. Ich weiß selbstverständlich auch, dass du zur Zeit allein in der Wohnung bist. Fräulein von Ostried erteilt außerhalb Stunden und kommt bestimmt nicht vor Mittag zurück.«

»Trotzdem wirst du dich sofort entfernen, oder ich rufe die Polizei.«

»Du hast gute Gründe, sie nicht zu rufen, mein Kind.«

»Du bringst mich dahin, dass ich auch diese Enthüllung nicht mehr fürchte.«

»Denke darüber, wie es dir beliebt. Ich meine doch, du solltest Rücksicht nehmen. Es ist außerordentlich gefällig, dass dich diese Dame aufgenommen hat. Der Lohn, den du zahlst, wenn sich die Polizei mit dir und also auch mit ihr beschäftigen müsste, wäre, meiner Ansicht nach, ein schlechter.«

»Du bist ein Teufel!«

»Ich besitze Briefe von dir, die mir andere Kosenamen geben. Freilich, hießest du damals noch nicht Gretchen Müller.«

Sie hob die Hand, wie um sie auf seinen leichtsinnigen Mund zu pressen. Er wich geschickt aus und zischte leise:

»Und darum solltest du die hohe Polizei mir gegenüber aus dem Spiel lassen. Ich habe in meinem bisherigen Leben noch nichts getan, was ihr Anlass gäbe, mich scharf zu beobachten. Du aber –«

»Was ich geworden bin, hast du aus mir gemacht.«

»Das ist eine sehr bequeme Darstellung, mein Kind. Vergiss nicht, dass jedes einzig die Folgen seiner Veranlagung trägt. Gut! Zufällig bin ich derjenige, der die deine zum Ausbruch brachte. Das ist mein

Pech. Denn, ob du es auch als das deine fühlst – je nun? Sei doch ehrlich. Denke daran, wie du mir freudig, um mit dem Jäger zu reden, ›auf den ersten Pfiff‹ gefolgt bist.«

»Du hast deine Rolle zu gut gespielt, weil sie dir allzu geläufig war. Wie konnte ich das ahnen?«

»Mag sein! Du wirst dir damals nicht eingebildet haben, dass ein Mann wie ich vor dir noch kein Mädel geküsst hätte.«

»Ja, das habe ich mir eingebildet! Bei Gott! Aber was willst du jetzt von mir?«

»Nicht viel. Dir klarmachen, dass du in meiner Gewalt bist und bleibst! Es ist nur klug und weise, wenn du nicht weiter in diesem hochfahrenden Ton mit mir verhandelst.«

»Es muss doch ein Zweck dabei sein«, wimmerte sie, »ich kann ihn nur nicht erkennen.«

»Nimm an, dass ich dich wirklich geliebt hätte.«

»Du lügst jetzt wie stets«, sagte sie.

»Dann weißt du mehr wie ich. Wozu hätte ich nötig, mich überhaupt noch um dich zu kümmern, nachdem du mir diese unglaublichen Ungelegenheiten bereitet hast.«

»Was hast du mit mir vor?«

Er ließ sich auf die Truhe nieder. Nun war er ihr so nahe, dass er ihr mit der weißen, gepflegten Hand über das lose silberne Haar hätte streichen können. Ein Sonnenstrahl schwebte auf sie herab und verfing sich darin. Die fieberhafte Röte wachsender Angst gab dem schmalen Gesicht den trügerischen Schein der Gesundheit.

»Du siehst immer noch sehr reizend aus«, flüsterte er ihr ins Ohr. »Indessen, du hast das richtige Gefühl. Ja, ich habe etwas mit dir vor. Eine Kleinigkeit nur. Einen Gegendienst.«

»Ich bin zu schwach geworden, um dich gleichfalls zu verderben. Das wäre der einzige Dienst, auf den du Anspruch hättest.«

»Lass das jetzt. Erinnere dich gefälligst an die Zeiten, in denen du mir täglich deine Not geklagt hast. Angeblich littest du doch unerträglich unter der Tyrannei der lieben deinen. Dein Vater wollte Kapital aus dir schlagen. Dein tugendsamer Bruder hätte dich am liebsten an die Kette gelegt. Und das Schätzchen, das sie dir ausgesucht hatten. Sei doch endlich mal ein bisschen fidel, mein Kind und lache mit – war er nicht fürchterlich mit seinem vogelähnlichem Kopf und den drohenden Wulsten unter den kleinen Augen? Na, ich will dir das schöne Bild nicht weiter ausmalen. Du besorgst das in deinen jetzigen sicher recht stillen Stunden besser allein. Also – Vorwürfe muss ich energisch zurückweisen. Du hast es mir nicht schwer gemacht damals.«

»Ich habe dir vertraut.«

»Habe ich dies Vertrauen vielleicht nicht gerechtfertigt? Hättest du nicht den Himmel auf Erden behalten können, wärest du nicht so wahnsinnig kleinlich und eigensinnig gewesen? Hatte ich nicht ein behagliches Nest für dich bereit? Fehlte auch nur das Geringste für deine Bequemlichkeit darin?«

»In dem Augenblick, der mich lehrte, dass du längst anderweitig gebunden warst, habe ich nichts mehr von dir angenommen. Das wenigstens sollst du mir jetzt bestätigen.«

»Wenn du so großes Gewicht darauf legst. Schön, mein Kind. Ich bestätige es hiermit feierlich. Warum aber? Ein Künstler braucht viel Geld, wenn er selbst keins besitzt. Mit dem Pumpen ist das stets eine missliche Geschichte. Das Sicherste und Bequemste bleibt eine reiche Partie. Ja, mag er selbst Unsummen einnehmen, er wird als freier Mann stets doch eine Kleinigkeit über seinen Etat hinaus verbrauchen. Das verstehst du nicht. – Ich verdiente dazumal noch wenig. Die Kommerzienrätin, auf deren einer Abendgesellschaft ich dich nach der bestellten Singerei, kennenlernte, bezahlte anständig. Aber sonst – Lieber Gott. Da musste ich mich eben auf diese Weise sichern.«

»Dass du dich vor deiner Frau nicht schämst?«

»Frage sie, ob sie nicht überaus glücklich mit mir geworden ist.«

»Ich möchte ihr die Hände küssen, damit sie mir vergibt, was ich ihr unwissend geraubt habe.«

»Wünsche dir das meinetwegen. Dass es sich dir niemals erfüllt, lass meine Sorge sein. Im Übrigen – ich muss endlich deine Frage beantworten: Du wolltest wissen, was ich mit dir vorhabe? Ich will vor allen Dingen deine Lage aufbessern. Dich auf eigene Füße stellen. Du magst dir hinfort ein Leben nach deinem Geschmack einrichten. Nimmst du Vernunft an, werden wir uns sehr schnell verstehen. Höre zu. Ich verlange von dir, dass du niemals zu Eva von Ostried meinen Namen nennst. Spitzte sich auch selbst, im für mich ungünstigsten Falle, ihr Interesse für dich derartig zu, dass sie völlige Offenheit von dir verlangte. Denn sie ist schrecklich moralisch und würde dich nicht bei sich behalten, wüsste sie – – Sage ihr in diesem Fall, was du willst.

Nur nicht die Wahrheit. Du hast ja damals, als du das Doppelspiel triebst, sehr nett lügen können. Also schweigen, ja?«

Sie stieß seine Hand fort. »Eines solchen Versprechens bedarf es nicht! Ich würde mich eher unter hundert Qualen zu Tode martern lassen, ehe ich mein ganzes Geheimnis preisgäbe.«

»Schön. Dann sind wir in der Hauptsache einig. Ich danke dir, Lieselotte.«

»Nicht diesen Namen nennen, nicht den Namen!«

»Du hast ganz recht. Je gründlicher wir sind, desto wirksamer wird alles. Also, Gretchen Müller, höre mich noch ein paar Minuten an. Ich will mich nicht entschuldigen. Das lag mir niemals. Selbst, wenn ich in deinem Fall ausnahmsweise Gewissensbisse gehabt haben sollte.«

»Du hast sie nie gekannt. Diese Rolle liegt dir schlecht.«

»Dann nenne es meinetwegen anders. Immerhin – besteht der Wunsch bei deiner Empfindlichkeit, etwas übrigens zu tun. Als ich dich kennenlernte, war ich noch nicht mal ganz fest verlobt. In aller Heimlichkeit nur. Und ich wusste noch nicht mit Bestimmtheit, ob überhaupt eine Ehe daraus würde.«

»Gibt es denn wirklich so viel reiche Mädchen, dass dir damals schon die zweite noch reichere in Aussicht stand? Lüge wenigstens jetzt nicht. Du warbst in aller Form um mich und gabst mir dein Wort. Oder habe ich mir dies alles nur eingebildet? Waren zuvor deine heißen Blicke und Huldigungen, dein Ehrenwort nur Lüge? Empfandest du nichts von jenen leidenschaftlichen Gefühlen, die du mir so oft geschildert hast?«

»Das sind viel Fragen auf einmal. Deine Frische hatte mich bezaubert. Diese entzückende Lebendigkeit – nicht nur in der Auffassung, sondern auch und besonders in der Wiedergabe alles Erlebten, Gehörten und Erschauten, war mir neu. Dazu kam, dass du aus sogenanntem guten Hause kamst. Ein Reiz mehr. Auch hattest du, obschon du keine Note kanntest, das feinste musikalische Gehör, was mir bisher begegnet ist. Meine Macht über dich wurde unbegrenzt. Ich hätte dich zur Verbrecherin machen können, wenn ich gewollt.«

»*Das* hast du gefühlt?«

»Vom ersten Augenblick unseres Kennenlernens an. Weißt du noch? Wir standen eng zusammengekeilt vor der Kasse des Opernhauses. Da sprach ich dich an, weil du mir ausnehmend gefielst. Merkst du jetzt, wie diskret ich bin? Das Märchen von der ersten Begegnung im

Hause der Kommerzienrätin hatte ich mir um deinetwegen so fest eingeprägt, das ich dies reizende Stündlein dir gegenüber vorhin zu erwähnen unterließ.«

»Mache meine Scham nicht noch größer«, sagte sie mit zuckenden Lippen.

»Es ist ja auch belanglos. Das Weitere will ich trotzdem kurz zusammenfassen. Auch um meinetwillen. – Sieh mal, als ich dich dann einen Monat später bei der musikalischen Rätin wiedersah und dir bei der Vorstellung zuflüsterte, dass wir niemand von unserer süßen Bekanntschaft erzählen wollten, warst du dazu bereit. Deiner lieben Familie war ich sogleich angenehm. Dein Bruder mochte mich absolut nicht. Dein Vater war ein ganz charmanter Herr. Wir hätten uns sogar ausgezeichnet verstanden, wäre er nicht zufällig dein Vater gewesen. So witterte er in mir den Feind. Dass wir beide uns fortan in dem Hause der alten Musiknärrin auch gesellschaftlich begegneten, erleichterte die Sache natürlich. Glaube mir, ich hatte nicht daran gedacht, dich ins Unglück zu bringen. Erst, wie du mich um Hilfe gegen den fürchterlichen Geldsack anflehtest, da erwachte, ich könnte kurz sagen: die Ritterlichkeit! Es klänge großartig, stimmte aber nicht. Ich wollte den schweren Kerl ausstechen. Daneben dich natürlich auch von einem Los, das dir Grauen einflößte, bewahren.«

»Daneben – wirklich.«

»Ja, so war's! Dann kam alles ein bisschen anders. Du machtest Dummheiten. Liefst kopflos von Hause weg, kamst zu mir als zu deinem einzigen Freund und so weiter. Und zurück – verzeihe mir, dass ich dies ausdrücklich feststelle – wolltest du unter keinen Umständen.«

»Ich dachte an eine Beschleunigung unserer Heirat. Denn für deine Braut hielt ich mich. Hatte ich etwa kein Recht dazu?«

»Nach gutbürgerlichen Begriffen zweifellos! Künstleransichten sind aber gemeinhin andere. Sage selbst, was sollte ich tun, wo du nun mal da warst und mir erklärtest, lieber gingest du in den Tod, als zu deiner lieben Familie zurück.«

»Höre auf, wenn du noch einen Funken Barmherzigkeit in der Seele hast.«

»Ich bin sogleich zu Ende. Ich war also nicht brutal genug, um dich fortzuweisen. Schön, das war vielleicht mein Unrecht. Mehr Schlechtes kann ich im Augenblick nicht zusammen finden.«

»Dass du weiter die verächtliche Komödie spieltest – mir den festen Glauben, ich sei deine verlobte Braut und sehr bald dein Weib, auch vor dem Gesetz, nicht nahmst, indem du mir endlich von deinen älteren Verpflichtungen sagtest.«

»Wäre das nicht mehr als grausam gewesen? Was hättest du darauf getan? Bedenke, damals hießest du noch nicht Gretchen Müller. Du wärst ins Wasser gegangen oder hättest sonst einen Gewaltstreich mit denselben Folgen verübt.«

»Das wäre Barmherzigkeit für mich gewesen.«

»Ich empfinde es anders. Vielleicht wir Männer überhaupt.«

»Du hast tausend neuer Ausflüchte erfunden, um mir zu beweisen, dass sich unserer ehelichen Verbindung immer neue Hindernisse in den Weg stellten.«

»Die Gründe habe ich dir soeben klargelegt, mein Kind.«

»Höre damit auf. Warum hast du nicht wenigstens später die Wahrheit gesagt?«

»Wann? Jedes weitere Zusammensein wäre damit zerschlagen gewesen. Du wärst auch später wohl noch fortgelaufen und damals warst du körperlich fast noch mehr erschüttert wie jetzt. Du musstest erst wieder in die Höhe kommen.«

»Nein, das ist nicht der Grund. Rücksichtnahme kennst du nicht. Du hättest unumwunden ausgesprochen, wenn ich dich allmählich beschwert hätte.«

»Man hat auch seine – Anständigkeit.«

»Lasse sie mich endlich kennenlernen, damit meine Scham nicht so heiß brennt.«

»Woher kennst du Eva von Ostried?«

»Vielleicht aus der Öffentlichkeit – vielleicht auch nicht. Lass dir genügen, dass ich sie kenne.«

»Das Recht, sie beim Vornamen zu nennen, steht dir nicht zu. Sie ist zu rein, als dass du –«

»Du bist ein Närrchen! Aber, rein ist sie wirklich. Darin hast du dich diesmal nicht getäuscht.«

»Ich habe nur den Wunsch noch, dass du gehst.«

»Gleich – gleich! Du hast mir also versprochen, dass du Eva von Ostried niemals verrätst, was zwischen uns gewesen ist. Ich habe die bestimmte Ahnung, als hätte andernfalls dein scheinbar recht angenehmer Aufenthalt hier sein Ende erreicht. Und dann wieder bei Fretzburg

u. Sohn in die Putzabteilung zurück? Nee, weißt du – übrigens würden sie dich da gar nicht wieder einstellen.«

»Bleibst du jetzt noch eine Minute, so rufe ich um Hilfe!«

»Wer würde dich hören? Du siehst nach dem Fenster? Es ist unmöglich. Aber ehe jemand erscheinen würde, wäre ich bestimmt verschwunden. Und dann? Man würde dich einfach für geisteskrank halten. Zudem habe ich nicht mehr vor, sehr lange zu bleiben. Nur eine Kleinigkeit will ich noch schnell ordnen. In deinem Interesse, wie du mir hinterher zugestehen wirst. Ich bitte dich, dass du jetzt zur Vernunft kommst. Nimm an, ich käme erst in diesem Augenblick zur Tür herein und wäre dir dankbar, weil du Eva von Ostried gegenüber den Mund zu halten versprochen hast. Dir geht es schlecht. In diesem Gewand machst du den Eindruck einer Nonne, die ihre Haube noch nicht aufgesetzt hat. Auch sonst siehst du – verzeih diesen Ausdruck – etwas abgewirtschaftet aus. Gefallen gegen Gefallen. Nimm diese Kleinigkeit. Mir macht es nichts aus.«

Und er drückte ihr ein bisschen unter dem feinen Taschentuch geschickt verborgen gehaltenes Päckchen mit Scheinen in die Rechte.

Als sie das Knistern hörte, wurde sie leichenblass.

Lässig setzte er den Hut auf und nickte ihr zu.

»Denk noch mal über alles nach und sei verständig, Lieselotte.«

Der Name brachte sie zur Besinnung. Matt hob sie die Hand mit dem Geld. Er legte die seine darüber und zwang ihren Arm in den Schoß. Unter seiner Berührung flammte eine purpurne Glut über ihr Gesicht bis zu dem altsilbernen Haare hinauf. Dann hob sich die Hand noch einmal.

Mit einer Kraft, die sie sich selbst nicht zugetraut hatte, schlug sie in das leichtsinnige, schöne Männergesicht. Die Scheine umflatterten ihn, lagen auf seinen Schultern, zu seinen Füßen. Mechanisch bückte er sich und sammelte sie auf. Neben dem Spiegel, der zu beiden Seiten auf rotgetönter Esche blanke, starke Kleiderhaken trug, hing die vergessene Reitpeitsche eines Schülers, der einen eigenen Gaul besaß. Die riss die bebende Mädchenhand herunter. –

– – Dann war sie allein.

Sie setzte sich wieder auf den Hocker neben die Truhe und rieb an ihrer Hand herum, als müsse sie einen Schmutzfleck entfernen. Sie weinte nicht. Sie nickte nur vor sich hin. Dann überkam sie jäh das Heimweh! Nach der engen dunklen väterlichen Wohnung, die sie oft genug hatte erdrücken wollen – nach dem Vater selbst – vor allem aber nach dem Bruder.

Daneben fühlte sie, dass dies unmöglich geworden war und von allen Schmerzen, die auf ihr lasteten, erschien ihr diese Gewissheit als die unerträglichste. Sie vergegenwärtigte sich das letzte, zukünftige Leiden mit seiner verstärkten dem Wahnsinn nahebringenden Sehnsucht. Und wusste doch, dass über ihre Lippen kein Ruf zu denen, die ihr einst zugehört hatten, dringen würde. Sie musste für immer einschlafen, ohne an dieser Scham zu ersticken. Eva von Ostried, die Gütige, würde liebreich ihre Hände halten – wohl gar ihren Kopf auf das im letzten Kampf wildschlagende Herz betten – sie vielleicht sogar in die Arme nehmen. Dann war alles aus und überwunden.

Wenn sie Eva von Ostried alles vergelten könne, vorher!

Ihr kam ein Lächeln, als sie diesen Wunsch empfand. Wie wäre das jemals möglich? – –

»Heute Nachmittag werden wir beide ein richtiggehendes Fest feiern«, sagte Eva von Ostried, als sie, die sich sonst einer großen Pünktlichkeit befleißigte, viel später wie gewöhnlich heimkam.

»Darauf freue ich mich«, erwiderte Gretchen Müller und ließ nichts von den stechenden Schmerzen merken, mit denen sie zu kämpfen hatte. »Wir lassen die Vorhänge herunter und dann singen Sie, ja?«

»Nein, meine Liebe, das werden wir nicht tun. Diesmal geht's ins Grüne hinaus. Jawohl! Wehren Sie nur ab, zucken Sie zusammen, als erwarteten uns draußen eine Schar hungriger Wölfe. Ich bleibe steinhart. Wissen Sie, was der Arzt sagte, als ich ihn Ihretwegen befragte: ›In erster Linie frische, gute Luft.‹«

»Ich habe heute lange Zeit auf dem Balkon zugebracht.«

»Ich will seine Vorzüge nicht verkleinern. Es ist angenehm, dass wir ihn haben. Einen vollwertigen Ersatz bietet er nicht. Das habe ich Ihnen übrigens schon mehrmals erklären wollen. Sie fanden aber stets neue Schönheiten und Annehmlichkeiten heraus und ich war nach der Tage Last zu müde, um Sie zu widerlegen. Aber heute! Wissen Sie, was wir anstellen werden? Die elektrischen Bahnen sind überfüllt. Zum Wandern ist es zu weit. Also nehmen wir stolz einen Wagen.«

Um keinen Preis wollte sie die feinfühlige Kranke merken lassen, dass sie vor jeder Anstrengung ängstlich behütet werden musste. Gretchen Müller empfand es aber doch.

Es war diesmal nicht Bescheidenheit, die sich ängstlich weigerte, mitzutun, sondern die durch das heutige Erlebnis noch verstärkte Furcht von früheren Bekannten oder gar von ihren nächsten Angehörigen gesehen und erkannt zu werden.

»Wenden Sie nicht ein, dass es eine arge Verschwendung wäre«, begann Eva von Ostried von Neuem, »ich für meinen Teil bedarf dieser Abwechslung wahrhaftig ebenso dringend. Natürlich wird die Fahrt zum Grunewald hinausgehen. Irgendein Tischlein am Wasser muss sich finden lassen. Wir werden uns einbilden, dass wir im eigenen Park säßen und die Dienerschaft ein wenig beurlaubt hätten, um recht ungestört zu sein.«

»Ich kann nicht mitkommen«, sagte Gretchen Müller mit eintöniger, müder Stimme.

Da begriff Eva von Ostried, dass sie die Angst, die sich aus dem Zucken der feinen Lippen offenbarte, beschwichtigen müsse. Jedes Wort hätte geschmerzt. Jede Aufmunterung zur Beherrschung nur noch eine vergrößerte Scheuheit hervorgerufen. Und sie wollte doch heilen. So begann sie leise ein uraltes Reiselied zu summen:

Wir ziehen vermummt durch Stadt und Land
Von Freund und Feinden unerkannt ...
Juvivallera – Juvivallera – –

»Ich kann nicht«, wiederholte der blasse Mund.

Das waren die Worte, die bisher Eva von Ostried als genügende Erklärung angesehen hatte. Heute kämpfte sie dagegen an.

»Ich meinte auch oft genug, dass sich etwas nicht zwingen ließe und es geht dann doch.«

»Weil Sie nicht wissen, wie schwer eine Schuld lasten kann.«

Einen Augenblick sah Eva von Ostried zögernd zu Boden. Dann sagte sie leise und schwermütig:

»Doch, das weiß ich wohl.«

»Aber die brennende Scham kennen Sie nicht.«

»Für so wertlos halten Sie mich, Kind?«

»Nein«, wehrte die andere erschrocken ab, »nur für nicht so tief gesunken, als ich es bin.«

Einen Augenblick fühlte Eva von Ostried das Verlangen, sich dieser Leidensgefährtin gegenüber auszusprechen. Es musste unsäglich schön sein, miteinander zu weinen. Dann empfand sie es als Schwäche, überwand sie und sagte frisch und froh:

»Die aufgezwungenen Liebesgaben, mit denen man, in bester Absicht zwar, seinen lieben Nächsten quält, sind die gefährlichsten, glaube ich. Also begrabe ich hiermit meinen Wunsch feierlich.«

»Ich bringe Ihnen nichts wie Enttäuschungen, Fräulein von Ostried.«

»Dies heute war wirklich eine. Aber jetzt ist sie überwunden. Sprechen wir schnell von etwas anderem. Sehen Sie nur, Sie haben da Ihr Taschentuch verloren, Kindchen.« Und sie hob das feine Batistgewebe auf und betrachtete es aufmerksam. »Es gehört Ihnen doch oder sollte es einer aus der Schülerschar vergessen haben. Lassen Sie mich nach dem Namen sehen.«

Gretchen Müller machte eine Bewegung, als wolle sie sich darauf stürzen, um es Eva von Ostried zu entreißen, aber als trügen sie die müden Füße nicht länger, ließ sie sich wieder auf den kleinen Hocker sinken.

»›P. K.‹ ist es gezeichnet, Fräulein Gretchen? Ich kenne jemand, der es verloren haben könnte, Fräulein Gretchen«, sagte Eva von Ostried ahnungsvoll. »Soll ich seinen Namen nennen oder – wollen Sie es tun?«

Scham und Angst schüttelten den elenden Körper.

»Ich will sterben«, flehte das Mädchen.

»Wird es Ihnen so schwer«, fragte Eva jetzt. »Dann muss ich es wohl tun. Nicht wahr, Paul Karlsen war hier – bei Ihnen?«

Mit einem Aufschrei warf sich Gretchen Müller ihr zu Füßen und umklammerte ihre Knie.

»Muss ich jetzt fort?«

Hinter Evas Stirn fieberten die Gedanken, wie einst –

»Wer hat das Recht zu verdammen? Niemand auf der ganzen Welt! Auch die, welche sich schuldlos wähnen, nicht.« Sie neigte sich und zog die Kniende sanft zu sich empor. »Du armes, armes Kind.«

In ihren Augen glühte keine Verachtung. Ihr Gesicht verzog sich nicht zu unnahbarem Stolz.

Es war eine alles begreifende und verzeihende Liebe darin!

Das müde, gepeinigte Mädchen erkannte, dass Eva von Ostried jenen Mann niemals geliebt hatte und dennoch voll die Macht begriff, die er besaß!

14.

Vor das Hohen-Klitziger Herrenhaus rollte ein Landauer! Die rassigen Köpfe zweier Blauschimmel verdunkelten plötzlich das Küchenfenster, hinter dem die Mamsell das Futter für die jungen Puten zurechtknetete. Sie wandte sich nach der einzigen ihr zur Verfügung stehenden Hilfe um, die damit beschäftigt war, von einem Paar langschäftiger Stiefel die Kotspritzer mit einem Holzspan herunter zu kratzen.

»Nee«, dachte sie dabei, »die sieht kein bisschen proper aus«, und machte sich selbst zum Gehen bereit.

Sie pochte an die zweite Tür neben der Küche, hinter welcher der Klitziger Herr zur Sicherheit noch einmal die Seiten zusammenrechnete, deren Ergebnis sein Bruder bereits festgestellt hatte.

»Herr Amtsrat, die Waldesruher Schimmel halten vor der Treppe.«

Er sah flüchtig auf, ohne die Feder von den Zahlenreihen zu nehmen.

»Ist wohl ein neuer Kutscher, der noch nicht weiß, wo der Dorfschmied wohnt.«

»Ich glaube nicht, dass es neuer Hufbeschlag sein soll, Herr Amtsrat. Der Schlossherr sitzt im Wagen.«

»So«, sagte der alte Wullenweber nicht sonderlich interessiert, »dann fragen Sie ihn nur nach seinen Wünschen. Ich wäre hier und für dringende Sachen auch zu sprechen.«

Er blieb ruhig sitzen; aber er verrechnete sich. Sein verwittertes Gesicht nahm einen unwilligen Ausdruck an. Bisher hatte es der Nachbar nicht der Mühe wert gehalten, sich ihm in seinem Hause vorzustellen. An der Grenze freilich wollte er es verschiedentlich tun. Dazu zeigte der Amtsrat keine Neigung.

Der Waldesruher Herr stand in dem Rufe, ein adelsstolzer, hochfahrender Mann zu sein, der sich einsam hielt. Daneben war er aber auch zweifelsfrei ein tüchtiger Landwirt und das nötigte dem Amtsrat einigen Respekt ab. Es war keine Kleinigkeit gewesen, den zurückgekommenen Acker und die verfallenen Katenhäuser in Ordnung zu bringen.

Horst Waldemar von Ostried maß sieben Fuß. Also nicht in allen Fällen konnte er dafür, wenn er über die meisten Menschen und Dinge fortsah. In erster Ehe war er mit einer Gräfin Aschaffenburg vermählt gewesen, die ihm keinen Erben geschenkt hatte. Seit ihrem

Tode, der ein Jahr vor der Übernahme des Majorats Waldesruh erfolgte, befürchteten die Eltern des nächsten Anwärters die Mitteilung seiner zweiten Heirat.

Wie er sich jetzt vor dem Älteren verneigte, bemühte er sich augenscheinlich freundlich und herablassend zu sein.

»Ich hatte es mir schon lange vorgenommen, Herr Nachbar.«

»Ja, so'n Weg von einem Kilometer will überwunden und vorher überlegt sein, Herr Nachbar«, nickte der Amtsrat mit belustigtem Lächeln.

Der andere räusperte sich.

»Ich komme mit einer Bitte, Herr Amtsrat.«

»Das habe ich mir denken können, Herr von Ostried.«

»Es handelt sich nämlich um die Adresse von der Tochter meines Vorgängers.«

»So, Sie möchten wissen, wo sich Ihre Base Eva zur Zeit aufhält?«

»Ganz recht; daran wäre mir viel gelegen.«

Ein prüfender Blick strich über die mächtige Gestalt des Schlossherrn hin. Sollte diese Frage etwa die Vorbereitung zu einer zweiten Ehe sein? Es war, als ahne der Riese ähnliche Gedanken. Fast hastig gab er eine Erklärung ab.

»Wir müssen einen Familientag einberufen, zu dem – unserm Hausgesetze gemäß – sämtliche Ostrieds gerader Linie eingeladen werden müssen.«

»Ich glaube, auf diesen Anspruch wird Eva von Ostried keinen besonderen Wert legen.«

»Darauf kommt es nicht an. Es ist eine reine Formsache. Ich kann Ihnen übrigens gern den Grund nennen, wenn es Sie interessieren sollte.«

»Bemühen Sie sich nicht. Ich mache mir nicht viel aus solchen Geschichten.«

»Erlauben Sie mir, dass ich es trotzdem tue, um nicht für meine Person in irgendeinen unbegründeten Verdacht zu kommen.«

Der Amtsrat musste wieder lächeln. Schlau war der Kerl entschieden.

»Dass Sie sich daraus etwas machen, Herr von Ostried.«

»Die Tochter meines Vorgängers steht bei unserer ganzen Familie in nicht sonderlicher Hochachtung.«

»Solange ich ihr Vormund gewesen bin, war nichts, auch nicht das Geringste an ihrer Aufführung zu mäkeln.«

»Sie wollte doch – äh – zur Bühne.«

»Das meinen Sie damit? Ach so! Na ja, das beabsichtigte sie freilich stark. Im Prinzip war ich auch dagegen, wie das ja die Verweigerung meiner Erlaubnis bis zu ihrer Volljährigkeit bewiesen hat.«

»Darf ich also kurz referieren, Herr Amtsrat.«

»Wenn Sie es durchaus nicht anders tun. Bitte schön.«

»Ein Ostried-Javelingen hat kürzlich eine Eingabe um Verleihung des seit fünfzehn Jahren nicht mehr zur Verteilung gelangten Stiftungsgeldes für bedürftige Familienmitglieder gestellt. Zum rechtswirksamen Gewähren ist nicht nur die schriftliche Zustimmung sämtlicher stimmfähiger Ostrieds – auch der weiblichen – erforderlich, sondern ihr Zusammenkommen an gemeinsamer Stelle zwecks vertraulicher mündlicher Aussprache.«

»Jetzt fange ich an, die Notwendigkeit zu begreifen, Herr von Ostried. Das muss sein, weil zu erwarten ist, dass dieser oder jener ein bisschen Dampf vor einer Beleidigung oder Ablehnung mit Tinte hat.«

»Es gibt doch Sachen, die zu empfindlich sind, um sie niederzuschreiben.«

»Gerade das habe ich gemeint. Da fliegt ein Wort in der Luft rum, die Frauen flüstern es vielleicht bloß. Aber gehört und bewertet wird's jedenfalls. Und das mag schon genügen.«

»War Ihre Frau Mutter vielleicht –«

Der Amtsrat unterbrach ihn kurz. »Nein, durchaus nicht! Sie war eine geborene Hafermatz aus Kölpin, Tochter des derzeitigen Wirtschaftsbeamten. Meine Weisheit hat einen andern Ursprung. Ich weiß das von einer, die auch mal um dieses Geld eingekommen ist, weil damit ihr schwacher Körper wohl noch auszuheilen gewesen wäre. Eva von Ostrieds Mutter hatte sich nämlich nach vielen und harten Gewissensnöten zu diesem Ersuchen entschlossen. Sie tat's ihrem Kinde zuliebe. Die Antwort war eine Woche später eine bestimmt verneinende.«

»Dann haben also bereits bei der Vorberatung, die schriftlich erledigt werden kann, die Mehrzahl der Familienmitglieder den Antrag abgelehnt.«

»Jedenfalls wird es so gewesen sein.«

»Wir brauchen nicht Verstecken miteinander zu spielen, Herr Amtsrat. Mein Vorgänger war kein Mann, dem man solche Zuwendungen machen durfte. Unser Hausgesetz verlangt ausdrücklich einen tadellosen Charakter oder um mit seinen Worten aus dem Jahre 1800 zu sprechen: Es muss eine feine und ritterliche Familie sein, der früher und auch jetzo nichts anzuhängen gewesen ist.«

»Sie sprechen da plötzlich von dem Manne. Ich habe nie gehört, dass dem damaligen schönen Ostried irgendein Organ schwach geworden wäre. Hier handelte es sich um die Frau, die über jedem Zweifel erhaben stand.«

»Was der Mann tut, darstellt oder unterlässt, fällt in der Ehe allemal auf die Frau zurück. Auch darüber gibt es natürlich Bestimmungen.«

»Ein schönes Familiengesetz, das so was vorschreibt.«

»Darüber wollen wir nicht streiten, Herr Amtsrat.«

»Sie haben recht. Einem Gaul, der ein Kleber ist, bringt ja auch kein Schenkeldruck von der Stelle, wenn er nicht schließlich selbst will.«

Das hochmütige Gesicht verlor nichts von seiner kühlen Freundlichkeit.

»Für so eigensinnig hätte ich Sie nicht gehalten, Herr Amtsrat.«

»Das soll wohl eine Beleidigung sein«, dachte der alte Wullenweber und lachte vergnügt in sich hinein. »Mein Jungeken, damit hast du bei mir kein Glück.«

Laut sagte er:

»Ich bin sogar so eigensinnig, dass ich Eva von Ostrieds Vater nicht mehr in mein Haus reingelassen habe, seitdem es mir keine Ehre mehr sein konnte, mit ihm umzugehen.«

Der Hieb saß.

»Aber seiner Tochter scheinen Sie erfreulicherweise die alte Zuneigung erhalten zu haben«, meinte der Schlossherr mit glatter Höflichkeit.

»Zu der Tochter stand und stehe ich weiter in gar keinem Verhältnis. Sie ist mir fremd geblieben. Was ich übernahm, tat ich lediglich für ihre Mutter. Übrigens weiß ich seit ihrer Volljährigkeit nur das eine, dass sie seit dem Tode ihrer mütterlichen Freundin, irgendwo in Berlin untergetaucht ist.«

»Auch die Adresse ist Ihnen unbekannt geblieben, Herr Amtsrat?«

»Noch gestern hätte ich das glatt verneinen müssen. Heute allerdings.«

Es klang zögernd. Aber der Schlossherr hat bereits das Notizbuch hervorgesucht und netzte den Stift behutsam an den Lippen.

»Ich war vorher noch nicht zu Ende gekommen, Herr Amtsrat. Ich lege aus zweierlei Gründen großes Gewicht gerade auf diese Adresse. Erstens ist anzunehmen, dass Fräulein von Ostried, wenn auch nur, um sich für die Teilnahmslosigkeit unserer Familie zu rächen, widersprechen würde, sobald sie etwas von dem ohne sie gefassten Beschluss erführe.«

»Mein Gott, wie sollte sie davon hören.«

»Es könnte immerhin möglich sein. – Der zweite Grund betrifft sie selbst. Ich halte mich noch nicht befugt darüber zu sprechen. Jedenfalls – – Also, wenn ich Sie jetzt bemühen darf, Herr Amtsrat.«

»So schnell geht das nicht. Sie denken wohl, ich brauchte sie ihnen so ganz einfach bloß zudiktieren.«

»Etwas anderes zog ich allerdings nicht in Betracht.«

»Bedaure! Sie müssen sich noch selbst darum bemühen. Ich besitze seit gestern nämlich lediglich die Möglichkeit, näheres über sie zu erfahren. Mein Neffe, Rechtsanwalt Wullenweber, berichtet mir, dass sie in einer geschäftlichen Angelegenheit seinen juristischen Beistand in Anspruch genommen hätte. Seine Adresse ist zu Ihrer Verfügung.« – Der Amtsrat nannte sie.

»Haben Sie eine Ahnung, verehrter Herr Amtsrat, ob Ihr Herr Neffe ein tüchtiger Anwalt ist?«

»Ich bin ebenso wenig Jurist, wie Sie, Herr von Ostried und unser zuständiges Amtsgericht kenne ich, gottlob, bisher nur von außen. So viel weiß ich aber, dass der Justizrat, dessen Teilhaber er ist, einen guten Namen und ungeheuren Zuspruch hat.«

»Das genügt mir völlig. Anlässlich des Familientages muss ich nämlich einen Anwalt für bestimmte Zusätze und kleine Abänderungen in unseren Statuten gewinnen.«

Er empfand es als angenehm, dies bei seiner Bitte um Eva von Ostrieds Adresse nunmehr in den Vordergrund stellen zu können.

»Wenn ich recht unterrichtet bin, haben Sie, Herr Amtsrat, als einstiger Vormund und Bevollmächtigter von Eva von Ostrieds Vermögen auch sehr wertvolle alte Möbelstücke aus dem Waldesruher Schloss zur Aufbewahrung übernommen?«

Der Amtsrat lächelte grimmig.

»Vermögen! Das klingt außerordentlich stolz. Wissen Sie zufällig, wie hoch sich die Summe bezifferte?«

»Wie käme ich zu einer genauen Kenntnis. Wir mit dem gleichen Namen hofften damals, dass sie jedenfalls zu einem standesgemäßen Unterhalt ausreichen würde.«

»Nett von Ihnen! Sie hofften, leider, vorbei. Eintausend Mark waren's!«

»Wie könnte sie sich damit durchgefunden haben?«

»Die Frage kann ich Ihnen nicht beantworten. Ich hatte die Ehre, eine vortreffliche Frau, die ihr eine zweite Mutter geworden war, kurz vor ihrem unerwartet eingetretenen Tode kennenzulernen, und ging mit dem berechtigten Gefühl von ihr, dass sie fraglos einen Teil ihres soliden Reichtums meinem verflossenen Mündel überschriebe. Erst gestern teilte mir mein Neffe mit, der übrigens diese Wissenschaft wiederum von dem Notar und Freund der Toten, dem schon erwähnten tüchtigen Justizrat, schöpfte, dass der plötzliche Tod sie daran gehindert haben müsse. Jedenfalls ging Eva von Ostried leer aus. Aber Sie fragten auch nach den alten Möbeln. Einen Augenblick! Bitte, hier ist das Verzeichnis. Es sind Stücke von großer Schönheit darunter. Das Sterbezimmer ihrer Mutter besitzt Eva bereits. Deren kleines Wohnzimmer – übrigens eingebrachtes und daher nicht zur Masse gehöriges Gut, wie auch jene Sachen, die sich schon in Eva von Ostrieds Besitz befinden – stellt dies dar.«

»Ein offenes Wort, Herr Amtsrat! Sind diese kostbaren alten Stücke verkäuflich? Ich weiß nicht, ob Sie ahnen, dass ich leidenschaftlicher Sammler von altertümlichen Möbeln bin. Einen ebenso hohen Preis wie jeder andere fremde Liebhaber würde ich natürlich auch anlegen.«

»Ich bin so ungebildet in diesen Sachen, dass ich nicht mal sagen kann, ob das wirklich Altertümer in Ihrem Sinne sind. Nur das eine weiß ich aus dem Mund von Evas Mutter, dass sie schon im Heim von deren Großeltern gewesen sind.«

»Darf ich wissen, wie Sie über einen Verkauf denken, Herr Amtsrat?«

»Darüber habe ich nichts mehr zu bestimmen, Herr von Ostried. Als ihr Vormund hätte ich einen besonders günstigen Verkauf, mit Rücksicht auf die bestehende Vermögenslosigkeit, zweifelsfrei verantworten können. Jetzt stehe ich kaum anders wie jeder Fremde zu der Besitzerin.«

»Könnten Sie mir wenigstens die Möbel zeigen, Herr Amtsrat?«

»Dazu wäre meine alte Klidderten nötiger als ich. Ich habe mich nur bis zu dem Augenblick ihrer sicheren Unterstellung darum gekümmert. Das Zudecken und Abstauben ist der Klidderten ihre Sache. Die wird aber gerade mit dem Kochen zu tun haben. Eine Sache könnten Sie indes ansehen. Evas Mutter machte sie mir zum Geschenk. Stil und Holzart sind hier wie dort gleich. Sehen Sie dort, der Schreibtisch aus italienischem Nussbaum.«

Es war ein wundervolles Stück mit reicher künstlerischer Tiefschnitzerei. In Form und Art an die alten Zylinderbüros erinnernd, die in keiner Großvaterstube zu fehlen pflegten. Nur, dass die Einlagen über den reich geschnitzten Holzrändern aus Mosaikstückchen bestanden, die sich zu kleinen, wirkungsvollen Bildern einten. Das runde große Medaillon des Aufsatzes, das ein halbes Jahrhundert später, als Ersatz des zerschlagenen Mosaikbildes eingefügt war, zeigte ein Pastellbild. Ein namhafter Maler aus jener verzweifelten Zeit, in der Eva von Ostrieds Mutter auf den Gedanken gekommen war, einen Teil des Schlosses und des wundervollen Parkes erholungsbedürftigen Künstlern gegen Entgelt zur Verfügung zu stellen, hatte es geschaffen.

Der Schlossherr warf mit einer geschickten Bewegung das Monokle in das kurzsichtige rechte Auge. Sein müder Blick belebte sich auffallend. Der tiefe Durchzieher, mit der einst auf dem Heidelburger Fechtboden erhaltenen blutroten Belehrung, dass auch nicht sonderlich hochgewachsene Leute eine gute Klinge führen können, begann zu glühen. Das Hochmütige in seinen Zügen verschwand.

Als er nach langem aufmerksamen Betrachten den Kopf hob und die Hände von der Schnitzerei nahm, war er ein ganz anderer wie zuvor. Es bedurfte also nur des Aufflammens einer leidenschaftlichen Neigung, um die oft genug abstoßend wirkende Tünche herunter zu bröckeln.

»Ich würde Ihnen zehntausend Mark geben, wenn Sie mir dies Stück überlassen könnten, Herr Amtsrat.«

»Es wäre mir auch nicht um das Doppelte feil, Herr von Ostried.«

»So viel allerdings. – Immerhin fordern Sie getrost. Wir werden uns bestimmt verständigen.«

»Es ist unverkäuflich«, entschied der alte Wullenweber kurz und zornig.

»Sie sind doch aber gar nicht Sammler solcher Dinge! Was kann dies für Sie für einen Wert haben?«

»Den da«, sagte der Amtsrat einsilbig und legte den Zeigefinger behutsam auf das Pastellbild.

»Sehen Sie«, frohlockte der andere, »damit wären wir uns schon bedeutend nähergekommen. Dieses Bildnis würde ich sofort für Sie entfernen lassen. Für meine Zwecke entstellt es das Ganze und verringert seinen Wert erheblich.«

»S–o, das wäre also Ihre Ansicht?«

Der Schlossherr neigte sich zu dem Bild herab und schenkte ihm zum ersten Mal einige Aufmerksamkeit.

»Wen stellt es dar, wenn ich fragen darf?«

»Frau von Ostried und ihre Tochter Eva.«

Noch einmal glitt sein Blick prüfend darüber hin. »Ich kannte die Frau meines Vorgängers nicht persönlich«, meinte er endlich und es klang wie eine Entschuldigung. »Sie muss sehr schön gewesen sein.«

»Vielleicht befragen Sie deswegen die paar alten Leute, die sich ihrer gewiss noch erinnern.«

Das klang eiskalt und schnitt eigentlich jede weitere Frage ab. Der Schlossherr wollte es nicht empfinden. Er blickte immer noch, von dem unvergleichlichen Reiz der beiden aneinandergeschmiegten Köpfe gefesselt, auf das Bild von Mutter und Tochter.

»Sie sind scheinbar ein Frauenverächter, Herr Amtsrat.«

»Wieso? Weil ich mich im ersten Augenblick von Ihrer Frage abgestoßen fühlte? Sie sollen sich nichts Falsches vorstellen. Für mich ist Frau von Ostried die Schönste auf der ganzen Welt gewesen und geblieben.«

Er musste dies sagen, weil er kein anderes Mittel kannte, um die ihm zudringlich und lästig werdenden Fragen abzuwehren. Der Schlossherr begriff. Es war alles durchaus verständlich. Der leichtsinnige Schlossherr, der sich nicht um die Seinen bekümmert hatte, auf der einen Seite. Dieser biedere, brave Mann, der gewiss nur seine Augen und Ohren für die kränkelnde, vom eigenen Gatten vernachlässigte Frau bereitgehalten, auf der andern! Dazu diese strenge Abgeschlossenheit von Welt und Leben.

Unangenehm blieb einzig, dass die Schönheit auf dem Pastellbild den alten Namen trug wie er und der Kummersbacher, das Mitglied des Herrenhauses auf Lebenszeit, und die Vettern Exzellenz, der Generalleutnant und der Wirkliche Geheime Rat, sowie die andern der Familie. Schließlich hätte man sich auch damit im Lauf der Jahre abgefunden, wenn dies verblüffend reizende Gesicht neben der großäugigen Frau, das irgendwo in Berlin herumlief, nicht immer noch weiter zur Familie gehörte. Die Tatsache, dass Eva bei dem Einladen zum Familientag unmöglich übergangen werden durfte, bewies es deutlich. Ein Gesicht wie dieses, selbst wenn es den kindlichen Zauber eingebüßt, machte es der Trägerin doppelt und dreifach schwer, ohne Aufsehen durch die Welt zu kommen.

»Wann haben Sie Eva von Ostried zum letzten Mal gesehen, Herr Amtsrat«, forschte er aus diesen Gedanken heraus.

Der alte Wullenweber fuhr erschrocken zusammen. So tief hatte er sich mit der heraufbeschworenen Vergangenheit beschäftigt.

»Bei ihres Vaters Begräbnis ist es gewesen. Hätte ich gefehlt, wäre sie ganz allein neben dem Seelsorger hinter dem Sarg, hergeschritten. Denn die Tagelöhner blieben aus Bescheidenheit eine halbe Meile zurück. Und von den Nachbarn oder seiner Familie war niemand dabei.«

»Die Anzeigen von seinem Tod müssen sich verspätet haben. Vielleicht sind überhaupt keine verschickt. Ich jedenfalls erhielt die Nachricht erst durch meine Berufung zu seinem Nachfolger.«

»Also doch rechtzeitig«, meinte der Amtsrat bitter und sah nach der Uhr, die mit behaglichem Pendelschlag die kleine Pause belebte.

»Ich habe nur einer Leidenschaft im Leben bisher nachgegeben«, begann er von Neuem und diesmal leiser und weicher wie zuvor. »Ich verriet sie Ihnen bereits. Schon in frühster Jugend war die Vorliebe für alte, wirklich schöne Sachen so groß, dass ich mir jedes Vergnügen versagte, um mich endlich in den Besitz eines ersehnten Gegenstandes zu bringen.«

»Verrückt«, musste der alte Wullenweber denken, aber es söhnte ihn etwas mit diesem scheinbar kalten, wesenlosen Menschen aus.

»Vielleicht sprechen Sie persönlich mit Ihrer Base, wenn Sie zu dem hochwichtigen Familientage in Berlin sind«, schlug er vor.

»Vorläufig geht es mir um dies Stück.« Und er fuhr, wie liebkosend, über das edle, alte Holz.

Ehe noch der Amtsrat die scharfe Erwiderung, die ihm dies taktlose Festhalten auf die Lippen zwang, aussprechen konnte, fuhr er fort:

»Ich würde Ihnen sehr gern durch einen Berliner Sachverständigen das Pastellbild entfernen und in einen durchaus würdigen Rahmen bringen lassen. Derselbe könnte mir auch den Ersatz für das Mosaikrund besorgen. Ihnen ginge nach Ihren eigenen Worten durch die Hingabe des alten Stückes selbst nicht allzu viel verloren. Mir aber täten Sie einen großen Gefallen. Wollen Sie nicht wenigstens die Güte haben, sich meinen Vorschlag zu überlegen?«

»Eine Gegenfrage«, sagte der Amtsrat und seine Stimme klang stahlhart. »Was würden Sie sagen, läge die Geschichte umgekehrt? Sie wollten aus einem für Sie wichtigen Grunde nicht und der andere – nun – der hörte eben nicht auf zu drängen. Sie würden mich aufrichtig verbinden, wenn ich das wissen dürfte, Herr von Ostried!«

Mit einem Schlage verwandelte sich das Gesicht des Majoratsherrn wiederum in das unbeweglich hochmütige. Das Monokle hüpfte mit feinem Klingen gegen einen Kopf des tadellos sitzenden Besuchsrockes. Die blassen, kühlen Augen schauten von Neuem wie aus einer Maske. Er nahm die Hacken zusammen und verneigte sich leicht.

»Verzeihung, wenn ich aufdringlich erschienen bin. Sie haben natürlich recht. Ich würde mir das ebenfalls verbeten haben. Nun, mein Agent in Berlin wird ja wohl ein ähnliches Stück auftreiben können.«

Er reichte dem Amtsrat die Hand hin.

»Ich habe Sie ungebührlich lange aufgehalten, Herr Amtsrat!«

Seine Bewegungen waren wieder gemessen und herablassend. Eine jede schien das aufrichtige Bedauern auszudrücken, dass er sich mit dem ungefälligen Nachbar überhaupt eingelassen hatte.

– Der Abschied war schließlich fast hastig.

Wenn es einmal und zwar schüchtern gegen die Küchentür stieß, dann war es Filax, der alte Stubenhund, den ein beständiger Hunger plagte. Wenn es zweimal und zwar mit einem donnerähnlichen Geräusch dagegen krachte, war es der Major a. D. Wullenweber, der die alte Klidderten anschnauzen wollte.

Auguste, die fahrige blutjunge Deern, duckte sich jedes Mal bei Beginn des Polterns ängstlich zusammen. Die Mamsell jedoch öffnete unerschrocken, wenn auch voller Behutsamkeit, damit der Draußenstehende nicht etwa von einem heftigen Anprall umgeworfen würde und sagte freundlich:

»Ja, Herr Major, heute wird's zehn Minuten später mit den frischen Kartoffeln. Der Waldesruher Herr war bei uns.«

»Wenn Sie ›frische Kartoffeln‹ sagen, klingt das noch großartiger als wenn seinerzeit der Oberkellner in Esplanade meinetwegen ›frische Austern‹ lispelte«, höhnte er poltrig und unzufrieden.

»Ich kenne bloß Dabersche und denn magnum bonum und die kleine blaue frühe, denn von der weißen halt ich nichts. Austern bauen wir hier gar nich.«

»Sie sind ein Kamel, Klidderten.«

»Denn müsst ich ja wohl in die Wüste, Herr Major. So ist mir das von meiner Jugend her erinnerlich. Und denn kriegten Sie alle überhaupt nichts Warmes auf den Tisch.«

»Nun schweigen Sie endlich still. Wenn man schon nichts zu essen bekommt, muss man wenigstens einen ordentlichen Tropfen trinken. Nehmen Sie mal Vernunft an, Fräulein Kliddert. Eine einzige Flasche, Mamsellchen. Na los.« Sie kam ein wenig näher. Aber doch nicht mehr, wie auf fünf Schritt Distanz. Dann ließ sie die angeborene Bescheidenheit haltmachen.

»Begucken Sie sich bloß mal im Spiegel, Herr Major. Ist das nicht eine wahre Freude mit Ihnen? Sehen Sie vielleicht aus wie einer, der in die Sechzig will? Wirklich nicht. Von der dummen Krankheit, als Sie gerade angekommen waren, ist keine Spur mehr zu merken. ›Klidderten‹, hat neulich der Waldesruher Gärtner zu mir gesagt, denn er kommt jeden Donnerstag aus alter Gewohnheit auf einen Schwatz in die Küche, ›was ist das für ein Kavalier mit dem feinen Spitzbart —‹«

»Hören Sie schon damit auf«, murrte der Major, aber in seiner Eitelkeit freute er sich kindisch darüber.

Die alte Klidderten schielte nach der andern Seite des Hauses hin, von welcher ihr der Amtsrat zu Hilfe kommen sollte, denn die Blauschimmel waren schon angetrabt. Dann war für diesmal wieder alles ausgestanden. Vor dem Bruder schwieg der Herr Major davon!

Aber der Hohenklitziger Herr stand versonnen und sah dem davonrollenden Gefährt mit gefurchter Stirn nach.

Die Gedanken schossen ihm wild durch den Kopf.

»Wenn der das Mädel in Berlin kennenlernen sollte und sie gefällt ihm und er kriegt doch vielleicht nicht von seinem Agenten den ähnlichen alten Schreibtisch und er denkt dann so nebenbei dran, dass es vielleicht hübscher und angenehmer wäre, der jetzige Anwärter erbte das Majorat nicht, sondern sein eigenes Fleisch und Blut und sie sagt Ja, denn wie sollte ein armes Ding wohl den Mut zu einem Nein finden.«

Ärgerlich wandte er sich herum. Was ging ihn dies alles an? Hatte er sich die letzten Jahre überhaupt um das Mädel – die Eva – gekümmert? Trotzdem sie die Tochter der geliebten Frau war. Dumme Ausrede, dass er an die Erbschaft durch die Präsidentin und ihr gutes Auskommen felsenfest geglaubt hatte.

Ein Mann in seinen Jahren glaubt nur das, wovon er sich auch überzeugt halten darf. Erst der Junge, der Walter, musste sie ausfindig machen, ehe er an sie dachte.

Gedankenlos war er weitergegangen und stand nun vor der alten Klidderten, die ihm heftig zublinkte. Diese Sprache begriff er ausgezeichnet. Seitdem sich sein Bruder damals nach dem glücklich überstandenen Schlaganfall zum Hierbleiben entschlossen hatte, stand sie ihm auch hierin getreulich zur Seite. Es kamen immer wieder Tage, in denen der Major ein unbändiges Verlangen nach den Dingen trug, durch die er sich bis jetzt seine Vergnügungen verschaffte. In dieser Abgeschlossenheit wäre ihm höchstens ein guter, alter Tropfen aus dem Keller mit der lebensgefährlichen Treppe erreichbar gewesen. Er selbst war aber nicht imstande, die schwindelnde Stiege hinabzuklimmen und die alte blödsinnige Gans, wie er sie soeben bei sich nannte, tat ihm nicht den heimlichen Gefallen.

Da sprach ihn der Amtsrat an: »Du hattest heute früh einen Brief von Walter, nicht wahr?«

Der Major brummte eine Erwiderung die unverständlich blieb.

»Sonderbar«, wunderte sich der Amtsrat, »weil er doch gerade erst gestern an mich geschrieben hatte.«

»Wieso sonderbar? Kann er nicht auch mal ausnahmsweise was mit seinem Vater zu bereden haben?«

»Natürlich. Er betonte aber gerade zu mir, wie knapp seine Zeit geworden sei.«

»Wenn dich die Neugier sticht, kannst du den Brief nachher lesen.«

»Du weißt genau, dass es etwas anderes ist!«

»Meinetwegen. Du hör mal«, und er zog den Amtsrat beiseite wie ein Kind, das etwas Heimliches zu sagen hat, vor dem es sich im Grunde genommen, ein wenig schämt, »befiehl doch mal deiner verehrten Scharteke da, dass sie uns eine von dem herben Ungar raufholt.

Frage nichts. Gib auch keine Lehren. Tu mir mal ausnahmsweise den kleinen Gefallen.«

Der Amtsrat hatte eine heftige Ablehnung bereit. Als er aber das alte, bittende Gesicht sah, überkam ihn eine eigentümliche Weichheit.

Schließlich war es keine Kleinigkeit, dass der Bruder Leichtfuß seinen tiefgewurzelten Widerwillen gegen die ländliche Stille überwunden und – seinem Ehrenwort getreu – ohne neue Schulden zu machen, bei ihm ausharrte. Er tuschelte mit der Klidderten.

»Schön, holen Sie eine rauf. Wir haben ja ohnehin noch fünfzig von der Sorte.«

»Aber, ihn bloß nichts davon merken lassen, Herr Amtsrat.«

»Wenn Sie sich nicht verplappern, Klidderten.«

»Wo werd' ich denn. Ich bleibe dabei, dass es im Ganzen überhaupt bloß noch zwei waren. Eine wurde ausgetrunken, als Herr Walter das letzte Mal bei uns war. Nu is denn keine einzige mehr da. Bloß noch der Säuerling, den ich für's Wildragut gebrauche.«

Mit verständnisvollem Lächeln verschwand sie hinter der schweren Küchentür. – Der Amtsrat trank kaum ein halbes Glas von dem goldklaren, alten, schweren Sorgenbrecher. Dass er ihm Bescheid tun sollte, verlangte der Major auch gar nicht. Er selbst sog mit geschlossenen Augen in kleinen, schmatzenden Zügen.

In der Mitte des Tisches dampften die frischen Kartoffeln mit einer reichlichen Beigabe grüner Petersilie. Neben jedem der beiden Gedecke duftete eine kräftige Scheibe Bratspeck. Dazu stand – wie gewöhnlich – ein Topf mit köstlicher Buttermilch bereit. Der alte Offizier wurde wieder jung, leichtsinnig und prahlerisch.

»Als ich bei den Kürassieren in Dernburg stand, kriegte ich von zarter Hand ganze Körbe voll Schampus. Bedankt habe ich mich nie. Bei wem denn? Man ahnte natürlich. Das Nest war ja klein. Aber die Eifersucht unter der edlen Weiblichkeit war zu groß geworden. So war's schlauer, ich stellte mich unwissend.«

Der junge Kürassierleutnant hatte sich dann in die Infanterie stecken lassen müssen. Wegen Schulden natürlich.

»Zuerst dachte ich mir das grässlich. Hatte Selbstmordgedanken. Schließlich machte sich's ganz nett. Mädelchen waren da noch viel aufmerksamer und verliebter.«

Als Hauptmann der Infanterie kam er auf der Treibjagd zu dem, was er sein Unglück nannte.

»Alles vorbei. Es war zum Rasendwerden. Man war niemand mehr.«
Seine Ehe hatte er vergessen. Sie war ja auch nur kurz gewesen. – In
der Flasche schimmerte der Boden mit dem Rest des Goldenen. –

»Doch – die Kinder! Vater spielen will gelernt sein. Mir lag's nicht.
Der Junge war mir zuweilen direkt peinlich mit seiner unbequemen
Art zu gucken und Fragen zu stellen. Aber – das Mädchen.«

Der letzte Tropfen hing schwer an seinem grauen Bart, den der
Haarkünstler nun nicht mehr ausbesserte. Ihn stieß das Elend.

»Dass du's weißt, ich bleibe nicht länger hier. Morgen früh geht's
weg. Kannst du mir das verdenken? Zwei reichliche Jahre immer bloß
Buttermilch und die Faltenschnute von deiner Klidderten. Dass man
das überhaupt geschafft hat. Nie raus aus der Bude. Immer hinter den
Rechenbüchern und dabei noch das Gefühl, als mache der erste beste
Quartaner die Geschichte besser. – Jetzt geht in Berlin nach dem toten
Sommer das Leben wieder los. Auf der Tauentzienstraße, weißt du!
Mädelchen gibt's da. Einfach süß. Wenn ich im Wagen oder wo am
Fenster sitze, mache ich immer noch eine gute Figur. Und die kleine
Weinstube beim Anstermeier. Piekfein. Und anständig. Niemals
mahnen die. Bloß einmal im Jahre, wenn's einem natürlich am wenig-
sten passt, erinnern sie bescheiden. – Übermorgen kann ich schon
drin sitzen. Gleich nachher will ich dem Jungen telegrafieren. Du
lässt's zur Post besorgen. Das werd' ich ja wohl noch verlangen können.«

Der Amtsrat hatte zugehört, ohne einmal den Schwall der Worte
zu hemmen.

»Du wolltest mir Walters Brief geben«, sagte er nur, als der Major
endlich verstummt war.

»Den Brief? Richtig. Hier ist er!«

»Ich werde ihn dir noch einmal vorlesen.«

»Nicht nötig. Habe mich bereits selbst genügend von seinem Inhalt
unterrichtet.«

Der Amtsrat bedachte den Einwand nicht. Er wusste, dass die Erinnerung an das gegebene Wort auftauchen und zurückreißen würde.
Halblaut begann er:

»Lieber Vater!
Soeben habe ich die letzte Rate deiner Schulden getilgt. Es ließ sich
also, wider Erwarten, schnell erledigen. Justizrat Weißgerber zahlte

mir, als auch in letzter Instanz der Millionenprozess, von dem ich das letzte Mal erzählte, zu unsern Gunsten entschieden wurde, zwei Drittel des in diesem Falle von unserem Klienten versprochenen Extrahonorars aus, weil ich die ganze Mühe damit gehabt.

Freilich bin ich zur Zeit selbst völlig blank. Ich habe mein halbes Vierteljahrsgehalt noch dazu gelegt, um endlich frei zu sein. Nun mache ich dir einen Vorschlag. Willst du durchaus wieder nach Berlin, sollst du wissen, das du mir willkommen bist. Es kann jetzt in jeder Beziehung besser, wie früher, für dich gesorgt werden. Nur musst du mit deiner Reise bis zum nächsten Quartal warten, damit ich dir genügend Geld schicken kann. Hast du noch selbst von deiner Pension zur Verfügung, teile mir das mit. In diesem Falle stände deiner früheren Rückkehr, wenn sie dir wünschenswert erscheinen sollte, nichts mehr im Wege.

Dein Sohn Walter.«

Ohne eine Bemerkung reichte der alte Wullenweber das Schreiben zurück. Seine Augen brannten wie nach einem Erntetag mit heftigem Ostwind bei reichlicher Sonne. Schweigend steckte auch der Major den Brief in die Tasche. Geflissentlich sahen sie aneinander vorbei.

»Ich will mich noch eine Viertelstunde aufs Ohr legen«, meinte endlich der Amtsrat und erhob sich.

Da langte auch der Major nach seinen Stöcken.

– – Der alte, schwere Goldene hatte ausgewirkt. Aber der feste Wille zur schleunigen Rückkehr nach Berlin lebte weiter. Das Kursbuch musste herhalten.

»Hier war man ja doch schon mit den gefräßigen Spatzen munter. Also – los. Morgen früh um sieben Uhr! Und keine Stunde zugegeben!«

So stand's auch in dem Telegramm an Walter Wullenweber zu lesen. Der Major kniffte es sorgfältig zusammen. Jetzt würde man endlich bald wieder ein Mensch werden!

Er stelzte in die weiß getünchte Schlafkammer von damals, die er immer noch innehatte. An der dünnen Bretterwand hing jetzt das Bild seines Kaisers zwischen den beiden toten Majestäten, denen er ebenfalls seinen Treueid geschworen hatte.

Als sein Sohn mit ihm redete – jawohl, so stimmte es. Der mit ihm, denn er spielte nur den stummen, gequälten Zuhörer – war die Wand noch leer gewesen.

Damals wurde auch ein Treueid geschworen.

Dachte er denn daran, ihn zu brechen? War es diese Einsamkeit, die ihn nach innen sehen ließ. Das Alter oder das andere?

Die verlorene Tochter – seines Lebens Lust und Stolz.

Er las plötzlich aus einem Buch mit erhabenen Lettern.

»Eines Tages werde ich meinen letzten Treueid brechen, wenn ich nach Berlin zurückkehren sollte!«

Die Erkenntnis erfüllte ihn mit Abscheu gegen sich selbst.

– An diesem Nachmittag saß er nicht hinter den Rechenbüchern. Er stolperte im Garten herum, entdeckte noch etliche Äpfel in verwegener Höhe und schimpfte mit Karl Pergande, dem Fünfzigjährigen, der das Jungvieh unter sich hatte. – –

Bei der Abendpfeife auf der Veranda tippte er dem Bruder auf die Schulter.

»Berlin passt mir doch nicht mehr. Es ist zu laut, zu eng und zu teuer für unsereins. Wenn du nichts dagegen hast, bleibe ich hier.«

Der alte Amtsrat paffte sich in eine undurchsichtige Wolke hinein.

»Ist mir auch viel angenehmer«, sagte er kurz. »Am Sonntag kommt ohnehin der Pferdehändler aus der Stadt mit zwei angeblich fünfjährigen Braunen. Die musst du dir eingehend ansehen. Ich allein trau mir das Geschäft nicht zu, denn der Halunke tattert sehr geschickt.«

– Sie waren an diesem Abend durchaus nicht herzlicher wie sonst zusammen.

Und dennoch fühlten sie sich beide zufrieden und ruhig, dass es nun entschieden war.

15.

»Du bittest mich um eine vertrauliche Auskunft über das Vermögen meines einstigen Mündels Eva von Ostried?«, schrieb Amtsrat Wullenweber an seinen Neffen. »Das verstehe ich nicht. Neugier sähe dir unähnlich. Beabsichtigt ihr etwa dein Justizrat Zuwendungen zu machen? Notwendig hätte sie das sicher. Denn ihr gesamtes mütterliches Erbe, das ich am Tage ihrer Volljährigkeit Frau Präsident Melchers für sie übergab, betrug nur eintausend Mark. Hätte ich geahnt, dass die wackere Frau unerwartet schnell, und zwar mit dem von dir erwähnten, für Eva von Ostried sehr traurigen Ergebnis sterben musste, hätte ich doch die Tochter ihrer Mutter in ihr gesehen und mich auch nach der erfüllten Pflicht um sie gekümmert. Ihr jetzt noch, nachdem sie sicher das Schwerste hinter sich hat, zu schreiben, widerstrebt mir. Wohl aber möchte ich sehr gern wissen, ob ihr Hilfe erwünscht wäre. Ich weiß nichts über ihr Leben und Wirken. Wäre es nicht das Einfachste, du zögest Erkundigungen über ihre Lage ein? Geben sie irgendwie zu meiner Unterstützung Anlass, werde ich mich mit ihr stets in Verbindung setzen. Lass es dir durch den Kopf gehen und gib mir Bescheid, sobald du etwa erfährst, dass es ihr kümmerlich ergeht. Im anderen Falle ist die Sache ja ohnehin auf das Beste erledigt.

Dein Vater wird dir inzwischen selbst seine Absicht, Hohen-Klitzig nicht mehr zu verlassen, mitgeteilt haben. Daher musste sich mein Verhältnis zu ihm, von innen heraus, bessern. Erlauben dir die Geschäfte und die Gesundheit deines Justizrats eine kurze Ausspannung, so weißt du, dass du mit deinem Besuch stets erfreust deinen

getreuen alten

Wilhelm Wullenweber.«

Der junge Anwalt las diesen Brief mit einer Empfindung, die ihm im Augenblick noch unklar war. Er spürte nur, dass ihn der Inhalt unruhig machte.

Seitdem Justizrat Weißgerber ihm von Eva von Ostrieds schwerer Enttäuschung bei dem Tode der Präsidentin gesagt, ihre Verzweiflung und Kämpfe geschildert, brachte er die Frage nicht mehr zum Schweigen, woher sie nun doch gleich darauf das Geld zu weiteren Studien genommen haben könnte ... Ihre Schönheit wirkte, auch in der Erinnerung, in alter Stärke auf ihn. Er empfand sie als das Vollendetste, das er jemals gesehen hatte. Wie er, würden auch andere fühlen. Und ihr Bild trat ganz scharf vor ihn hin. Er sah wieder ihr Erröten – den Glanz ihrer großen, sprechenden Augen und fühlte das leise Beben ihrer Hand in der seinen, und seine Unruhe wurde zur heißen Sehnsucht nach ihr! Aber nach üblichen Begriffen kannten sie einander ja kaum!

Gestern war ihr Herr Alois Sendelhubers erneuter Bescheid zugestellt. Walter Wullenweber hatte schließlich doch kurzweg einen Entschädigungsanspruch in jeder Höhe abgelehnt und ihr, bei einem Beharren seiner Forderung, auf den Weg der Klage verwiesen. Darauf hatte sich der schlaue Agent, der sich Eva von Ostrieds ihm besonders wertvoll dünkende Kundschaft auf keinen Fall verscherzen wollte, zur postwendenden »ausnahmsweisen« Lösung des Vertrages – bezüglich des strittigen neunten Novembers – verstanden. Somit war diese Angelegenheit erledigt und nichts stand mehr aus, als die Entrichtung der entstandenen Unkosten vonseiten der Anwälte, die der Justizrat Weißgerber, nach Kenntnis der Angelegenheit, jedoch unberechnet zu lassen wünschte. Das schwache Fädchen, an dem er sie gehalten, war damit zerrissen.

Sie aber nie wiederzusehen, erschien Walter unmöglich. Er setzte sich an den Flügel und versuchte die kleinen Lieder zu spielen, die ihm sehr einsame und verzagte Stunden einst als Tröster geschenkt hatten. Seine Sinne blieben nicht bei den Tönen. Sie irrten ab und verlangten nach dem Leben.

Die alte Pauline brachte einen Brief herein. Sie verweilte noch wenig im Zimmer, wie sie das auch bei der Präsidentin getan hatte.

»Herr Rechtsanwalt, ich hab neulich nun doch unserm Fräulein geschrieben.« Für sie stand Eva von Ostried längst wieder in der Gegenwart genau wie einst. Er hielt die Blicke beharrlich gesenkt, als könne sie sonst seine Gedanken lesen.

»Was hatten Sie ihr denn Wichtiges mitzuteilen, Pauline?«

»Nun, wie es mir indessen gegangen is und wie gut ich es auch wieder bei Ihnen habe.«

»Das wird nicht alles gewesen sein, obschon es, was meine Person anlangt, bereits zu viel ist«, sagte er mechanisch und sah interesslos auf den Brief.

»Sie haben recht. Die Hauptsache hab ich verschwiegen. Ich möchte doch so gern wissen, wie sie wohnt und wie sie alles angefangen hat. Ach, Herr Rechtsanwalt, warum kommt's meist ganz anders, wie man denkt? Ich hänge ja so sehr an ihr und hab mir damals beim Abschied fest eingebildet, wüsst' ich mal erst, wo sie wohnte, liefe ich auch gleich hin. Denken Sie an, ich war auch wirklich schon mal da. Gleich, nachdem ich von Ihnen die Adresse gehört hab.«

Sie stockte und sah von ihm weg.

»Wann war das ungefähr, Pauline?«

»Heute vor zwei Wochen, Herr Rechtsanwalt!«

»Warum verschwiegen Sie mir das?«

»Ich war so von Herzen betrübt, Herr Rechtsanwalt.«

»War sie unfreundlich zu Ihnen?«

»Ach, ich hab sie gar nicht gesehen!«

»Das verstehe ich nicht!«

»Mir war's selbst, als könnte das nicht mit rechten Dingen zugehen. Bloß bis an ihre Tür bin ich gekommen.«

»Sie können mir alles sagen, Pauline. Ja, ich bitte Sie sogar herzlich darum.«

»Ich hab's gleich gefühlt, dass Sie einen guten Begriff von ihr haben, Herr Rechtsanwalt. Und so sehr hab ich mich darüber gefreut.«

»Nun, dann erzählen Sie einmal!«

»Es ist schnell erzählt. Ich wusste doch nicht Bescheid und befragte mich erst unten beim Hauswart. Da war eine drin, die mir gleich erzählte, dass sie mal bei unserm Fräulein in Stellung gewesen. Sie gefiel mir auf den ersten Blick nicht. Ach, Herr Rechtsanwalt, wenn Sie wüssten, was ich von der zu hören gekriegt hab.«

»Es wird nicht schlimm sein«, meinte er. Aber in seiner Stimme zitterte die Angst vor den nächsten Minuten.

»Doch! Ein Freund von unserm Fräulein soll der Person regelmäßig Geld gegeben haben, damit sie nicht zu hungern brauchte. Aber nun ist er plötzlich gestorben, in München, wo sie gerade ein Konzert gegeben hat. Und nun sollte überall geknapst werden und das Fräulein sei ihr noch obendrein dumm gekommen, als ob sie was dafür könnte, dass sich noch kein neuer Freund gefunden hätt. Solche Gemeinheiten bloß auszusprechen, nicht wahr? Ich kenn doch unser Fräulein! Freude hat sie wohl dran gehabt, wenn ihr einer nachgesehen hat. Wozu hätt ihr der liebe Gott denn auch sonst all die Schönheit gegeben? Aber stolz und rein ist sie immer gewesen. Das kann sich bei ihr einfach nicht ändern. Und man hört ja schön die Lügerei heraus. In München soll sie gesungen haben, gerade als der Freund sterben musste. Und unser Fräulein hätt schrecklich nachher geweint. Erzählt hätte sie nichts Näheres davon; bloß, dass er nicht mehr sonntags und auch so kommen könnt', weil er eben tot wäre. – Aber irgendeine andere Person aus ihrem Hause hat eine Zeitung angebracht. Da hat alles drin gestanden. Sogar sein Namen. Und unser Fräulein soll ausdrücklich auch erwähnt sein als eine, die ganz untröstlich gewesen ist, als sie seine Leiche gebracht hätten. Und jetzt wäre ein Mädchen bei ihr. – Bestimmtes wisse man ja wohl nicht. Aber, wenn sich eine niemals an die Sonne traute, keinen Menschen ohne Verabredung zur Tür reinließ und immer so scheu wie ein Hund rumkröche – denn könnte man sich schon allerlei denken. Der Doktor, der die Hausmeisterkinder bei der Grippe behandelt hat, soll zu irgendwem geäußert haben, dass sie den nächsten Kuckuck wohl nicht mehr hören würde. Und wenn so eine dennoch gehalten würde und verwöhnt und verhätschelt dazu, wie die Hausmeistertochter, die oben aufwartet, erzählt, denn wüsste man schon genug.«

»Und Sie haben das alles doch geglaubt, Pauline! Sonst hätten Sie nun gerade zu ihr hinauf müssen und sie befragen. Ja, das durften Sie nach der langen zusammenverlebten Zeit ganz gewiss.«

»Ich musste weinen«, sagte sie still. »Ich war zu unglücklich von dem Getratsch, Herr Rechtsanwalt, wie ich schon gesagt hab.«

»Sie werden noch einen anderen Grund gehabt haben«, meinte er. »Auch Ihre Ehrbarkeit hat sich gegen diesen Besuch gesträubt?«

Ihr Gesicht war ganz blass geworden.

»Das versteh ich wohl nicht richtig!«

»Nun, Sie hielten sich, nach dem Gehörten, wohl für zu gut, um Fräulein von Ostried noch zu besuchen.«

Sie stieß einen leisen Schrei aus.

»Bei Gott, das war's nicht!«

»Was könnte es anders gewesen sein?«

Sie suchte nach den rechten Worten.

»In meiner Jugend war ich sehr hitzig und auch jetzt noch geht nicht alles so still zu, wie sich das wohl eigentlich für mein Alter ziemen tät'. Dafür kann einer nichts, glaube ich. Ich war so voller Gift und Galle, dass ich meine Hände kaum stillhalten konnt'. Die wollten der lügnerischen Person an den Hals. – Und so hätt ich zu ihr reinkommen sollen? Das wurde mir klar, als ich vor ihrer Tür stand. Verstellen kann ich mich nicht; sie überhaupt würde gleich gewusst haben, dass etwas vorgekommen wär'. Und wenn sie mich angesehen und aufs Gewissen gefragt hätt, ja, Herr Rechtsanwalt, dann wär' bestimmt alles – aber auch alles – rausgesprudelt. Hinterher hätt ich mich prügeln können, so viel es mir passte. Was gesagt war, blieb! Und wenn ich's hundertmal widerrufen und bedauert hätt. Den

Schmerz wollte ich unserm Fräulein nicht antun. Darum bin ich eins – zwei – drei wieder die Treppe hinunter und habe mich unten auf der Straße erst mal richtig ausgeweint. Am nächsten Tage wusste ich, dass alles Lüge war von Anfang bis zu Ende. Aber wie das alles zusammenhängt, kann ich nicht wissen.«

Er sah starr geradeaus. Den Zusammenhang, den Pauline nicht zu finden vermochte, den fand er leicht. Er sah ein armes, schönes, schwer enttäuschtes Mädchen ohne Schutz und Rat. Die Folgen waren unschwer zu erraten und wer dürfte darum verurteilen?

»Hatten Sie sich denn in aller Form bei ihr angesagt, Pauline?«

»Ich habe sie gefragt, wann ich ihr passend käm.«

»Und die Antwort?«

Das alte Mädchen zögerte einen Augenblick verlegen!

»Geschrieben hat sie mir noch nicht, Herr Rechtsanwalt.«

»Hm?!«

»Der Brief kann ja verloren gegangen sein, Herr Rechtsanwalt.«

»Sie werden wohl gar noch einmal bei ihr anfragen?«, sagte er nach einer langen Pause.

»Nein, Herr Rechtsanwalt. Ich werd heute Nachmittag direkt zu ihr gehen. Herr Rechtsanwalt erlaubt's mir doch?«

»Dass Sie ausgehen? Aber gewiss, liebe Pauline. Sie sollen mich überhaupt nicht wegen dieser selbstverständlichen Dinge befragen.«

Jetzt lachte sie ein wenig. Dann hörte er die Tür gehen und war mit dem immer noch uneröffneten Briefe allein. Das lenkte ihn zunächst ab. Die fremde steife Schrift auf dem Umschlag war ihm unbekannt.

Der geöffnete Brief zeigte eine siebenzackige Krone über einem Adler, der ein Lamm in seinen Horst schleppte. Der Waldsruher Majoratsherr brachte darunter seine Wünsche zum Ausdruck.

Die Zeilen waren liebenswürdig abgefasst. Hinter dem Auftrage, der die Abänderung und teilweise Erweiterung der Familienstatuten erbat, zeigte sich die Verheißung zur Rechtvertretung bei einem Zivilprozess über ein erhebliches Objekt. Dass der darin Beklagte dem jungen Anwalt als ein minderwertiger Aufkäufer alter Waldbestände bekannt war, hätte ihm das in Aussicht Gestellte nur angenehm machen müssen. Trotzdem regte sich ein Gefühl des Widerwillens gegen den ihm bis heute unbekannt gebliebenen Auftraggeber.

In diesem Augenblick war er unfähig zu jeder klaren, nüchternen Erwägung. Erst ein wenig später glaubte er zu wissen, dass ein Mädchen mit der Vergangenheit Eva von Ostrieds unmöglich dem in jeder Beziehung verwöhnten Geschmack dieses adelsstolzen, schwerreichen Witwers genügen könne.

Vergangenheit! – Wie kam er dazu, dies zweideutige Wort mit ihr in Verbindung zu bringen? Dem elenden Klatsch eines natürlich sehr gegen seinen Willen entlassenen Mädchens auch nur den geringsten Glauben zu schenken?

Ihn verlangte nach einer Aussprache mit ihr. Es konnte sie unmöglich vorbereitungslos treffen! Seine Blicke würden ihr längst alles verraten haben.

Er legte Feder und Papier zurecht und schrieb.

Zuerst malte er ihr das Bild seiner Eltern. Dann ging er zu dem über, was ihm leicht von der Feder ging.

»Als ich Sie sah, wusste ich sofort, dass die Stunde meines Glückes da war. Ich zweifelte nicht. Das kam erst später. Sie fühlten alles. Ich merkte es und war sehr froh darüber. Schon als Sie mich das erste Mal verließen, lag mir jeder Zweifel fern. Ich war ruhig und dankbar, dass das Glück nicht an mir vorüberging. Unsere zweite Zwiesprache sprengte fast mein Herz vor Seligkeit. Sie hatten unter der Schar der harmlosen Worte jenes Briefes nach einem Laut gesucht, der Ihnen mehr verriet.

Darum durfte ich Ihnen auch schon jetzt meine Liebe zeigen. Sie widerstrebten nicht. Mein Herz lag in ihrer Hand.

Nun folgten wunderliche Tage. Zuerst Stunden, die ich um jeden Preis auskosten wollte, so schön und unvergleichlich waren sie. Bis eines Tages mein wildes Verlangen sie unerträglich schalt.

Damals habe ich Sie aus der Ferne mit einem andern gesehen. Ich bin auf ihn – sicherlich einen völlig harmlosen Bekannten – sinnlos eifersüchtig gewesen. Nicht wahr, er ist doch nichts anderes für Sie? Zuweilen sprach ich mit der alten Pauline über Sie. Oft nur Ihren Namen, das war mir genug. Ich vertraute mir nicht mehr. Und das ist sehr hart. Sie sollen alles wissen. Das habe ich mir gelobt. Wir dürfen hinfort kein Geheimnis zwischen uns dulden. Fühlen Sie das auch? Ich habe Sie vor mir verdächtigt und niedrig gestellt. Es war alles nur die sinnlos tobende Eifersucht. Ich habe Sie über alles lieb! Das Ganze bringe ich Ihnen! Nicht nur den Rest.

Vor Ihnen habe ich keine geliebt. Ich bin überzeugt, dass ich auf Sie warten musste. Darum fordere ich auch Ihre ganze Seele!

Sie sollen mich als Bruder, Freund und Vater empfinden, dem Sie alles sagen dürfen und auch sagen müssen, ehe ich Ihr Lebenskamerad und Geliebter werden darf.

Sie sind rein. Ich weiß es! Kein Fleck ist vorhanden. Keine Stelle, die sich verbergen müsse vor meiner Liebe. Wäre es anders, könnte ich nicht über alle Begriffe selig sein, wie ich es jetzt bin!

Ihr Walter Wullenweber.«

Ohne abzusetzen hatte er zu Ende geschrieben! Unter einem wundervollen Zwange, und wie das Gefühl eines starken, lebensspendenden Rausches blieb es ihm in der Seele zurück.

– Er lief in den Abend hinaus und sah nichts als unruhig segelnde Wolken.

Als er heimkam, war es schon dunkel. In der engen Wohnung erwarteten ihn Helle und Wärme. Die alte Pauline war zurück und hatte die Abendmahlzeit gerichtet.

Er nahm an, dass sie ihm, ohne seine Frage, berichten werde. Aber gegen ihre Gewohnheit verließ sie sogleich das Zimmer, in dem er zu speisen pflegte. Langsam schob er Bissen um Bissen in den Mund, und lauschte dabei nach der Küche hinüber.

Von der behaglichen Hängelampe herab schwang sich die dicke Schnur mit der elektrischen Klingel für die Bedienung. Bisher hatte Walter Wullenweber sie noch nicht benutzt. Er betrachtete die alte Pauline nicht als seine Untergebene, sondern als einen freundlichen Hausgeist, der aus eitel Lust an der Arbeit das Händestillhalten nicht erlernen konnte. Jetzt presste er den kleinen weißen Knopf in die Birne aus rotgetöntem Holz.

Sie erschien sofort ohne sich verwundert zu zeigen.

»Wollen Sie mir gar nichts von Ihrem Ausflug erzählen?«, fragte er obenhin.

Sie versuchte ihre Verlegenheit unter einem Kichern zu verstecken, das ihm weitab von aller echten Fröhlichkeit erschien. Denn ihr Gesicht, in dem bei einer wirklichen Freude alle Falten mitlachen mussten, blieb sorgenvoll.

»Ach«, machte sie, »das ist doch kein Ausflug gewesen, Herr Rechtsanwalt!«

»Wie haben Sie Fräulein von Ostried gefunden, Pauline?«

»Ich hab halt wieder Pech gehabt.«

»S–o, nahm Ihnen die Person von neulich zum zweiten Mal den Mut?«

Sie wurde ärgerlich.

»Sie sollen das doch nicht sagen, Herr Rechtsanwalt! Natürlich war ich oben. Und geklingelt hab ich auch. Mir hat aber keiner aufgemacht.«

»Die Herrschaft wird ausgeflogen gewesen sein. Der Tag war ganz dazu gemacht.«

»Nein, zu Haus waren sie ganz gewiss.«

»Ihr Fräulein würde doch die alte Pauline, deren Liebling sie immer noch ist, nicht so schlecht behandeln! Sie werden sich geirrt haben«, widersprach er.

»Ich konnte es auch lange nicht fassen. Aber es war doch wohl so. Ehe ich ihr ins Haus ging, habe ich mir nebenan die kleinen, netten Gärten auf dem Bauland besehen. Vor dem Fenster an der Ecke stand eine und guckte gerade auf mich runter. Ich kann beschwören, dass das unser Fräulein gewesen ist.«

»Sie haben sich eben versehen, beste Pauline. Ihre Augen haben sechzig Jahre gedient. Da müssen Sie nicht mehr zu viel von ihnen verlangen.«

»Sie war's bestimmt, Herr Rechtsanwalt. Ich hab raufgewinkt und sie hat in der ersten Überraschung auch die Hand gehoben. Aber bloß ganz matt. Nachher war sie gleich weg. Dann bin ich nach oben. Wohl zehnmal hab ich geklingelt. Gerade wollte ich wieder gehen, da schob eins so recht heimlich von innen die Platte vom Guckloch weg. Das Fräulein war's aber nicht. Vielleicht die andere.«

»Deren Aufenthalt bei Fräulein von Ostried die Person damals missbilligte?«

»So denke ich's mir!«

»Konnten Sie das Gesicht wahrnehmen?«

»Freilich! Ich hab doch scharf aufgepasst. Ganz elend und durchsichtig war's. Aber schlecht und verworfen – – Nee, Herr Rechtsanwalt. Solche sehen anders aus.«

»Und dann haben Sie sich also davongemacht?«

»Was sollte ich sonst tun? Zufällig fand ich einen Bleistift in meiner Tasche und den Fahrschein verwahre ich mir auch allemal, weil die Kinder darauf wild sind. Auf den hab ich geschrieben: ›Die alte Pauline war hier!‹ und das in den Briefkasten geschoben.«

»Warum setzen Sie sich nicht«, fragte er plötzlich. »Ich muss noch mancherlei mit Ihnen besprechen. Wenn ich mich recht erinnere, erzählten Sie mir von Fräulein von Ostrieds reichem Muttererbe. Oder, sollte ich mich verhört haben?«

Sie erzählte es noch einmal kurz.

»Sie zeigte Ihnen also, um Sie über ihre Zukunft zu beruhigen, ihren ganzen Reichtum?«

»Ja, so war's!«

»Und die alte sparsame Pauline ist seitdem der Überzeugung, dass es sich um Fünfzigtausend oder gar noch mehr handelte?«

»Ganz so dumm bin ich doch nicht. Mit Geld weiß ich gut Bescheid. Ehe das Fräulein zu uns gekommen ist, hab ich alles auf die Bank tragen und wieder runterholen müssen, sooft unsere Frau Präsident nicht mit ihrem Herzen in Ordnung war.«

»Ich will Ihnen genau sagen, wie viel es gewesen ist. Eintausend Mark und kein Pfennig mehr!«

»Nein, nein. Es ist ein ganzes Pack Tausender gewesen.«

»Wenn Sie das eidlich erhärten sollten, gute Pauline.«

»Schwören, meinen Sie doch damit, Herr Rechtsanwalt? Da würd ich mich keinen Augenblick besinnen. Wie viel Stück es gewesen sind, das kann ich aufs Haar nicht wissen. Zehn oder noch ein paar mehr waren es aber auf Ehre und Gewissen. Zehn zum Mindesten!«

»Ich will noch etwas arbeiten, Pauline«, sagte er da ohne weiteren Widerspruch.

Mit ein paar eiligen Schritten war sie neben ihm: »Was Schlechtes dürfen Sie aber nicht von ihr denken, Herr Rechtsanwalt. Sie ist rein wie ein Engel.«

Schwerfällig nahm er in einem entlegenen Winkel seines Arbeitszimmers Platz. Möglichst von der Lampe entfernt, deren greller Schein ihm wehtat. Zum zweiten Male an diesem Tage bereitete er sich zum Schreiben an sie vor. Ach ja, wo war denn der erste Brief geblieben? Genau an dieser Stelle hatte er sich befunden, als er fortgegangen war. Er sprang zu der alten Pauline hinaus.

»Wo haben Sie den Brief von meinem Schreibtische, Pauline?«

»Sie meinen doch den an unser Fräulein?«

»Ja, wo ist er?«

»Im Briefkasten, Herr Rechtsanwalt. Das war meine erste Arbeit, als ich wieder zu Haus war!«

16.

Hinter Eva von Ostried lag ein Tag und eine Nacht voller Kampf und Entsagen! Die scharfen Augen der alten Pauline hatten sich nicht getäuscht. Es war wirklich ihre Hand gewesen, die sich, wiederwinkend, hinter dem Fenster erhob. In jenem Augenblick war ihr das Leben wie ein mächtiger Strom, der sie reißend schnell zum Glück führen wollte, erschienen. Sie empfand nicht länger in der Nahenden die unerträgliche Mahnerin an einen begangenen Treubruch ...

Ihre Hand, die nur matt den Gruß erwiderte, war auch nicht schwach geworden, weil sie sich fürchtete. Das kam erst später. Sie war selbst zur Tür geflogen, um der Kommenden zu öffnen. Sehnsüchtig wartete sie ihres ersten, auf der Treppe hörbaren Schrittes. Als er dann endlich vernehmbar wurde, vollzog sich mit einem Schlag der Wechsel von höchster Seligkeit zum tiefsten Entsetzen.

Erst jetzt kam die eigentliche Strafe für ihre Schuld. Alles bisher Durchlittene war nichts gegen dieses. Erinnern und Reue und Bußbereitschaft.

Ihr Kampf währte so lange, bis die Schritte Rast machten. Da war er wider sie entschieden. Sie schleppte sich ins Zimmer zurück. Nur so viel Kraft hatte sie noch gefunden, um der Hausgenossin, die sich schon beim ersten Klingelzeichen zur Tür begeben hatte, das Öffnen zu verwehren.

Stundenlang lag sie danach blass und starr auf dem Ruhebett.

Dann kam Walter Wullenwebers Brief.

Sie presste den Brief an die schmerzende Brust, als sei sie gewiss, damit lasse sich das Stechen und Bohren lindern. Und plötzlich pressten sich ihre Lippen auf die Buchstaben.

Das Heimweh war wieder da. Das brennende, wilde Heimweh! Was sollte nun werden? Eva von Ostried wusste, als sie den Brief gelesen, dass sie täglich und stündlich auf ihn gewartet hatte! Ungezählte Mal wiederholte sie sich die Worte seiner Liebe. Und dennoch haftete keines in ihr, außer den wenigen: »Sie sind rein. Ich weiß es!«

Was sie in München nach Ralf Kurtzigs unerwarteter Werbung zum ersten Mal empfunden hatte, dass sie dem Mann ihrer Liebe jenes furchtbare Geheimnis enthüllen müsse, ehe sie die Seine werden könne, wurzelte bereits fest in ihr. Walter Wullenweber sollte wissen und richten! In seine Hände wollte sie die Entscheidung über ihr Schicksal legen.

Und dann erschien es ihr doch unerhört grausam. Sie suchte unentwegt nach einem barmherzigen Ausweg.

Er würde sie verachten! – Vielleicht war seine Liebe aber so heiß, dass er sie dennoch zu seinem Weibe machte?

Ja, und deshalb sollte er dies wissen!

Aber als sie die Feder eintauchte, beschloss sie, es ihm zu verschweigen. Denn nun war ihr unbändig heißer Stolz erwacht. Eine glaubhafte Erklärung, woher die Mittel zu ihrem Studium stammten, würde sich finden lassen. Was wusste ein lediger Mann von den Kosten einer Haushaltungsführung aus dem nichts – von der Notwendigkeit aller sonstigen Anschaffungen. Schlimmstenfalls konnte sie ihm von jetzigen großen Einnahmen durch Schüler und Konzerte sprechen und das Überwinden des ersten Jahres nach dem Tode der Präsidentin durch die vorhandene kleine Erbschaft und reiche Selbstersparnisse erklären. Sein Vertrauen war groß genug, um ihr alles zu glauben. Es erschien ihr unerschöpflich wie ein Brunnen über der springenden Erdquelle.

Das ging aus seinem Briefe hervor.

Es handelte es sich ja auch um sein Glück! Nicht lediglich um das ihre! Wem schadete sie, wenn das Geheimnis ihrer Schuld gewahrt bliebe?

Wieder las sie seine Zeilen.

Dann verriegelte sie ihre Tür.

Gegen Abend tastete sie sich endlich empor und antwortete ihm. Sie hätte nicht zu sagen vermocht, woher ihr die Kraft dazu gekommen war:

»Vom ersten Augenblick unseres Kennenlernens an habe ich Sie als einen grundguten Menschen empfunden. Viele solcher waren mir bis dahin nicht begegnet. Darum zeigte ich mich auch anders, wie sonst.

Ich danke Ihnen für alles, was Sie mir in Ihrem Brief gesagt haben. Es soll mir ein Ansporn zum Reifer- und Besserwerden sein. Erwidern kann ich Ihre Liebe nicht. Ich habe mir die Kunst erwählt. Ihr muss ich treu bleiben. Das begreifen Sie wohl. In dieser Stunde nehme ich Abschied für immer von Ihnen und fühle für Sie wie für einen lieben, großen, treuen Bruder, den ich innig bitte, uns beiden jedes Wiedersehen zu ersparen.

Es brächte mir nur Qualen und keine Sinnesänderung.

Aber wissen sollen Sie, dass mein Herz keinem andern gehört noch jemals gehören wird ...«

In der Karlsen'schen Villa waren die Rollläden herabgelassen.

Die junge Herrin des Hauses verließ seit Wochen das Zimmer nicht mehr. Zuerst war es eine harmlose Erkältung gewesen, hervorgerufen durch eine Fahrt im offenen Wagen bei empfindlichem Ostwind. Paul Karlsen hatte damals im »Deutschen Opernhaus« als Stolzing auf Engagement gesungen und, fiebernd vor Stolz und Rausch, erklärt, dass er im geschlossenen Gefährt ersticken müsse. Da waren sie selbstverständlich ohne das schützende Verdeck mit dem feurigen Braunen der Kommerzienrätin durch die Nacht gejagt, um irgendwo mit ein paar auserwählten Kollegen den ungeheuren Erfolg des Abends bei eiskaltem Sekt zu feiern.

Frau Elfriede war selig gewesen, weil er sie dazu mitnahm. Unter dem Vorwande, dadurch schneller nach der Vorstellung heimzukommen, hatte sie das Gefährt von ihrer Mutter, die es sonst dem Schwiegersohn nicht gewährte, erbeten, nachdem diese umsonst die zarte Tochter von einem Theaterbesuche bei dem rauen Wetter abzuhalten versucht hatte.

In ihrem lichtblauen Seidenkleide mit den wundervollen echten Spitzen – das Rot des Fiebers und der Erregung auf dem schmalen Gesicht – hatte die junge Frau fast hübsch ausgesehen. Dankbar umfasste sie ihres Mannes Rechte, weil er sie nicht zuvor heimgeschickt, um dann allein zur Nachfeier fortzustürmen.

Freilich glaubte sie genau zu wissen, dass er das bisher einzig aus Sorge für ihre Gesundheit so getan. Aber eben deswegen jauchzte sie inwendig, dass sie *einmal* von ihm als Gesunde betrachtet wurde.

Wie hätte sie darum auch nur das leiseste Wort einwenden dürfen, als er den Kutscher zu immer größerer Eile anfeuerte? Der Wind schnitt wie mit scharfen Messern in ihre empfindliche Haut. Ihre Brust begann zu schmerzen, weil sie krampfhaft den Atem einhielt. Sie brauchte aber nur ihres jungen, sieghaften Stolzings zu gedenken, dessen Stimme besonders im Preislied von berückendem Glanz gewesen. So war sie zugleich Weib und Kind! Wunschlos glücklich und daneben neugierig auf den Blick in das bunte Leben.

Nun war es ihr nicht viel anders wie den kleinen Spätmalven ergangen! Sie büßte schwer. Aus der Erkältung war ein Husten geworden, der sich sehr böse und hartnäckig gestaltete, weil ihn die Leidende zu lange verheimlichte. Die schmerzhafte Brust- und Rippenfellentzündung, die sich hinzugesellte, war zwar auch wieder überwunden. Eine kleine Schwäche blieb indes zurück. Das Herz war angegriffen! Nur das Herz. –

Frau Eßling besuchte die Tochter täglich. Aber sie vermied es, mit dem Schwiegersohn zusammenzutreffen. Das ließ sich, ohne damit zu verletzen, sehr gut einrichten. Seitdem Paul Karlsen den fünfjährigen Vertrag, der ihn an das »Deutsche Opernhaus« band, unterzeichnet hatte, war er noch weniger wie früher in seinem Heim anzutreffen.

Heimlich vor der Tochter hatte sich die Kommerzienrätin erkundigt, ob ihn die Proben zur Zeit so voll, wie er behauptete, in Anspruch nahmen. Und die gewonnene Auskunft musste es bestätigt haben, denn sie widersprach Frau Elfriede nicht mehr, wenn die über die Grausamkeit der Spielleitung zu klagen begann.

Im Übrigen betrachtete sie diese Erkrankung, die ja, gottlob, bald zur Genesung werden sollte, als ihr Geschenk, das sie dankbar genoss. Ihre Befürchtungen waren auch geringer geworden, seitdem sich die Tochter endlich bereit gefunden, während einiger Wintermonate mit ihr nach St. Blasien zu gehen. Der wöchentlich einmal zu dem Hausarzt hinzugezogene Professor erklärte sich mit dem Verlauf durchaus zufrieden und die junge Frau selbst fühlte, außer der Mattigkeit, keinerlei Beschwerden.

Heute hatte sie sogar heimlich das Bett verlassen, um mit dem Gatten das Mittagsmahl in dem feierlichen Speisezimmer einzunehmen. Sie brach aber unter den geschickten Händen der Jungfer, die sie für die Ausführung ihres Planes gewonnen, zusammen.

Nun ruhte sie längst wieder in den kostbaren Kissen und lauschte auf den Tritt ihres Mannes, der sogleich hörbar werden musste. Denn Paul Karlsen wollte ihr den Rest dieses Tages zum Geschenk darbringen. Die Proben fielen aus, ein paar von der Kollegenschaft sehnlichst begehrte Aussprachen hatte er, nach seinem Bericht, abgesagt. Deshalb blieb auch die Kommerzienrätin heute fern. Nur der übliche Morgengruß, ein Strauß frischgeschnittener Herbstblumen aus dem Heimatsgarten standen auf der Glaseinlage des Nachttisches.

Vor dem Ruhelager stand ein zierlicher, mit bunten Weinranken und flammendem Mohn geschmückter Tisch mit zwei Gedecken. Die drei von schweren weißen Perlen gehaltenen rosa Schalen brannten und erfüllten alle Gegenstände mit warmem, erwartungsvollem Leuchten.

Sie wusste, wie sehr ihres Mannes Stimmung von äußeren Dingen abhängig war. Hatte unzählige Mal erlebt, dass ihn ein trüber Tag – ein klagendes Wort, – ja, selbst eine unfrisch gewordene Blume in den Vasen reizen und niederdrücken konnte. Darum sollte ihm alles entgegenstrahlen wie zu einem Feste.

Selbst der graue Tag hatte sich gegen Mittag aufgehellt. Ein frischer Wind fegte die letzten Wolken zusammen und warf sie in das nichts. Die Rollläden wurden jetzt emporgezogen. Der buntfarbige Schein des wilden Weins vermählte sich mit den rosa Schleiern zu einer verschwimmenden Farbe von unbeschreiblichem Reiz.

Die junge Frau dachte daran, dass sie in diesem Herbst eigentlich mit dem Gatten in das kleine Landhaus am Scharmützelsee hatte flüchten wollen, um wie eine richtige Hausfrau selbst die Mahlzeiten zu bereiten, während er auf der dazu gekauften ergiebigen Jagd das Wildbret für den nächsten Tag erlegte! Dies kleine Märchen, mit dem sie ihm, sehr gegen den Willen der Mutter, einen lang gehegten Wunsch erfüllte, war für sie zu einer Quelle beständiger Sehnsucht geworden.

Denn Paul Karlsen verbrachte seither die wenigen Mondscheinnächte, die ihm keine Berufspflichten auferlegten, im Anstand auf der Wildkanzel, und sie durfte ihm lediglich mit jedem ihrer Gedanken auf diesen Streifzügen begleiten.

Gerade wollte sich ein tiefer, schmerzlicher Seufzer gegen die Härte des Geschicks auflehnen, als ein leichter, federnder Schritt vor ihrer Tür erklang.

Im Augenblick veränderte sich ihr Gesicht. Von innen heraus kam das Strahlen, übergoss nun auch sie mit dem Schimmer rosigen Lebens

– tuschte ein liebliches Rot auf ihre Wangen und setzte glänzende Lichter in ihre Augen, die ihm entgegen lachten.

»Wie schön, dass du endlich da bist, Paulchen.«

Er küsste ritterlich ihre Hand und warf sich, ehe er ihr gegenüber Platz nahm, mit einem kleinen fröhlichen Jauchzer, der sie unbeschreiblich glücklich machte, auf das kostbare Fell des Eisbären, welches ein zweites breites Ruhebett deckte.

»Du bist eine ganz raffinierte Person, Elfchen! Direkt gefährlich hast du's gemacht!«

»Gefällt es dir wirklich, Paulchen?«

»Es ist – nee – stimmungsvoll wäre nicht das richtige Wort! Warte mal –«, und er dachte scheinbar darüber nach, während er in Wahrheit überlegte, wie er ihr nachher glaubhaft machen könne, dass er nun doch nicht den ganzen Nachmittag und Abend an ihrem Lager verbringen werde.

Die feine, gepflegte Hand sank herab.

»So – jetzt hab ich's! Raffiniert drückt es auch nicht voll aus. Sagen wir mal – verliebt –«

»Das bin ich aber gar nicht in dich.«

»Erlaube mal! Mein gutes Recht habe ich mir noch nie kürzen lassen.«

»Ich habe dich lieb«, sagte sie mit rührender Schlichtheit.

Er hatte genau gewusst, dass sie dies erwidern würde, wie sie ihm überhaupt keinerlei Überraschungen zu bereiten vermochte. Auch diesen wirklich netten Ausputz hatte er ganz bestimmt erwartet. Es rührte ihn gewiss, aber langweilig blieb die ewig gleiche, dienende Unterwürfigkeit und Anbetung dabei doch.

»Du bist ein gutes, liebes Tierchen«, lobte er freundlich, »erwähle dir eine Extrabelohnung.«

»Darf ich sehr unbescheiden sein, Paulchen?«

»Wollen mal sehen«, machte er lässig.

»Dann lies mir, nachdem wir gegessen und du dich gründlich geruht hast, etwas vor. Besondere Wünsche wage ich nicht. Deine Stimme erfüllt ja alles, auch das, was mich früher nicht fesseln konnte, mit unvergleichlichem Glanz.«

Es schmeichelte seiner Eitelkeit. Aber – ihr vorlesen – grässlich langweilig! Neue Hinweise fand die gute, kleine Frau doch nicht heraus. Lernen konnte er also dabei nichts. Im Voraus fühlte er ihre grenzenlose Bewunderung – sah förmlich, wie sie, überwältigt von seiner Begabung, in Tränen ausbrach und schließlich ihre Arme um seinen Hals schmiegen wollte.

Da war die kleine Teufelin, das Evachen, eine andere Zuhörerin. Die junge Dresdener Künstlerin hatte neben ihm in den Meistersingern gewirkt. Nun weilte sie zwar längst wieder an ihrem Hoftheaterchen und zeigte vorläufig nicht die geringste Lust, dies gegen ein anderes, und sei es selbst dasjenige, an dem er glänzte, einzutauschen. Heute war sie auf der Durchreise in Berlin und, wie ihm ihr Telegramm mitteilte, gern bereit, ihm im Esplanade ein langbemessenes Plauderweilchen zu gewähren.

»Schön«, sagte er endlich gönnerhaft, als sei er nun mit dem Nachdenken fertig, »was nehmen wir also? Goethe, ja? Ein bisschen sollst du noch vor Tisch naschen!«

Sie nickte mit leuchtenden Augen – und wartete.

Er dachte einen Augenblick daran, ihr einfach von einer dringenden beruflichen Zusammenkunft zu erzählen, die ihm morgen sehr viel Zeit fortnehmen würde. Dann aber schob er diesen Gedanken vorläufig zurück. Vorsichtig begann er das herbeigeholte Buch aufzuschlagen und fuhr mit den Fingern über die einzelnen Gedichte, als liebkose er sie.

»Hören wir mal die Epigramme, die der Meister in Venedig schuf.« Und er begann träumerisch und weich das Dritte:

> Immer hat mich die Liebste begierig im Arme geschlossen,
> Immer drängt sich mein Herz fest an den Busen ihr an.
> Immer lehnt ihr Haupt an meinen Knien. Ich blicke
> Nach dem lieblichen Mund, ihr nach den Augen hinauf.

Sie war wie berauscht. Die Freude, weil dieser Begnadete ihr gehörte, beschleunigten ihren flatternden Herzschlag noch mehr. Dies zarte Geständnis – auch seiner Liebe – entschädigte sie für vieles, um das sie zuweilen andere junge Frauen glühend beneidete. War ihr Glück dafür nicht auch tausendmal vielfältiger und reicher?

Als er jetzt verstummte, wollte sie so fröhlich lachen, wie er es gern hatte, einen Scherz versuchen, damit die von ihm bespöttelte Weichheit fernblieb.

Und sie konnte doch nur haltlos und überglücklich weinen! Es half nichts, dass sie sich sofort seine lebhafte Abneigung gegen alle Tränen, die nicht auf der Bühne vergossen wurden, klarmachte. Unaufhaltsam strömten die Tropfen über ihr Gesicht und löschten alle trügerische Frische fort.

Wie durch einen Schleier gewahrte sie, dass er seinen Mund missbilligend verzog. Todesangst ergriff sie, der schöne sehnsüchtig erwartete Tag möchte ihm zu einer großen Enttäuschung werden!

»Ich bin zu glücklich«, entschuldigte sie sich leise.

Er war aufgestanden und zu ihr getreten.

»Matt bist du, mein Kleines und ich, alter Tölpel, gebe mich zu dieser unprogrammäßigen Aufregung auch noch her.«

»Du willst doch nicht sagen –« Ihre Stimme zitterte ängstlich.

»Dass ich unmöglich den langen geschlagenen Nachmittag oder gar noch den Abend deine angegriffenen Nerven quälen darf, so schwer mir ein freiwilliger Verzicht auf diese famosen Stunden auch wird.«

»Paulchen, ich flehe dich an! Glaube mir doch, es ist nichts, als die große, große Freude, dich heute bei mir haben zu dürfen.«

»Der Meergreis von Hausarzt, der dich kennt, solange du überhaupt da bist, hat mir strengste Ruhe und Schonung für dich zur heiligsten Pflicht gemacht.«

»Aber ich ruhe mich ja gerade bei der Musik deiner Stimme aus! Höre nur, wie wundervoll artig mein Herz geht.«

Lachend schüttelte er den Kopf. »Davon verstehe ich nichts, Elfchen! Ich weiß jetzt lediglich, dass es dein Wohl gilt. Höchstens zwei Stunden insgesamt bleibe ich bei dir. Dann entschwinde ich. Du schläfst fein ein und träumst von mir, wenn nicht besser von unserm Altmeister Goethe.«

»Das besorge ich an sämtlichen andern Tagen schon, Paulchen«, beharrte sie in fieberhafter Unruhe. »Dies heute ist mein Festtag, den ich nicht hergebe.«

»Sei nicht kindisch, dumme, kleine Frau.«

Sie richtete sich auf und blickte ihn fast streng an.

»Ich werde sofort aufstehen und mich ankleiden lassen. Jawohl, das mache ich! Ganz bestimmt, wenn du grausam bleibst.« Er lenkte ein.

»Gut, dann will ich auch noch den Nachmittagstee bei dir nehmen. Aber – Hand her. Kein Wort hinterher zu deiner Mama oder zu dem Meergreise! Auch der häusliche Detektiv muss ahnungslos bleiben.

Für ihn verschwinde ich gleich nach dem Mittag, das hoffentlich nicht mehr allzu lange auf sich warten lässt. Denn, verzeih, Kleines, aber ich habe einen Bärenhunger.«

Er sprach den Speisen mit dem Appetit eines beneidenswerten Gesunden zu, der eine beträchtliche Menge braucht, um sich den Überschuss seiner Kraft zu erhalten. Seiner Stimme zuliebe war er ein sehr mäßiger Trinker. Und dies blieb das einzige Opfer, das er brachte. Denn er liebte einen guten Tropfen bei lustiger Gesellschaft und brauchte ihn eigentlich zur Anreizung noch mehr, wenn sie fehlte. Darum hatte er bei jeder der Hauptmahlzeiten einen Kampf mit sich zu bestehen, der schließlich eine erhöhte Reizbarkeit auslöste.

Heute beschloss er eine Ausnahme zu machen.

Er hob den Sekt aus dem Kühler und war im Begriff den Kelch seiner Frau zu füllen, als er, noch ehe er begonnen, die Flasche wieder steil emporhielt.

»Die Zufuhr von jeglicher Flüssigkeit muss bei dir – nach den Herrn Ärzten – möglichst beschränkt werden. Das Herzchen darf sich nicht überarbeiten.«

Sie zog ein Schmollmäulchen.

»Nur ein einziges Glas, Paulchen. Wir haben uns ja ohnehin schon gegen Mama, den Arzt und den Alten verschworen.«

»Nun, dann will ich ausnahmsweise großmütig sein. Schaden kann es eigentlich kaum. Trinke einen tüchtigen Schluck und dann berichte wahrheitsgemäß von seiner Wirkung.«

Weil sie fühlte, wie sehr sie einer Stärkung bedurfte, leerte sie den Kelch hastig. Er drohte ihr scherzhaft.

»Leichtsinn du! So war's nicht gemeint.«

Bittend schob sie ihm das schlanke Glas herüber. »Noch einmal, ja?«

»Auf gar keinen Fall, Frau Elfriede.«

»Ich sollte doch Bericht geben. Wie aber vermag ich das. Kaum ein Fingerhut voll war es.«

Er tat ihr mit einem nachsichtigen Lächeln den Willen.

Sie stießen miteinander an. Ihre Lippen röteten sich.

»Jetzt musst du auch tüchtig essen«, forderte er und häufte ihr den Teller. Das hatte er noch nie getan. Es erfüllte sie mit heißer Dankbarkeit. Gehorsam begann sie. Aber es ging nicht.

»Ich bin immer noch zu durstig«, gestand sie mit einem verlegnen Seufzen. »Gib mir noch etwas. Merkst du nicht, wie es mich erfrischt?«

»Habe ich mich denn verhört, dass dir die vereinigte Macht der Ärzte alle Flüssigkeitsaufnahme streng beschränkte«, fragte er gedankenlos und vergaß, dass er es bereits vorher, als feststehend, erwähnt hatte. »Gewiss, ich irre mich. Denn du bist doch sonst verständig und folgsam wie eine kleine Musterschülerin.«

»Das hast du entschieden geträumt, Paulchen. Vor ein paar Wochen, ja, da hat die ärztliche Obrigkeit etwas Ähnliches gesagt. Das Verbot hat längst ausgewirkt. Heute ist es also mein gutes Recht.« Warm und wohlig durchrieselte sie das edle, berauschende Getränk. Auch er begann sich behaglich zu fühlen. Im Allgemeinen war's doch recht hübsch, dass er es so weit gebracht hatte. Einige Unbequemlichkeiten gab es freilich zu überwinden. Die scharf äugende Schwiegermama – der Detektiv von Diener und zuweilen sogar die kleine, verliebte Frau. Denn sie war rechtschaffen wie ein Backfisch in ihn verliebt, trotz ihres großartigen Protestes. Zu einem richtig flammenden machtvollen Gefühl reichte ihr bisschen Kraft nicht aus.

Sie merkte, dass er fröhlich wurde. Das spannte ihre Kräfte an und ließ sie nichts denken, als dass er voll glücklich sein möge. Die leise, geschickte Jungfer bediente heute bei Tisch. Dass der Alte bei den sterbenden Malven stand und scharf ins Zimmer hereinspähte, konnten sie nicht ahnen, denn sie waren beide mit sich und den prickelnden Tropfen zu sehr beschäftigt.

Paul Karlsen blieb auch bei ihr, als das kleine Mahl beendet war.

»Jetzt musst du deine Havanna rauchen«, drängte sie liebevoll.

»In deinem Krankenzimmer? Nee, mein Schatz so ungeniert betrage ich mich denn doch nicht –«

Sie hatte aber schon ein verborgen gehaltenes Schächtelchen mit Zigarren hervorgeholt.

»Heute kommandiere ich, mein Lieb.« Lachend ließ er sich die schwere Havanna von ihr entzünden.

»Wenn uns jetzt deine Vorgesetzten sehen, Kleines.«

»Ich erkenne nur dich an und sonst niemand.«

»Na, na«, machte er mit erhobenem Finger.

»Soll ich dir eine Probe von meiner Unfolgsamkeit gegen sie alle ablegen?«

»Das wirst du gefälligst unterlassen. Es wäre wahnsinnig, wenn du in deiner Lage eine Unvorsichtigkeit begingest.«

Ein schmerzhafter Stich durchzuckte ihr Herz. In deiner Lage? Oh, wie sie die beständigen Hinweise auf ihre Schonungsbedürftigkeit hasste.

Freilich hatten sie nicht immer den gleichen Klang! Die Mutter wählte zarte Umschreibungen dafür. Der alte Hausarzt bezeichnete es einfach mit den verschiedenen sanften, warnenden oder empörten O-o! Der alte treue Diener wagte zuweilen ein leises, flehendes aber. Sie meinten in allen Fällen das Gleiche.

»Nämlich, nimm dich in Acht. Sonst –«

Sie dachte plötzlich mit der Empfindung aufrichtigen Mitleids an alle, die einen frühen Tod erleiden mussten. Auch an die Schwestern, die sie noch lebhaft in der Erinnerung als stille, bleiche, ungeliebte Wesen hatte.

Sie aber wurde geliebt wie kaum eine zweite Frau, war glücklich und dachte noch lange nicht an das Sterben! Dies bisschen Unpässlichkeit. Nun, was hatte dies zu sagen? War nicht diese oder jene aus ihrer Bekanntschaft ebenfalls eine Zeit lang bleichsüchtig und matt gewesen?

Sie wollte gesund und stark werden. Für sich und den Liebsten und all das, was vielleicht die Zukunft noch für sie bereithalten würde. Und beweisen wollte sie ihm ebenfalls, wie unnötig und übertrieben die ewige Bevormundung sei!

Sie rang sich auf und lief zu ihm! Er lag auf dem kostbaren Eisbärenfell und paffte runde, kunstgerechte Ringel in das Rosa der Luft.

Es stieg ihr wie Lachen auf, aber sie musste husten, als solle sie ersticken.

»Leichtsinn«, schalt er. Aber auch er lachte dabei.

Sie begann, durch den ungewohnten Genuss des Sektes angeregt, durch den eigenen Willen hochgehalten, zu tollen und wieder zu lachen, zerrte eins der seidenen Kissen unter seinem Kopf hervor, warf es gegen sein Gesicht und stand einen Augenblick mit wogender Brust – atemlos von der ungewohnten Anstrengung mit einem Gefühl heftigen Schwindels.

Als es überwunden war, ohne dass er etwas davon gemerkt hatte, erhöhte sich ihre Ausgelassenheit noch. Ein Rausch glühte in ihr. Dann wurde sie mit einem Schlage ganz matt. Er fühlte ihren leichten

Körper schwer und immer schwerer in seinen Armen und trug sie auf ihr Lager zurück. Dort lag sie regungslos unter dem Gerissel der feinen Spitzen.

»Jetzt sagst du lange Zeit kein einziges Wort«, befahl er. »Ich werde nicht weiter ruhen, sondern wieder lesen. Also, weiter im Text mit unserm Goethe.«

Sie strengte sich umsonst an, ihm zu folgen. In bleischwerer Müdigkeit sanken ihre Lider zu. Es war sehr still. Denn auch Karlsens weiche, schmeichelnde Stimme klang wie ein Streicheln, das alles noch sanfter machte. Er sah nach einer Weile zu ihr hin und entdeckte, dass sie eingeschlafen war.

Sobald er verstummte, öffnete sie die Augen und starrte ihn mit seltsam leeren Blicken an. Es war ihm auch, als röchele sie leise. Er ging nicht zu ihr, um sie zu befragen, ob sie Schmerzen habe, aber er begann wieder zu lesen, bis er endlich, heftig und missmutig, das Buch zuklappte und sich erhob. Da öffneten sich ihre Lider von Neuem. Diesmal streckten sich in zitternder Bewegung die Arme nach ihm aus.

»Paulchen.« In traumverlorener Bitte klang sein Name. Da ging er großmütig an ihr Lager und küsste sie.

»Schlaf weiter, kleine, müde Frau!«

Ihre Lippen waren so kühl, dass er zusammenfuhr. Ihr Gesicht ähnelte, nun die Röte der Erregung daraus geschwunden, einer geblichenen Maske. Wie sein Mund den ihren berührte, lächelte sie dankbar.

Unter dem feinen Batist der losen Jacke sah er das stoßweise Zucken des matten Herzens – merkte, wie ihre blassen Lippen nach einem tiefen, erlösenden Atemzug dursteten. Mit kaltem Schrecken durchrieselte ihn der Gedanke, dass plötzlich eine Verschlechterung eingetreten sein könne, die ihn ans Haus fesseln musste. Ihn zog es unwiderstehlich fort – ins Esplanade.

Er wollte der Jungfer von seiner Befürchtung Mitteilung machen, ehe er verschwand. Sah dann aber ein, dass er ihr lediglich von seinem Ausgange sagen könne, damit sie sich zu der Kranken begebe. Sein mehrmaliges Läuten nach ihr blieb indessen wirkungslos. Nur der alte Diener erschien. Ohne stehen zu bleiben, rief er ihm, nur den Kopf zurückwendend, zu:

»Die gnädige Frau hat mit bestem Appetit gegessen und jetzt schläft sie herrlich. Ich fahre nach dem Scharmützelsee hinaus, um auf den Rehbock zu gehen. Melden Sie das der Frau Kommerzienrat.«

Eine Antwort erhielt er nicht. Ungeduldig stürmte er durch den Vorgarten, ohne zu sehen, dass sich über das alte Gesicht im Vestibül eine heimliche Träne stahl!

17.

Auf dem gärtnerischen Hätschelkinde des neueren Charlottenburgs, dem Savigniplatze, rief ein alter Invalide eine Neuigkeit aus dem Morgenblatte aus. Eva von Ostried wartete hier seit geraumer Weile auf ihre Bahn; als die heisere Stimme an ihr Ohr schlug, streckte sie mechanisch die Hand aus und kaufte ein Blatt.

Zuerst überflog sie die fettgedruckte Überschrift ohne sonderliches Interesse. Dann aber las sie mit scharfer Spannung und konnte nicht gleich voll begreifen:

»Kurz vor Redaktionsschluss ging uns die folgende Nachricht zu, die eine angesehene und sehr wohltätige Dame der Berliner Gesellschaft in tiefe Trauer versetzt. Als sich gegen acht Uhr abends in einem zuvor für diesen Zweck bestellten Zimmer im Hotel Esplanade die uns von der letzten Aufführung der ›Meistersinger‹ her als vollendetes ›Evachen‹ bekannte Dresdener Kammersängerin J. P. mit dem neuen Heldentenor des Charlottenburger Deutschen Opernhauses, Herrn P. K., zu einem Imbiss niedergelassen hatten, erzwang sich eine auffallend gekleidete Person den Eingang in diesen Raum und schoss den vielversprechenden Künstler nieder. An einem zweiten Schusse, den sie im Begriff stand, auf seine Begleiterin abzugeben, konnte sie glücklicherweise gehindert werden. Der sofort herbeigerufene Arzt vermochte leider nur noch den Tod des hochbegabten Sängers festzustellen. Aus eigner Überzeugung wissen wir, dass dem heimgegangenen Künstler eine glänzende Laufbahn sicher war, die das grauenhafte Verbrechen jäh zerstörte. Die Personalien der Mörderin waren bis zu dieser Stunde noch nicht festzustellen, weil sie hartnäckig jede Auskunft über ihre Person verweigerte. Der Direktor des Hotels glaubt in ihr eine frühere Chansonette zu erkennen. Ob dies richtig ist, bleibt abzuwarten. Dagegen erfahren wir zuverlässig, dass am Nachmittag desselben Tages, also noch bevor das Schreckliche geschah, die junge, seit langer Zeit schwer leidende Gattin des Künstlers in ihrem schönem Heim im Grunewald einem Herzschlag erlag. Ihr plötzlicher Tod steht in keinerlei Zusammenhang mit dem Vorfall. Sie war die einzige noch lebende Tochter der eingangs erwähnten Frau Kommerzienrätin E., die mit ihr nun auch das letzte Kind verliert, nachdem vor Jahren ihre beiden älteren Töchter von einer heimtückischen Krankheit dahingerafft wurden ...«

Eva von Ostried setzte sich auf eine der Bänke, vor denen eine Schar Kinder spielten. Sie war bestürzt, denn Karlchen war das Opfer seiner Schuld, und wieder flammte es in riesenhafter Schrift vor ihr auf: »Der Übel größtes ...« Und diesmal vervollständigte sie ruhig und fest: »... aber ist die Schuld«. Seitdem sie ihr Lebensglück opfern musste, fand sie keine Strafe dafür zu groß. Es verging kein Tag, an dem nicht der heiße, zwingende Wunsch zur Sühne in ihrer Seele flammte.

Als Eva von Ostried nach Hause kam, fand sie die Hausgenossin scheinbar unverändert am Herde walten. Das gewährte ihr eine vorübergehende Erleichterung. So legte sie die Arme um die schmalen Schultern und führte Gretchen Müller sanft in das kleine Zimmer, in das die liebe Sonne und das bunte Herbstlaub der alten Parkbäume hineinschienen.

»Ich habe Ihnen das Versprechen gegeben, Sie niemals, wie die andern, durch eine Frage zu quälen, Fräulein Gretchen«, begann sie unsicher. »Denn es muss alles seine Zeit haben, um heilen zu können, Gretchen. Und wir haben es deshalb noch nie in Worte gefasst – – ich weiß aber, wie nahe Ihnen Paul Karlsen einst gestanden hat ...«

»Ich habe ihn sehr lieb gehabt. – – Das ist lange, lange her ...«

»Und jetzt ...«

»Sie wollen mir sagen, dass er tot ist, nicht wahr?«

»Sie wissen bereits?«

»Ich habe alles gelesen«, antwortete das Mädchen.

Sie schauerte zusammen. »Ich habe ihn verachtet – ihm geflucht – und doch – im innersten Herzen liebte ich ihn weiter. Warum das sein muss, weiß ich nicht. Ich schämte mich, dass ich mich heimlich von ihm küssen ließ, dass ich den Meinen Kummer und Schande machen musste. Ich löste mich eines Tages von ihm, schlug und spie nach ihm, und habe doch immer nach seinem Anblick Sehnsucht gehabt. Keinem könnte ich das sonst sagen, wie Ihnen. Als ich ihm folgte, wollte ich nichts anderes, als dass er mich bald zu seiner Frau machen würde. Dass er nicht mehr frei war, erfuhr ich viel später. Seitdem hat er mich nicht mehr berühren dürfen. Tagelang habe ich gehungert, weil ich sein Geld verachtete; denken Sie doch, das Geld seiner Frau! Kannten Sie sie? Ja? Wie sah sie aus? Ich denke sie mir wie ein Kind, das weder einen eigenen Willen noch ein eigenes Leben hatte.«

»So ist sie wohl gewesen?«

»Ihr Vertrauen zu ihm muss grenzenlos gewesen sein. Darüber wurde eines Tages in dem Kreis, in den er mich einführte, hinter seinem Rücken viel gespöttelt. Dadurch habe ich davon erfahren ...«

»Nur darum ist sie schrankenlos glücklich gewesen und auch geblieben, Gretchen.«

»Glauben Sie an ihr Glück?«

»Ich habe es gefühlt«, sagte Eva von Ostried und erzählte ihr, wie sie die junge zarte Frau kennengelernt.

»So glauben Sie nicht, dass sie etwas von mir geahnt hat?«

»Auf keinen Fall. Er war zu gewandt und zu klug, um ihr nicht die vollendete Komödie des treuen Ehemannes vorzuspielen.«

»Dann wird sie mir auch niemals geflucht haben.«

»Nein, mein Kleines, das konnte sie bestimmt nicht tun, weil sie ahnungslos war. Wäre sie es aber selbst nicht geblieben – hätte sie im Laufe der Zeit einsehen müssen, dass seine Treue weniger wie ein fadenscheiniges Tuch darstellte, dazu hätte weder ihre Kraft noch ihre Veranlagung ausgereicht. Was sie an Gefühlsstärken besaß, gehörte ihm.«

»Können Sie sich vorstellen, dass ich am meisten um diese arme, stille, vertraensselige Frau gelitten habe?«

»Ja, das kann ich! Es war aber unnötig.«

»Nun ist sie gestorben, ohne dies erleben zu müssen ...«

»Das erscheint mir als ihr größtes Glück. – Ich muss heute noch meine Rechnungsbücher abschließen, Kind«, meinte Eva dann in verändertem, ruhigen Tone. »Es ist sehr viel nachzutragen. Und Briefe muss ich ebenfalls schreiben. Denn bald geht es zu den beiden Konzerten nach München. Ich möchte Sie gern mitnehmen. Könnten Sie sich jetzt nicht leichter entschließen?«

»Meine Angst vor der lauten Welt ist trotzdem größer geworden«, gestand Gretchen Müller beschämt. »Aber auch, wenn ich meine Bangigkeit bekämpfen könnte, wäre die Qual zu groß für mich.«

»So elend fühlen Sie sich wieder?«

»Das wäre übertrieben. Ich bin nur dauernd sehr müde. Sehen Sie, jetzt könnte ich zum Beispiel auf der Stelle einschlafen. Und nachts in der gegebenen Zeit vermag ich kein Auge zu schließen.«

»Ich mache mir bittere Vorwürfe, dass ich Ihnen nachgab und den Arzt lange Zeit nicht befragte.«

»Glauben Sie wirklich, dass er mir noch helfen kann?!« Sie lächelte. Das gab ihrem durchsichtigen Gesicht den gleichen, unendlich rührenden Ausdruck, wie ihn die Heiligen auf den alten, steifen Bildern in Kirchen besitzen.

»Sie sind zu viel allein, Gretchen.«

Eva von Ostried rechnete wirklich. Es war dasjenige, was ihr zu erlernen am schwersten geworden war. Wenn sie rückwärts dachte, hatte sie von jener Summe keinen Pfennig zu irgendeinem unnützlichen Vergnügen verbraucht. Und doch schmolz das Geld erschreckend zusammen.

Der Sommer hatte ihr im Verhältnis wenig Einnahmen gebracht. Die schwerreiche Schülerin im Grunewald verlobte sich und verlor die Lust zu weiterem Lernen. Ihre Lehrer forderten mit dem Steigen aller Werte bedeutend höhere Honorare ...

Es wäre aber dennoch nur ein Teilchen über die Hälfte entnommen gewesen, hätte sie Gretchen Müller nicht Obdach und Pflege gewährt. Zuerst entnahm sie für diesen Zweck der kleinen Tasche skrupellos Schein um Schein. Bis sie plötzlich mit jähem Entsetzen merkte, dass sie nur noch zwei enthielt. Die Leidende musste nach der strengen Forderung des Arztes, ohne dass sie einen klaren Begriff davon bekam, auf das Sorgfältigste gepflegt werden. Der Leidenden einfach zu eröffnen, dass es ihr – leider – nicht länger möglich sei, sie zu behalten, erschien ihr mehr als grausam. Ja, ihr Herz wollte es auch nicht zugeben! Sie hing an dem stillen scheuen Wesen.

München mit der Einnahme der beiden Konzerte stand zwar in naher Aussicht. Wer aber vermochte den Ertrag im Voraus zu berechnen?! Es brauchten nur ungewöhnlich zahlreiche Darbietungen der ähnlichen Art zusammenzutreffen, dann war das Ergebnis bei Weitem nicht das erhoffte. Das Honorar für den neunten November, in dem sie im Blüthnersaal singen würde, war zwar festgelegt, aber nicht sonderlich hoch bemessen. Ihr war es mehr auf das Zusammenwirken mit dem bekannten Künstlertrio wie auf die Einnahmen angekommen.

Wie sollte sie also jemals imstande sein, mit Zins und Zinseszins, wie sie es sich zur Lebensaufgabe gemacht, alles zurückzugeben? Die heimliche Not wuchs zuweilen so mächtig, dass sie sie in alle Welt hätte hinausschreien mögen.

Und doch wachte sie mit ängstlicher Sorgsamkeit über jedem ihrer Worte, meinte oft genug aus einer unschuldigen Frage oder einem bedeutsamen Blick ein Ahnen ihres Frevels herauszulesen … Sie arbeitete und lernte nur noch wie ein Automat! Einmal musste ja doch alles anders werden!

Sollte sie sich jetzt noch der Bühne zuwenden?

Das sonderbare Erschauern durchkältete sie von Neuem. Ihre Keuschheit kämpfte dagegen an. Aber war sie nicht schön? Liefen ihr die Männer nicht in voller Bewunderung nach? Nur ihres ermunternden Lächelns hätte es bedurft, um die Fäden zu knüpfen. Sie musste ihr Leben von Grund auf ändern. Die Gleichgültigkeit gegen die kleinen Geschehnisse des Daseins fortan bekämpfen. Da lag zum Beispiel noch uneröffnet die schon vor Stunden angekommene Post.

Weltbewegendes war nicht darunter. Ein Schüler sagte für diesen Nachmittag seine Stunde ab und erbat sich eine andere Stunde dafür. Das brachte wieder Mühen und Änderungen in Menge. Ihr theoretischer Lehrer fragte an, ob sie eine in der Berliner Gesellschaft durch Schönheit und Geld wohlbekannte Gräfin regelmäßig zum Gesang begleiten wolle. Sie zahle ausgezeichnet. Dazu verspürte Eva von Ostried nicht die geringste Lust, so gern sie auch ihre Einnahmen vergrößert hätte. Ihr Stolz bäumte sich auf. In dem Bewusstsein ihrer Künstlerschaft empfand sie das Anerbieten als eine Beleidigung. Freilich war es gut gemeint, denn sie hatte neulich in seiner Gegenwart einen vernehmlichen Seufzer über die wachsenden Ausgaben getan.

Eine Handschrift auf dem graugetönten steifen Leinenumschlag war ihr fremd und nicht angenehm. Sie zeigte so viel Schnörkel und Haken, als wisse der Schreiber nicht voll mit sich Bescheid. Es war der Brief des Waldesruher Majoratsherrn, der sie für Mittwoch nächster Woche zur Teilnahme an der Familiensitzung der Ostrieds in das Haus Adlon einlud.

Früher hätte sie ihn achtlos beiseitegeschoben. Ihre einzige Empfindung wäre möglicherweise eine berechtigte Bitterkeit gewesen, dass sich das gesamte edle Geschlecht niemals um ihr Wohl bekümmert habe. Eine Erinnerung aus ihrer Kinderzeit an zwei Erscheinungen, die ihr damals wie aus Holz geschnitzt erschienen, tauchte auf. Die beiden steifen, stummen Gestalten thronten eines Tages an der Spitze der elterlichen Mittagstafel. Zwischen ihm hatte ein rothaariges, kleines Mädchen von ihrem Alter Platz genommen, das sie lebhaft an ihren toten Goldfisch erinnerte. Dessen Augen hatten aus dem gläsernen See ebenso blass, rund und erstaunt geblickt, wie diejenigen der schweigsamen Puppe.

Sie hatte die beiden Steifen mit Großtanten anreden und ihnen die Hand küssen sollen. Das war ihr aber nicht möglich gewesen, weil sie ein heftiger Widerwille geschüttelt hatte.

Ihr zarte, scheue Mutter hörte mit ängstlichen Augen den späteren Erklärungen der ungebetenen Gäste zu, die wiederholt betonten, dass sie lediglich des gebrochenen Wagenrades halber hier Einkehr gehalten hätten.

Der Vater hatte zuvor in den Ställen seine Wut über den unerwünschten Besuch ausgetobt. Aber nachher küsste er selbst die hässlichen Hände aus Holz. Und dann waren sie plötzlich wieder fort gewesen! Näheres erfuhr die kleine Eva über den kurzbemessenen Besuch von keiner Seite. Nur wenn sie ungehorsam war, schreckte sie die Kinderfrau mit der Drohung. »Warte, die gnädigen Großtanten sollen schon wiederkommen ...«

Es traf aber nicht ein. Es kam seitdem überhaupt niemand mehr von der Verwandtschaft! Noch einmal überlas sie das Schreiben. Ihm fehlte jede persönliche Bemerkung. Auch wurde eine Antwort auf diese Einladung nicht erwartet. Wer nicht erschien und auch keinen Einspruch gegen den bekannt gegebenen Tag erhob, unterwarf sich dem von der Mehrheit der Anwesenden gefassten Beschluss.

Heute überlegte Eva von Ostried mit einem Gefühl der Genugtuung, dass es ihr gutes Recht sei, unter diesen andern zu sitzen und mitzustimmen. Ihr Einspruch würde genügen, um einen neuen Tag in Vorschlag zu bringen. Diese Feststellung befriedigte sie. Seitdem sie jene Schuld auf sich geladen, verlangte sie heißhungrig nach äußerer

Anerkennung ihrer Standesrechte. Wenn es sich also mit ihren Pflichten vereinen ließe, würde sie vielleicht dieser Einladung nachkommen.

18.

Der Generalleutnant a. D. Jeschko von Ostried, Exzellenz, zog zum dritten Male die Uhr aus der Tasche, warf einen scharfen Blick über die mit ihm an der gleichen Tafel Sitzenden und stellte fest: »Vier Uhr genau!« Dann wartete er noch eine Minute und erhob sich.

»Als Ältester der hier anwesenden männlichen Ostrieds eröffne ich hiermit den Familientag unseres Geschlechts und begrüße alle an dieser Stelle.« … Hier unterbrach er sich und sah aus strengen, eng zusammengeschobenen Augen auf den plötzlich erscheinenden alten Diener des Kummersbacher Vetters, der die verschiedenen Ostrieds im Vestibül zu empfangen und hierher zu weisen hatte. »Der Kummersbacher kann seine Untergebenen keine Subordination lehren«, dachte er grimmig, während er nervös mit der Rechten auf der Tafel herumtrommelte.

»Es ist noch eine Dame angekommen, die sich Fräulein Eva von Ostried nennt«, meldete der Alte gemütlich. »Soll ich sie hereinführen, Euer Exzellenz?«

»Nein«, schrie der Generalleutnant, »denn nach der vollzogenen Eröffnung brauche ich das nicht mehr zu gestatten.«

»Mach dich nicht lächerlich, Vetter«, warf der Besitzer der Herrschaft Kummersbach, Mitglied des Herrenhauses, launig dazwischen und blinkte seinem getreuen Hermann verständnisinnig zu.

»Los … hopp!«

Die Falkenaugen des alten Soldaten blitzten und die Adlernase stach gefährlich in die Luft. Das zurechtweisende Wort erstarb ihm aber auf den Lippen. In diesem Augenblick öffnete sich nämlich zum zweiten Mal die Tür und ließ eine junge, auffallend schöne Erscheinung sehen.

»Um vier Uhr genau ist der Beginn der Verhandlung in jeder Einladung festgesetzt. Wer sind Sie überhaupt, wenn ich fragen darf«, rief ihr die Exzellenz entgegen.

»Es schlägt soeben vier Uhr«, sagte die Nahende ruhig und trat dicht an den Ehrenplatz und damit zur Seite des Generalleutnants. Ihr Kopf wandte sich dabei ein wenig nach rückwärts, als lausche sie.

»Hören Sie, bitte.«

Sie hörten es natürlich alle, aber die meisten glaubten es trotzdem nicht.

»Ich kenne Sie nicht«, sagte der Generalleutnant wieder, weil er mit einer zwischen Ärger und Bewunderung geteilten Empfindung zu kämpfen hatte.

»Ich bin Eva von Ostried, die Tochter des im Jahre 1913 auf Waldesruh verstorbenen Majoratsherrn Weddo. Hier ist meine Einladung!«

Er warf einen flüchtigen Blick darauf.

»Danach steht Ihnen natürlich die Teilnahme an dieser Sitzung frei. Ich darf Sie vorstellen.«

Und er nannte ihren Namen, ohne ihr die der Anwesenden bekannt zu geben. Eva von Ostried fühlte, wie ihr das Blut heiß ins Gesicht schoss.

Sie hatte keinen freundlichen Empfang erwartet. Diese Strenge und Formlosigkeit empfand sie aber als Beleidigung. Vielleicht hätte sie stolz genug sein müssen, um jetzt zu gehen, aber sie lächelte nur – und blieb!

»Wohin darf ich mich setzen?«, fragte sie ruhig und hell.

Da stand jemand auf und näherte sich ihr. Er war breitschultrig und sonnverbrannt und seine Augen blickten unter den eisgrauen Brauen noch jünglingsklar.

»Zu mir«, sagte er kurz und herzlich. »Ich bin der Kummersbacher. Ob dir das irgendetwas besagt, ahne ich nicht. Ich nenne dich du. Du erlaubst doch?« Und er bot ihr ritterlich den Arm und führte sie an seinen Platz. »So, hier setz dich einstweilen. Bitte, Vetter Horst Waldemar, etwas nach links, damit mein Hermann noch einen Schemel reinklemmen kann.«

So saß Eva von Ostried denn neben dem, der auf Lebenszeit im Herrenhaus Nachfolger ihres Vaters war. Eine peinliche Pause entstand. Wieder durchbrach die Stimme des Kummersbachers die Schwüle.

»Ich will dir besser alle Anwesenden nennen, liebe Base.«

Und ohne sich durch den abweisenden Ausdruck der meisten Gesichter beirren zu lassen, stellte er sie einzeln vor.

Schlank und stolz stand Eva von Ostried neben der breitschultrigen Gestalt und neigte ihr Haupt nicht tiefer, wie sie das in allen andern Fällen getan hätte, denn es streckte sich ihr keine Hand entgegen. Die weiblichen Mitglieder beachteten sie anscheinend überhaupt nicht. Nur die Männer spähten verstohlen nach ihr hinüber. Ihre Schönheit wirkte verblüffend auf sie. Die gesuchte Einfachheit ihrer Kleidung hob die knospenden Formen auf das Vorteilhafteste. Die ausdrucksvollen Augen leuchteten aus dem sanften Elfenbeinton der weichen Haut und in dem Nussbraun ihrer Flechten spielten goldene Lichter.

Horst Waldemar, der Majoratsherr, sah von seiner Höhe herab prüfend auf die neue Nachbarin. Er musste zugeben, dass er sie sich anders vorgestellt hatte. Zwar musste er nach dem Bilde, das sie im Kindesalter neben ihrer Mutter zeigte, auf ein hübsches Gesicht gefasst sein … diesen außerordentlichen Reiz mit einer sichern und nicht nur gespielten feinen Vornehmheit gepaart, hatte er nicht erwartet. Seine Ansicht über die Tochter seines Vorgängers wurde dadurch natürlich keineswegs geändert. Nach wie vor empfand er ihre Zugehörigkeit zur Familie, die, mochte sie auch jahrelang nicht hervorgetreten sein, eine Stunde wie die jetzige, zweifelsfrei feststellte, als peinlich. Bisher hatte er noch nicht mit dem Mitglied einer Bühne unter den Augen seiner weiblichen Verwandten an dem nämlichen Tisch gesessen. Trotzdem sprach er sie jetzt an.

»Ich werde mir nächstens gestatten, in einer geschäftlichen Sache an Sie heranzutreten, gnädiges Fräulein.«

Sie betrachtete ihn erstaunt. Er hatte das kühle wesenlose Gesicht eines Menschen, der sich im Widerspruch mit den Schnörkeln und Haken seiner Handschrift befand. Sie war überzeugt, dass er sehr genau mit sich und seinen Wünschen Bescheid wusste. Kühl und knapp antwortete sie ihm, während doch ein eisiges Erschrecken sie anpackte. Es war sehr möglich, er kam ihr noch mit unbeglichenen Forderungen aus ihres Vaters Schuldkonto.

»Sie können es einfacher haben. Ich bin schon heute bereit, Sie anzuhören.«

Er verneigte sich verbindlich. »Hoffentlich finde ich nachher Gelegenheit dazu. Jetzt ergreift aber Vetter Exzellenz endlich das Wort!«

Der Generalleutnant holte tief Atem, sah jeden Anwesenden, außer Eva von Ostried, fest an, um sich das Nennen der einzelnen Namen zu ersparen und begann: »Uns andern ist die Vorgeschichte unseres

Verwandten Edgar von Ostried-Javelingen zur Genüge bekannt. Denn wir gewährten ihm die Mittel zum Studium. Ich spreche dies also für das fremde Mitglied. Die Studien hat er mit Abschluss des nötigen Examens ordnungsgemäß und rechtzeitig erledigt. Leider mussten wir danach noch einmal eingreifen, und diesmal ungebeten. Er wollte nämlich eine Stellung als Regisseur annehmen. Bei einem Theater.« Hier räusperten sich die gnädigen Großtanten vernehmlich und die Zwillinge kicherten verschämt auf. »Das war natürlich, solange er sich offiziell zu uns bekannte, nicht tunlich. Wir wiesen ihn auf die Tätigkeit des privaten Schriftstellers hin, die auch seiner angegriffenen Gesundheit zuträglicher war.«

»Darum pfeift er nun wohl auch auf dem sogenannten letzten Loch«, warf der Kummersbacher trocken ein. Der Einwand blieb aber unbeachtet und die Exzellenz fuhr fort:

»Er hat in unserm Auftrage die Familiengeschichte unseres Geschlechts neu bearbeitet. Selbstverständlich unter Zugrundelegung alter, zuverlässiger Quellen. Sie ist gedruckt und bei dem Verlage Müller und Schulze in Berlin für 22 Mark jederzeit zu beziehen. Was er sonst noch geschrieben hat, weiß ich nicht. Mir hat er einmal ein Drama zugeschickt, das mir Anlass zu einem sehr ernsten Brief gab. Jedenfalls befindet er sich zur Zeit in schlechter Vermögenslage. Darum hat er den Antrag gestellt, die für bedürftige und würdige Mitglieder auf 5.234 Mark angewachsene Summe verliehen zu erhalten. Ich für meine Person hege keine Bedenken, sie ihm zuzuwenden. Der Tatbestand wäre hiermit erschöpft. Ich bitte zur Abstimmung zu schreiten. Etwaige Gegengründe sind möglichst kurz vorzutragen.«

Hermine von Ostried, die älteste der Großtanten stand wuchtig und herausfordernd auf.

»Er selbst bezeichnete sich mir gegenüber als einen freien Künstler. Das schickt sich meiner Ansicht nach nicht für ein Mitglied unseres Hauses. Was ist das überhaupt? Die Zigeuner, die einst von meinem seligen Herrn Vater die Erlaubnis zum Aufschlagen ihrer Buden, in denen sie dressierte Affen und Seiltänzer zeigten, nachsuchten, nannten sich ebenso. Ich muss darauf bestehen, dass er zuvor ausdrücklich verspricht, einem heute ebenfalls noch festzusetzenden Konsortium jede seiner Arbeiten vor Drucklegung zu unterbreiten. Denn vor der Welt decken wir ihn doch sozusagen.«

Eva von Ostried, für welche die Rede mehr wie für den siechen Dichter bestimmt war, der irgendwo im Nebenzimmer auf die Entscheidung wartete, um nachher sein gerührtes »Danke schön« zu stammeln, lächelte freundlich.

»Darf ich um das Wort bitten, Exzellenz«, fragte sie plötzlich sehr höflich, als eine kurze Pause entstand.

»Ich war noch nicht fertig«, sagte die Stiftsdame hochmütig und empört über die offensichtliche Belustigung auf dem schönen Gesicht.

»Du bist also nicht für eine bedingungslose Hingabe, beste Hermine«, warf der Generalleutnant ungeduldig hin.

»Das habe ich nicht ausdrücken wollen, Jeschko. Ich wollte lediglich meinen Standpunkt darlegen.« Und dann fuhr sie lang und breit in ihrer Rede fort, ohne dass ihr jemand aufmerksam zuhörte.

»Diese Summe hätte zwar ebenso gut dem Familiengesetz nach einer der ledigen Töchter unserer Familie zugeführt werden können, aber meinetwegen mag er sie nehmen«, äußerte sich ein »Vortragender Rat« etwas missgünstig. Seine Gattin stieß ihn kräftig unter dem Tisch an dasjenige Knie, in dem sich zur Zeit grade der Ischiasnerv unerträglich regte.

»Ich bitte dich, diese Taktlosigkeit in Gegenwart des Waldesruher. Es ist furchtbar mit dir ...« Die hochblonde Ingeborg saß hilflos und errötend da, denn sie hatte begriffen, dass diese Bemerkung auch sie anging. Ihr Gesicht wirkte sehr weiß und rot. Die Augen hatten den starren ausdruckslosen Blick hübscher Wachspuppen. Die kräftige, ebenfalls sehr weiße Zahnreihe leuchtete hinter den rosa Lippen auf, auch wenn sie, wie jetzt, schwieg.

Ein »Regierungsassessor« murmelte etwas von »unsereinem hätte es auch schon hundertmal bitter notgetan«, aber es wurde dann ohne weiteres Einreden zur Abstimmung geschritten und der Diener des Kummersbachers erhielt den Auftrag, Herrn Doktor von Ostried Javelingen herein zu bitten.

Eva von Ostrieds Blicke richteten sich voll warmen Mitleids auf den Eintretenden. Er sah hager und verfallen aus. Seine Kleider saßen schlotternd. Seine Hände waren wie vertrocknet. Aber in seinen dunkelblauen Augen brannte ein helles Feuer. Er stand neben dem Generalleutnant, Exzellenz, doch sah er eigentlich nur die Fremde in diesem ihm sonst wohlbekannten Kreise. Sein Dank war verworren und längst nicht so überströmend, wie das zu erwarten gestanden hätte. Er schämte sich vor dem fremden, ihm über alle Begriffe schön dünkenden Mädchen.

Nun war die Hauptsache erledigt!

»Du wolltest vorher etwas sagen, Base Eva, wenn ich nicht irre ...« Die jünglingsklaren Augen des Kummersbacher winkten ihr aufmunternd zu, als verhießen sie: »Nimm kein Blatt vor den Mund. Ich halte deine Kante!«

In Eva von Ostried war allerdings bei den Worten des Stiftsfräuleins Hermine heller Zorn emporgelodert. Die versteckte Art, mit der hier mehr über sie wie über den armen, krankaussehenden Dichter der Stab gebrochen wurde, erschien ihr verächtlich. Nun aber das erste Feuer niederglimmen musste, ohne zu strafen, fühlte sie die alte matte Gleichgültigkeit.

Der Regierungsassessor erwachte aus seiner Schläfrigkeit und späte erwartungsvoll nach ihr hin. Irrte sie oder zuckte in seinen Mundwinkeln ein feiner, überlegener Spott, der ihrem Schweigen galt? Raffte sie sich jetzt nicht zum Sprechen auf, durfte sie keinen Augenblick länger verweilen. Denn sie konnte sonst eine nicht misszuverstehende Aufforderung zum Verlassen dieses Zimmers durch die Stiftstanten oder durch die soldatische Exzellenz erwarten.

Deshalb erhob sie sich jetzt doch.

»Ich wollte mich, als einzig dazu Berechtigte, in Abwesenheit des Angegriffenen gegen die Missachtung des freien Künstlers wehren«, sagte sie ohne Erregung. »Nun aber ist ja der davon Betroffene selbst dazu imstande. Wenn mir erlaubt wird, ihm kurz zu sagen, was von der Stiftsdame Hermine behauptet wurde ...«

»Dagegen protestiere ich«, schrie die Angegriffene in maßloser Erregung.

»Es ist nicht Sitte, dass aus der geheimen Familiensitzung nachträglich dem dabei nicht zugezogenen Hauptbeteiligten Eröffnungen gemacht werden«, entschied der Generalleutnant.

»Ich weise darauf hin, dass ich dies während der Beratung abmachen wollte.« Eva von Ostrieds Zurückweisung des ihr gemachten Vorwurfs klang durchaus sachlich. »Nachdem ich von dem Tadel des Herrn Generalleutnants Kenntnis habe, verzichte ich auf jedes weitere Wort.«

»Ich verlange, dass du sprichst«, sagte der Kummersbacher streng und scharf. Die andern kannten diesen Ton. Wenn er sich dazu verstieg, pflegte er nicht früher Ruhe zu geben, als bis er seinen Willen bekam. Eine kleine Pause entstand.

»Vetter Javelingen könnte ja noch mal abtreten«, schlug der Regierungsassessor lässig vor.

»So sprechen Sie denn, wenn es durchaus sein muss«, erlaubte der Generalleutnant kurz. Und Eva von Ostried fuhr fort:

»Es wurde vorher also der umherziehende Zigeuner dem freien Künstler gleich erachtet. Das empfand ich an sich als keinen Schimpf. Auch der heimatlose Ungar kann sehr wohl etwas von dem Gottesgeschenk in sich haben. Ich richte mich gegen den Ton, in welchem der Vergleich vorgebracht wurde. Er strebte die Herabsetzung und Verächtlichmachung des Künstlerstandes an. Empfindlichkeit liegt mir ebenso fern wie der Wunsch, nach diesem Tage vielleicht einen engeren Zusammenschluss an die Familie, welcher ich entstamme, zu erstreben. Wenn aber die Rednerin auch den abwesenden Dichter vorschob, so richtete sie in Wahrheit ihre Angriffe gegen mich. Dabei war sie klug genug, meinen Namen nicht klar zu nennen. Besäße ich einen brüderlichen oder väterlichen Freund, würde ich diesen zur Erwiderung auf schriftlichem Wege veranlassen. Aber ich stehe ganz allein. Nun ist es mir darum zu tun, an derselben Stelle, die mich beleidigen wollte, zu antworten. Kurz meinen Lebenslauf, seitdem ich Waldesruh verließ: Der Freund meines Vaters übernahm meine Ausbildung zur Bühnenkünstlerin. Sein bedeutender Ruf verbürgte die Richtigkeit seines Urteils. Nachdem er unerwartet starb und mein Vormund, Amtsrat Wullenweber auf Hohen-Klitzig, seine Erlaubnis zum Weiterstudium versagte, nahm ich verschiedene Stellungen als Kinderfräulein und Gesellschafterin an. Zeugnisse darüber sind vorhanden. Zuletzt weilte ich drei Jahre bei Frau Präsident Melchers. Über diese Zeit erteilt Justizrat Weißgerber Auskunft.«

Der Waldesruher Majoratsherr, der bis jetzt mit leicht gesenktem Kopf vor sich niedergesehen hatte, streifte sie mit einem raschen Seitenblick. Famos sah sie aus und ganz famos sprach sie auch. Trotzdem würde sie von der Familie nach diesem wohl ebenso wenig beachtet werden wie bis dahin. Und er schien das Interesse für ihre Ausführungen zu verlieren.

»Frau Melchers starb auf einer Reise nach Pommern am Herzschlag und ich, die inzwischen mündig Gewordene, beschloss, endlich meinen sehnlichsten Wunsch, die Ausbildung zur Bühne, fortzusetzen.«

»Woher hat sie das Geld dazu genommen«, tuschelte das jüngere Stiftsfräulein ihrer Schwester neugierig zu.

Eva von Ostried fühlte, dass sie schwach werden wollte. Nun kam der dunkle Punkt! Und es hieb alles wieder auf sie ein ... Die Not des Gewissens glühte – die Angst bis ans Lebensende unter dieser heimlichen Schmach zu leiden ... Einen Augenblick gab sie ihre Sache verloren. Dann erwachte ihr Stolz. »Meinem Gott und mir ... und ihm, den ich liebe, bin ich Rechenschaft schuldig. Diesen nicht ...« Und sie sprach weiter:

»Das Geld – ganz recht. – Das war eine böse Geschichte. Denn mein mütterliches Erbteil betrug nur tausend Mark. Ich hätte aber sehr bald vielleicht das Zwanzigfache verdienen können, wenn nicht das Blut meiner Mutter in mir wach geworden wäre. Ich konnte mich nun doch nicht für die Bühne zur Laufbahn entschließen. Die Gründe dafür nenne ich hier nicht. Sie würden doch kein Verständnis oder keinen Glauben finden. Der Tropfen Ostried'sches Blut – das Erbe meines Vaters also – war nicht dagegen. Zur Zeit verdiene ich meinen Lebensunterhalt durch Unterricht und Konzerte. So werde ich im nächsten Monat zweimal in München, am neunten November einmal im Blüthnersaal, hier, singen. In der Hauptsache ernähren mich die Stunden, die ich begabten Schülern erteile. Meine Wohnung befindet sich in Charlottenburg, Königsweg 24. Ich hatte nicht nötig, dies alles zu sagen. Wie schon erwähnt, stehe ich aber ganz allein für mich ein und bin daher dem niederen Klatsch schutzlos ausgesetzt. Das Andenken an meine Mutter verbietet mir, mich verdächtigen zu lassen.« Sie neigte sich leicht und machte Miene zu gehen.

Da stand der Generalleutnant, Exzellenz, langsam auf, kam um den Tisch herum auf sie zu und hielt die Hand hin.

»Wir Männer haben zu wenig Zeit und auch zu wenig Begabung, um die Richtigkeit gehässiger Berichte nachzuprüfen«, sagte er nicht unfreundlich. »Darum tut es mir persönlich leid, wenn Sie sich durch unsere bisherige Zurückhaltung verletzt gefühlt haben sollten.«

Einen Augenblick legte sie ihre Rechte in die seine.

»Glauben Sie jetzt aber ja nicht, Exzellenz, dass ich mich in Ihren Kreis drängen möchte.«

Er sah erstaunt auf. Gradwegs in ihre wundervollen, klaren Augen. Einen Augenblick drohte ihn die weltmännische Sicherheit zu verlassen.

»Und warum nicht«, fragte er erstaunt.

»Weil ich keine Zeit dazu fände und auch nicht ehrgeizig bin, Exzellenz. Sonst stände ich ja wohl heute als Mitglied einer Bühne vor Ihnen.«

Die andern Herren hatten sich gleichfalls erhoben und sahen etwas verlegen auf den Generalleutnant. Sie tat, als merke sie nichts von dem Erwägen, das aus allen Gesichtern sprach.

»Ich muss nun fort, Exzellenz.«

Neben ihr lachte der Kummersbacher behaglich auf. »Nee, meine Tochter, du bleibst noch gefälligst eine Weile! Wir machen nachher unten eine gemütliche Ecke. Du, meine Wenigkeit, unser Dichter und wer sonst noch Lust hat, kann sich anschließen. Sage nicht Nein ... Bitte ...«

»Ich wollte mit der gnädigen Base noch wegen geschäftlicher Dinge verhandeln. Darf ich also mitkommen?«, fragte der Waldesruher höflich.

»Schön. Kannst du machen! Wann kommt denn übrigens der Anwalt? Warum Ihr durchaus die Familienbestimmungen abändern wollt, ist mir zwar nicht klar. Es sind ohnehin zu viel. Aber wenn es sonst ein vernünftiger Mann ist, kann auch das ganz nett werden. So'n Jurist steckt einem manchmal gehörige Lichter über das, was man Logik des Denkens nennt, auf.«

Der Waldesruher klemmte das Monokel ins Auge und prüfte die Uhr. »In zwei Stunden wird er da sein. So lange hätte ich also Zeit.«

Eva von Ostried stand unschlüssig zwischen den beiden. »Es hat doch keinen rechten Zweck«, meinte sie leise zu dem Kummersbacher.

»Zweck«, lachte der vergnügt. »Na wer weiß! Sieh mal rüber. Die gnädigen Stiftstanten giften recht erheblich, weil ihr Liebling, die brave Ingeborg, fortwährend sehnsüchtige Blicke zu uns rüber wirft. Allein darum lohnt es sich schon.«

»Willst du mit von der Partie sein, Inge«, fragte er laut. »Ich stehe dafür ein, dass du ungestohlen wieder abgeliefert wirst.«

»Wir wollten den Waldesruher Vetter grade herzlich bitten, dass er mit uns den Tee nimmt«, lehnte das ältere Stiftsfräulein in süßlichem Ton für sie ab.

Horst Waldemar von Ostried ging hinüber und küsste der Sprecherin flüchtig die Hand, die immer noch wie dürres Holz erschien.

»Leider kann ich heute der gütigen Einladung nicht folgen, verehrte Großtante. Ich bemerkte schon soeben, etwas Geschäftliches hindert mich an diesem Vergnügen.«

Dem Dichter war es endlich gelungen, sich an Eva von Ostrieds Seite zu drängen. »Wie innig habe ich Ihnen zu danken«, flüsterte er.

»In der Hauptsache sprach ich für mich«, meinte sie lächelnd.

»Dass Sie es überhaupt sagten, war schön.«

»Traurig genug, dass es gesagt werden musste, nicht wahr?«

Er nickte. »Sie ahnen ja gar nicht, wie unbeschreiblich glücklich Sie sind.«

»Ich!«, machte sie erschrocken. »Warum denn nur? Sie haben gehört – ich bin von meinem gesteckten Ziele abgeirrt ...«

»Aus freien Stücken, ja! Diesen Zwang kann man sich wohl gefallen lassen.«

»Er zerbricht auch mancherlei. Glauben Sie nur!«

»Was wissen Sie davon? Ihre Augen sind licht und rein.« In diesem Augenblick trat der Kummersbacher wieder heran und verdrängte ihn durch das Vorhandensein seiner mächtigen Gestalt.

– Zu vieren saßen sie um einen Rundtisch.

»Ich bringe dich nachher nach Hause«, sagte der Kummersbacher. »Das erlaubst du mir wohl? Auf der Fahrt können wir uns beide noch ein bisschen aussprechen.«

Sie richtete sich auf und lächelte krampfhaft.

»Ich glaube, du bist sehr gut, Onkel Friedrich Wilhelm. Aber, nun ist es für alles zu spät.«

Sie sprach es nur für ihn. Ihre Stimme war ein Flüstern. Der Waldesruher unterhielt sich weiter mit dem Dichter, obgleich er ihn im Übrigen nicht als vollwertigen Menschen ansah.

»Mir kannst du vertrauen, Kind. Ich begreife dich schon!«

»So war's nicht gemeint. Ich dachte lediglich an das mancherlei Schwere, das ich als junges, unreifes Ding, damals ganz allein mit mir, abmachen musste. Das machte mich vorübergehend bitter. Jetzt bin ich damit fertig. Wirklich. Eine gemeinsame Fahrt denke ich mir für dich sehr unangenehm nach diesem Sekt. Ich benutze nämlich die elektrische Bahn.«

»Und dir von mir einen Wagenplatz bezahlen zu lassen, das widerstrebt dir, mit andern Worten.«

»Ja, das tut es!«

»Du bist eine seltsame Heilige, scheint mir.«

»Aber nicht darum.«

»Also außerdem auch noch. Das kann ich leider nicht beurteilen.«

Der leichtergraute Kopf des Waldesruher wandte sich in diesem Augenblick zu ihr hin.

»Darf ich jetzt endlich meine Frage an Sie richten, gnädige Base?«

»Ich bitte darum, Herr von Ostried.«

Er zuckte unter ihrer förmlichen Anrede ein wenig zusammen und saß danach noch steifer und hochmütiger auf seinem Platz. Sonst war er derjenige, der unerwünschte Vertraulichkeiten zurückwies.

»Sie besitzen von Ihrer Frau Mutter einen Schatz wertvoller, alter Möbel.«

»Das ist Ihnen bekannt?«, wunderte sie sich. »Wie seltsam.«

»Nicht so sehr, wie es den Anschein hat. Waldesruh und Hohen-Klitzig grenzen noch immer.«

»Das hatte ich beinahe vergessen.«

»Und einen Teil der alten Leute behielt ich in meinen Diensten.«

»Wirklich?«, fragte sie mit leisem Spott.

Er überlegte, ob er ihr eine scharfe Zurechtweisung erteilen solle, unterließ es aber, um sie nicht, ohne jedes Nachdenken, zu einer abweisenden Antwort zu veranlassen.

»Die haben mir also davon berichtet«, fuhr er fort, »als gerade eine Sendung aus Berlin ankam, die von Kluserichter, dem Gutstischler, ausgepackt wurde. Ich bin dann bald zu dem Amtsrat herübergefahren, um sie zu besichtigen. Er verwies mich indes an Sie.«

Sie hatte wiederholt daran gedacht, sich auch diese Sachen in ihr Heim kommen zu lassen, unterließ es aber, weil die jetzige Wohnung keinen genügenden Raum dafür bot. Ihr Herz hing zudem nicht an den Stücken. Für einen guten Preis würde sie sich jetzt ohne Weiteres davon getrennt haben, weil sie diejenigen Möbel, die einen wirklichen Erinnerungswert für sie besaßen, bereits umgaben. Sie diesem zu überlassen, verbot ihr Stolz. Wieder spürte sie die unsägliche Nichtachtung, die darin lag, dass er ihrem toten Vater nicht die letzte Ehre erwies, die Kaltherzigkeit, mit welcher er ihr, der Heimatlosen damals schriftlich begegnete.

»Diese Sachen sind unverkäuflich«, gab sie kurz zur Antwort.

»Sie wollen also gar nicht mein Gebot hören?«

»Es würde mich nicht umstimmen.«

Sein Hochmut fand die schroffe Ablehnung einfach lächerlich. Eine kindische Überhebung von dieser gänzlich Mittellosen, die mit eisigem Schweigen abgetan zu werden verdiente. Die Leidenschaft des Sammlers versuchte dennoch ein Letztes:

»Vielleicht darf ich später noch einmal nachfragen, ob Sie Ihre Ansicht geändert haben?«

Sie zuckte die Achseln. – In demselben Augenblick hatte er blitzschnell die ihn eiskalt überrieselnde Empfindung, dass neben dieser unpersönlichen Stimme, die nach einem Wiedersehen verlangt hatte, auch noch der Mann in ihm danach strebte. Brüsk erhob er sich.

»Verzeihung, ich will Befehl geben, dass mir sofort die Ankunft des Rechtsanwalts gemeldet wird.«

»Das brauchst du doch nur an meinen Hermann nach oben zu telefonieren«, riet der Kummersbacher und unter seinem eisgrauen Bart zuckte die Schadenfreude über die schneidige Abfuhr auf.

Trotz des Rates nahm der andere nicht wieder Platz. Es trieb ihn fort. Das Gefühl lebhaften Ärgers über die schroffe Ablehnung, nach welcher er beschlossen hatte, den schlauen Agenten auf Eva von Ostrieds Schätze zu hetzen, war verflogen. Jetzt wehrte er sich lediglich gegen das wachsende Wohlbehagen, das ihm ihr Anblick bringen wollte.

»Weshalb hast du eigentlich den Anwalt so heimlich bestellt«, fragte der Kummersbacher vergnügt.

»Heimlich? Das dürfte nicht zutreffen. Es war vorher mit Jeschko ausgemacht, dass wir abändern wollten. Ihr habt Euch ja in Pausch und Bogen schon längst vorher damit einverstanden erklärt. Mir fiel neben dem Abfassen von der Bekanntgabe des Familientages natürlich auch die Wahl des Anwalts zu.«

Er merkte nicht, dass ihn der Frager nur noch ein wenig fesseln wollte, um mit inniger Schadenfreude zu prüfen, ob seine längst gemachte Feststellung von dem starken Eindruck der schönen Base auf den Egoisten wirklich zutreffe.

»Ich kenne hier nämlich verschiedene sehr tüchtige Anwälte«, beharrte er eigensinnig, »und denen würde ich gern eine Kleinigkeit zu verdienen gegeben haben.«

»Dieser ist mir ebenfalls warm empfohlen. Ein gewisser Doktor Wullenweber, vereinigt mit dem als sehr tüchtig anerkannten Justizrat Weißgerber. Zudem Neffe meines Klitziger Nachbarn.« Dann verneigte er sich stumm gegen Eva, ohne ihr die Hand zu reichen und nickte den beiden andern zu.

Sie sah plötzlich starr und bleich aus. Oder veränderte nur der erste fahle Schein der Dämmerung, der gespenstisch durch die steingrünen Vorhänge kroch, ihr Aussehen?

»Die Luft ist hier nicht besonders gut, nicht wahr?«, erkundigte sich der Kummersbacher teilnehmend, als sie jetzt zu dreien waren.

»Ich muss nach Hause«, sagte sie tonlos, ohne auf seine Frage zu antworten.

Es erschien ihr alles nebensächlich und phrasenhaft neben dem einen, was sie soeben gehört.

»Dieser Entschluss kommt ein bisschen plötzlich, Kind ...«

Schweigend knöpfte sie an ihren Handschuhen.

»Ich blieb schon viel zu lange.«

»Warum ärgerst du dich eigentlich«, forschte er beinahe sanft. »Ich sehe keinen Anlass.«

Sie lachte. Aber es klang wie ein Schrei.

»Ärgern, nein, wirklich nicht!«

»Schön, dann also nicht! Meine Begleitung war dir nicht angenehm und anders hast du es dir inzwischen wohl nicht überlegt?«

»Es war unrecht, dass ich gekommen bin«, klagte sie leise.

»Ich freue mich aufrichtig darüber. Das kannst du mir glauben.«

Sie reichte ihm beide Hände zum Abschied. »Vielen, vielen Dank, Onkel Friedrich Wilhelm.«

»Möchte wohl wissen, wofür?«, brummte er. »Ich sage trotz deines deutlichen Abwinkens ›auf baldiges Wiedersehen‹. Höre mal zu. Im Oktober bin ich wieder auf vier bis fünf Wochen daheim. Dann kommst du zu mir. Ich bitte dich herzlich darum.«

Sie stand mit schlaff herabhängenden Armen vor ihm.

»Versprich mir das«, drängte er, »Unser Dichter wird auch kommen.«

Der blasse Mensch freute sich wie ein glückliches Kind.

»Ja – ich komme bestimmt. Das wird sehr schön werden.«

»So schnell kann ich nicht Vertrauen fassen«, entschuldigte sie sich.

»Siehst du, das begreife ich. Dass du wenigstens versuchen willst, es zu bekommen, das kannst du mir auch versprechen?«

»Ich glaube nicht, dass ich diesen Versuch machen werde.«

Er hatte ihr die breiten wuchtigen Hände auf die Schultern gelegt und zog sie sanft zu sich heran. »Man hat es nicht anders verdient. Stimmt! – Trotzdem –« Und er neigte sich zu ihr und küßte sie auf den Mund. »Denn ich könnte bequem dein Großvater sein, Mädel«, sagte er nachher wie erklärend, »aber auch schon mit der Vaterwürde wäre ich sehr zufrieden!«

– – Wie eine Träumende ging sie die breiten, schönen Straßen herunter. Sein Name hatte alles wieder aufgewühlt. Sie kam nicht los von ihm. Und es musste doch geschehen.

»Verehrte Base, gestatten Sie, dass ich Sie begleite –« Ihr Kopf fuhr herum. Das gelangweilte Gesicht des Regierungsassessors sah in diesem Augenblick äußerst angeregt und verschmitzt aus. Eine Blutwelle der Empörung stieg ihr bis in die Stirn hinauf.

»Ich gestatte lediglich, dass Sie sofort von meiner Seite verschwinden«, sagte sie kalt und würdigte den Verblüfften keines Blickes weiter.

19.

»Sie, Herr Rechtsanwalt Wullenweber, haben sich, wie mir mein Waldesruher Vetter mitteilt, bereits über den Inhalt der vorhandenen Familiengesetze unterrichten können«, sagte Generalleutnant von Ostried, der zur Vorbesprechung über die neu aufzunehmenden Paragrafen mit dem soeben Angekommenen und dem Majoratsherrn, fernab von der langen, feierlichen Tafel, in seinem nicht übermäßig geräumigen Logierzimmer Platz genommen hatte.

Walter Wullenweber verneigte sich bejahend.

»Diejenigen Bestimmungen, welche seit Einführung des Bürgerlichen Gesetzbuches – selbst in dieser Form als Familiengesetz – anfechtbar geworden sind, habe ich mir erlaubt durchzuarbeiten und anders zu formulieren.«

»Sehr schön«, lobte die Exzellenz zerstreut, »aber das hat Zeit bis nachher. Das Neue ist entschieden wichtiger. – Willst du mir mal gütigst das kleine Heft herüber geben, Vetter?«

Der Waldesruher reckte nur den Arm weit aus und reichte es ihm hin.

»Famos. Immer wieder unterschätze ich deine Körperlänge. – So bitte, Herr Rechtsanwalt, wollen Sie gefälligst Einsicht nehmen, was gewünscht und erstrebt wird. Vor allen Dingen muss das lächerliche Befragen des gesamten Familienrats, wenn zum Beispiel in der Familiengruft eine neue Trauerweide vom Obergärtner gesetzt oder ein Grabmal aufgefärbt wird, eingestellt werden. Künftig soll ein aus zwei oder drei Leuten bestehender Ausschuss darin maßgebend sein. Andere Punkte freilich sind bedeutender. Unsere, das heißt, meines Vetters und meine Ansicht erfahren Sie nebenstehend.«

Walter Wullenweber las aufmerksam.

»Die vorgeschlagenen Abänderungen sind bei Weitem einfacher und zweckdienlicher«, unterbrach er einmal das Schweigen; »nur fehlt die rechtswirksame Form, wie z. B. hier bei einer hypothekarischen Sicherheit für einen der Ostrieds gerader Linie. Das ist aber eine Kleinigkeit.«

Dann vertiefte er sich wiederum, bis ihm das Rot einer heimlichen Erregung über das stubenblasse Gesicht lief. Er sah den Waldesruher Majoratsherrn prüfend an und in diesem Blick lag entschieden etwas Feindliches.

»Sind Sie damit einverstanden, Herr von Ostried, dass der eventuelle älteste Enkel Ihres verstorbenen Herrn Vorgängers nach Ihnen – also vor dem bisherigen Anwärter – als Waldesruher Majoratsherr infrage käme? Absatz 3 der mir zugänglich gemachten Bestimmungen verlangt ausdrücklich bei einer Abänderung in erster Linie die Bereitwilligkeitserklärung des derzeitigen Majoratsinhabers. Darum meine Frage. Auch darf ich nicht verhehlen, dass die Vorlage dieser neuen Erbfolge bei auch nur einer widerstrebenden Stimme glatt erledigt ist.«

Horst Waldemar von Ostried blickte eine Kleinigkeit gelangweilt drein.

»Ihre erste Frage ist schnell beantwortet, Herr Rechtsanwalt. Warum sollte ich dagegen sein? Bis jetzt lebe ich als kinderloser Witwer. Sollte ich eine neue Heirat schließen.«

Die Exzellenz sah überrascht auf und knurrte etwas. »Na nu – das ist mir ganz neu.«

»Wie meinst du«, fragte der andere ruhig.

»Bitte weiter. Es war nichts von Wichtigkeit.«

»Ich wollte sagen, dass in jedem Fall mein Sohn, würde mir noch ein solcher beschert sein, als mein Nachfolger auf Waldesruh in Betracht käme. Diese ganze Neuregelung liegt reichlich weit im Felde. Immerhin besteht ein Zwang für sie.«

»Den zu erkennen ist mir bisher nicht möglich gewesen. Darf ich alles Notwendige wissen, um nachher sämtliche Einwendungen widerlegen zu können.«

»An denen wird es selbstverständlich nicht fehlen«, meinte die Exzellenz ahnungsvoll. »Wappnen Sie sich also mit sehr viel Geduld, sonst werden Sie bestimmt nervös!«

»Ehe ich zu dem Hauptsächlichsten komme, will ich Ihnen kurz wiederholen, was Sie ja, von der Vertretung ihrer Interessen her, bereits vor mir wussten«, begann Horst Waldemar wieder. »Vorläufig ist die Tochter meines Vorgängers noch ledig. Ich ahne auch nicht, ob eine Aussicht zur Abänderung dieses Zustandes bereits vorhanden ist. Und wenn selbst die junge Dame, die übrigens vorher bei dem ersten Teil der Familiensitzung zugegen war – ist Künstlerin und es wird ein unserer Familie voll ebenbürtiger Gatte als Vater eines neuen Majoratsherrn zur Bedingung gemacht –«

»Schön genug wäre sie allerdings für einen Prinzen, wenn sonst das andere stimmte«, warf die Exzellenz nachdenklich ein.

Der Waldesruher sah ihn bedeutsam an und zog rasch, wie, um dies zu verdecken, seine Uhr. »Die Zeit eilt. Wir dürfen uns nicht bei Nebensachen aufhalten.«

»Ich war noch nicht zu Ende«, sagte Horst Waldemar kurz und fuhr fort: »Ein Widerstreben würde, auch menschlich beleuchtet, völlig unerklärlich sein. Trotzdem werden Sie nachher einen heißen Kampf entbrennen sehen. Die übrige Familie weiß nämlich bis zu dieser Stunde lediglich, dass die alten Gesetze durchgesehen und verbessert werden sollen. Damit haben sie sich ohne Weiteres einverstanden erklärt. Ihnen mehr zu sagen, schien meinen Vetter und mir verfrüht. Es hätte Anlass zu unerfreulichen schriftlichen Erklärungen gegeben. Denn wir wissen, dass jeder Einwand gegen die neue Erbvorlage vergeblich bleiben muss. Das durch einen Zufall aufgefundene Zusatzschriftstück verlangt die erwähnte Erbfolge ausdrücklich.«

»Dies Schriftstück war mir bisher nicht zugänglich. Sehr gern würde ich mich jetzt mit seinem Inhalt bekannt machen.«

»Darum bitten wir Sie natürlich. Hier ist es. Sie sehen, eine Abschrift hätte unüberwindliche Schwierigkeiten gebracht. Das Pergament ist brüchig geworden und muss sehr vorsichtig behandelt werden. Zudem hätte ein halbgebildeter Abschreiber kaum die Menge lateinischer Redewendungen richtig wiedergegeben. Ich zog daher die Aushändigung an Ort und Stelle vor und bin gern bereit, Ihnen bei scheinbar unleserlichen Stellen zu helfen.«

Walter Wullenweber prüfte eingehend den Inhalt des Dargereichten. Er hatte sich jetzt wieder voll in der Gewalt. Seine scharfen Augen bemühten sich unter den zahlreichen dunklen Stockflecken die kleine spitze Schrift zu enträtseln.

Die Exzellenz reichte ihm eine Lupe über den Tisch hin. »Wenn Sie an gewisse Stellen kommen, wird sie Ihnen gute Dienste tun.«

Nach einiger Zeit legte Walter Wullenweber die Rechte auf das Pergament und sah auf:

»Nun dies aufgefunden ist, könnte selbst die heftigste Ablehnung nicht mehr an der veränderten Erbfolge rütteln. Ich unterstelle natürlich die Echtheit. Wenn sie von einem Mitglied in Zweifel gezogen würde, kämen langwierige und kaum erfolgreiche Erhebungen heraus. Vollgültige Beweise von der einen oder andern Seite erscheinen mir unmöglich.«

»Ausgeschlossen«, sagte der Waldesruher mit großer Bestimmtheit. »Daran wagt keiner zu tippen. Zudem habe ich bereits die Übereinstimmung dieser Handschrift mit den Aufzeichnungen eines Ahnen einwandfrei feststellen und von einem gerichtlichen Sachverständigen beglaubigen lassen. Hier ist das Dokument darüber. Vielleicht vermag es Ihnen in dem Kampfe zu dienen.«

»Dann dürfte jeder Einspruch wirkungslos bleiben.«

Der Generalleutnant schlug sich in bester Laune, auf die Knie. »Wie ich mich freue«, sagte er aus tiefstem Herzen, »wenn es auch nur ein Schreckschuss ist und voraussichtlich bleiben wird. Diesen ewig müden, gelangweilten Bengel, deinen bisherigen Nachfolger, muss das mal endlich wach machen.«

»Hier ist auch noch der Umschlag, in dem das Gefundene steckte, Herr Rechtsanwalt.«

»Wie, Sie selbst haben es gefunden, Herr von Ostried?«

»Ohne meinen Vorsatz allerdings! Ich ließ das Kellergewölbe im Waldesruher Schloss aufreißen, damit das schadhafte Mauerwerk ausgebessert werde. Die merkwürdig geformten Nischen und die zahlreichen Verstecke mit den unsichtbar eingelegten Steintüren interessierten mich umso mehr, als bereits mein Großvater, der wie ich

Sammler von Altertümern war, uns Kindern von kostbaren seit den Kreuzzügen dort lagernden Schätzen erzählt hatte. In Wahrheit fand sich nur ein verrosteter Eisenkasten vor, der dies Schriftstück barg. Ob mir oder den andern der Fund angenehm sein konnte oder das Gegenteil, habe ich wirklich nicht erwogen. Es war einfach meine Pflicht, dass ich ihn nach Kenntnis des Inhalts ungesäumt dem Senior unserer Familie, meinem Vetter, Generalleutnant von Ostried, unterbreitete. Dies ist geschehen.«

Das klang ohne jede Beimischung von Gefühlswärme, wie Walter Wullenweber feststellte. Es beruhigte ihn. Mit einigem Eifer begann er den Entwurf der neuen Bestimmung zu formen. Jetzt war er fertig, überlas alles und übergab es dann der Exzellenz, die es laut zum Gehör brachte.

»Ausgezeichnet«, stellten sie beide fest. »Wir können die Herrschaften wieder zusammentrommeln lassen.«

»Einen Augenblick«, sagte Horst Waldemar plötzlich, als sich die Exzellenz erhob, um seinen Hermann zu beauftragen. »Den letzten Punkt haben Sie zu erwähnen vergessen. Sie erinnern sich doch, Herr Rechtsanwalt?«

– Eine halbe Stunde später einten sie sich wieder um die lange feierliche Tafel. Nur die Reihenfolge war ein wenig verändert. Eva von Ostrieds Platz hatte jetzt der Regierungsassessor eingenommen, während Walter Wullenweber zwischen dem Generalleutnant und dem Waldesruher saß.

Das Stiftsfräulein Hermine fuhr, nachdem der Generalleutnant nach den unwichtigen Abänderungen den Punkt der neuen Erbfolge zur Kenntnis gebracht, von ihrem Stuhl empor. Auch die andern starrten mehr oder minder überrascht, nach dem Sprecher hin, der das Auffinden des alten Schriftstückes noch mit keinem Worte erwähnt hatte. Er hatte absichtlich davon geschwiegen.

Der Kummersbacher freute sich aufrichtig für Eva von Ostried. Nicht, dass er schon ihren ältesten Sohn unter den Waldesruher Buchen hätte herumgaloppieren sehen, nein, daran glaubte er nicht! Er gönnte ihr nur von Herzen jene Ehrenerklärung, die in der Annahme der neuen Bestimmung lag. Scharf spähte sein Blick zu Horst Waldemar hin. Sollte es bei diesem angegrauten Eiszapfen etwa denkbar sein, dass er sich in die jene, lockende Schönheit vergafft habe?

Der Vortragende Rat, Exzellenz, und seine Zwillingstöchter waren mehr verwundert wie empört. Was ging es sie schließlich an, wer die Waldesruher Herrlichkeiten genoss? Ihnen blieben sie jedenfalls fern.

Fassungslos machte die Mitteilung lediglich die Eltern des Regierungsassessors, die bleich und stumm nach Atem rangen.

Der Anwärter selbst hatte nur eine Sekunde die Farbe verloren. Dann war sein Plan gefasst. Noch ehe Eva von Ostried das Geringste von all diesem erfuhr, also sogleich nach Schluss der Komödie, würde er ihr schreiben. Das verstand er ausgezeichnet. Sie sollte seine Rechtfertigung schon annehmen und ihm, wenn er sich mündlich ihre Verzeihung holte, eine andere Behandlung gewähren, als vorher zwischen den sommermüden alten Linden!

Lodernden Zorn, der ihr hässliches Gesicht noch abstoßender erscheinen ließ, empfand einzig das ältere Stiftsfräulein, während ihre um zehn Jahr jüngere, als unbegabt geltende Schwester Klausine leise zu weinen begann. Sie hatte sich schon zu lange auf die Sommerfrische in Waldesruh unter Ingeborgs Fürsorge gefreut. Dieser Traum von Stille, endlichem Frieden und unbeschnitten reichlichen Gerichten würde durch den Sohn jener Unausstehlichen natürlich zuschanden werden!

Hermine von Ostried wartete auf das letzte Wort des Generalleutnants. Kaum war es gesprochen, schrillte ihre hohe, jetzt von Verachtung und Zorn gellende Stimme.

»Es ist ein Scherz und nichts weiter, den du dir soeben mit uns erlaubt hast, lieber Jeschko. Ich für meine Person lasse mir solche Sachen nicht gefallen, mögen auch die andern töricht genug sein, sich dadurch verblüffen zu lassen. Ich frage dich, was du damit bezweckst?«

Aber sie ließ ihm nicht etwa Zeit die Frage zu beantworten. Sein lächelndes Gesicht, das sich nunmehr zu verklären begann, reizte sie unaussprechlich. »Schamlos genug, dass Euch Männern diese Bettelprinzess die Köpfe verdreht hat.«

Da fuhr mit gewaltigem Schlag eine Faust auf die Tafel nieder. Das war die Sprache des Kummersbacher.

Der schmale Dichter, der auf seiner andern Seite saß, während zu seiner Linken die schweigsame Gemahlin des Vortragenden Rates thronte, fuhr zwar zusammen, denn er hatte mit seligen Augen von einer lichten, schönen Frau geträumt, die bei ihrem Sohn in Waldesruh dereinst die alte Heimat wiedergefunden. Als ihn aber die wortlose, donnernde Rede vollends aus allen Träumen gerissen, als er begriff, wem dies galt, leuchteten seine Augen strahlender und seine Seele band sich fest an den alten, aufrechten, knorrigen Mann, der seinem Zorn jetzt auch Worte verlieh.

»Keinen Mucks weiter! Hörst du?! Ich verbiete es dir! Du hast es dein Leben lang gut verstanden, aus dem Hinterhalt zu geifern. Die dir gehörig Bescheid tun könnte, ist nicht mehr da. Warum sie sehr bald schon gegangen ist? Klar genug für einen, der ein bisschen nachdenken kann. Ihr Frauen habt sie gemieden, als ob sie eine Pestkranke wäre. Was hat sie Euch getan? – Antwort! Sie hat nichts von Euch erbettelt und Euch damit das Recht vor der Nase weggeschnappt, sich um sie zu bekümmern … ihr das Leben zu vergällen, wie Ihr das über alles gern besorgt hättet. Warum sage ich eigentlich ›Ihr‹? Ich meine ja nur dich, Hermine. Denn deiner armen Schwester Seele hast du, falls eine in ihr gesteckt haben sollte, allmählich schon bei Lebzeiten aus ihrem mageren Körper vertrieben. Es ist auch entschieden bequemer für dich.«

»Es ist ein Fremder mit uns am Tisch«, flüsterte der Vortragende Rat ihm beschwörend zu, »nimm Rücksicht darauf, Kummersbacher.«

»Das hätten die gefälligst bedenken sollen, die ihn angeschleppt brachten. Im Übrigen ist er Jurist und hält Verschwiegenheit. Herunter muss auch noch das andere. Sie hat sich allein durchgerungen, sage ich dir. Schwer genug mag das manchmal gewesen sein. Und wenn selbst nicht … wenn das Geld aus einer uns unbekannten Quelle geflossen wäre …«

»Das ist unstreitig«, rief die Angegriffene, »und zwar aus einer unsauberen.«

»Wage das nicht ein zweites Mal auszusprechen! Ich bringe dich sonst wegen Verleumdung vor das Gericht. So wahr ich hier stehe …«

»Du hast es ja soeben selbst angedeutet …«

»Weil es dir besser passte, hast du mich nicht zu Ende kommen lassen. Ich verbürge mich dafür, dass die Quelle rein gewesen ist. Jawohl! Und wenn du sie noch durch ein einziges Wort – gleichviel ob offen oder versteckt – herunterreißt … bei Gott … ich räche sie! Zudem braucht sie wenigstens in Zukunft kein Geld mehr aus irgendwelchen Quellchen. Meines ist da und jederzeit für sie bereit. Es hat mich schon längst bedrückt. Wenn sie auch vorläufig noch nicht will, sie muss und sie wird schon, sage ich dir. Und Euch allen hiermit!«

Der Vortragende Rat, Exzellenz, der den Kummersbacher seinerzeit aus guten Gründen um die Übernahme der Patenschaft bei seinen Töchtern erfolgreich gebeten, lenkte ein: »Du bist immer noch wie ein ganz Junger, Kummersbacher. Wer greift sie denn schon an? Meine Frau und ich durchaus nicht. Ist nichts an diesem Gerede, werden wir die ersten sein, die ihr unser Haus öffnen.«

Noch einmal lohte der Zorn hell auf. »Was ist geredet worden? Was habt Ihr über sie gehört?«

Der Vorsichtige schwieg betreten und schickte einen kurzen Blick zu seiner Gattin, der heißen sollte: »Jetzt zeige, dass du wenigstens ein echt weibliches Geschick im Glätten dieser Wogen hast.«

Aber die Frau Vortragende Rätin blieb sich nur bewusst, dass ihr das Stiftsfräulein Hermine dreihundert Mark für die neuen Wintermäntel der Zwillinge (mit 5 Prozent Zinsen) zugesagt hatte. Sie stammelte daher Unverständliches.

»Es ist zu widerlich«, sagte der Kummersbacher kurz und verstummte.

Sie sahen alle nach dem älteren Stiftsfräulein hinüber. Die lächelte jetzt. Das war noch viel abstoßender wie zuvor die Wut, die ihre Züge verzerrt hatte.

»Ein einziger Einspruch genügt, um den neuen Beschluss abzulehnen«, sagte sie lauernd. »Nun wohl, ich verweigere meine Zustimmung. Alles andere ist mir gleichgültig. Und ich sage noch einmal ... die Bettelprinzess ist nicht schlau genug.«

Diesmal blieb der Kummersbacher ruhig. »Dies Wort hast du vor rund dreißig Jahren schon auf ihre Mutter angewandt. Damit verdarbst du der armen, scheuen Frau, als die sie mir von zuverlässiger Seite später geschildert wurde, die als vertrauendes, unschuldiges Kind nach Waldesruh kam, von vornherein ihre Stellung in der Familie. Damals hattest du, leider, noch einen gewissen Einfluss. Auch ich habe mich dadurch zurückschrecken lassen. Nein, das stimmt doch nicht. Dich kannte ich von jeher. Dass sie den tollen Weddo heiraten konnte, nahm mich gegen sie ein. Ein zweites Mal gelingt dir Ähnliches nicht, selbst wenn dein teuflischer Einspruch die neue Satzung untergraben würde.«

Sie hörte nur dies und lachte voller Hohn. »Ein Wahnsinn, dass man uns überhaupt damit kommt.«

»Bitte, Herr Rechtsanwalt, lesen Sie gefälligst das aufgefundene Schriftstück vor«, rief der Generalleutnant plötzlich dazwischen. Sein Ton war wie eine Fanfare.

Sie stutzten und lauschten aufmerksam, was Walter Wullenwebers tiefe, ruhige Stimme ihnen enthüllte. Der Major a. D. und seine Gattin sanken mehr und mehr in sich zusammen. Das ältere Stiftsfräulein wurde aschgrau.

»Fälschung ...«, keuchte sie, »elendes Machwerk. Aber wartet! Ich entlarve Euch schon ...«

Dem Vortragenden Rat, Exzellenz und dem Kummersbacher wurde das die Echtheit feststellende Gutachten eines namhaften, auch vom Gericht in den verworrensten Fällen als letzte Instanz angerufenen Gelehrten auf diesem Gebiete zur Prüfung vorgelegt. Sie gaben es an die andern Herren weiter. Als sich die Hand des Stiftsfräuleins Hermine danach ausstreckte, wehrte der Generalleutnant kurz ab.

»Nach dem Vorangegangenen kann ich meine Erlaubnis dazu nicht geben. Du, Hermine, kannst es jederzeit nach Ausweis über deine Person, im Büro unseres Anwalts, des Herrn Wullenweber, einsehen. Seine Adresse wird dir zugehen. Und nun genug davon! Weiteres wird in dieser Sache von dir nicht angehört werden. Damit wärst du auf den gerichtlichen Weg zu verweisen.«

Eine drückende Stille entstand. Sie lehnte mit leicht geschlossenen Augen auf ihrem Stuhl. Niemand bemühte sich um sie. Jeder am Tisch tat, als beschäftige ihn zur Zeit grade etwas anderes. Als sie sich wieder aufgerafft hatte, sagte sie merkwürdig ruhig:

»Ich danke für diesen Hinweis. Er wird aber, denke ich, überflüssig werden. Oder sollte der Vetter Generalleutnant sowie die andern wirklich nichts von jener hauptsächlichsten Bedingung ahnen, die auch dies alte seltsamerweise zur rechten Zeit aufgefundene Schriftstück nicht außer Kraft setzen kann? Mit der schaffe ich es leicht.«

Der Generalleutnant wechselte mit dem Anwalt einen raschen Blick. »Es ist klüger, wir zeigen uns ebenfalls davon unterrichtet«, flüsterte Walter Wullenweber.

»Ich bitte, dass Sie uns gefälligst jene Bestimmung zu Gehör bringen, Herr Rechtsanwalt.«

Walter Wullenweber sprach fast ein wenig zu kalt und sachlich für den Geschmack des Kummersbacher. Sein Inneres forderte jetzt eine hinreißende Rede für Eva von Ostried. Es war aber vielleicht richtiger, wie der junge Jurist es anfasste.

»Die Bedingung, welche die«, hier stockte er und fuhr erst fort, als der Generalleutnant keinen Namen einschob, »jene Dame soeben erwähnte, ist natürlich Seiner Exzellenz und dem Majoratsherrn ebenso gut, wie auch mir, dem Wortlaut nach bekannt und im Gedächtnis. Ich werde sie zur Vermeidung jeden Missverständnisses wörtlich verlesen. Sie findet sich am Schluss der in Kraft stehenden Familiensatzungen und erstreckt sich – ihrem Wortlaut und Sinn nach – auf sämtliche im Vorangegangenen ausgeführte Bestimmungen. Dieser ausdrückliche Hinweis geschieht für diejenigen unter den Anwesenden, welche sie bisher nicht genau kannten und sich vielleicht nach Beendigung der Besprechung noch einmal selbst davon zu überzeugen wünschen. Ich lese also vor:

›Alles, was an Rechten, Wünschen und Anträgen erfüllt werden sollte, geschieht in der schweigenden Voraussetzung, dass sich Anwärter oder Antragsteller des zu Verlangenden oder des Erbetenen bis zu dem Tage der Gewährung als durchaus wert und würdig erzeigt haben. Sollten sich nach stattgefundener Verleihung untrügliche Beweise von dem Unwert des Empfängers beibringen lassen, so ist nicht nur das in Besitz genommene unverzüglich herauszugeben, sondern auch die bereits empfangene Bereicherung mit Heller und Pfennig durch den Seniorenkonvent – das sind die drei ältesten männlichen Ostrieds grader Linie – abzuschätzen und zu ihren Händen zurück zu erstatten. Unter Wert und Würdigkeit eines männlichen Empfängers ist Ehrenhaftigkeit, solider Lebenswandel, der sich von Ärgernis erregender Völlerei, Glücksspiel und ehelicher Untreue freihält, in der Hauptsache zu verstehen. Wert und Würdigkeit eines weiblichen Empfängers muss noch strenger beurteilt werden. Sittliche Reinheit hat hier für Ehrenhaftigkeit zu stehen. Die Erzählungen von Schandmäulern, die dies anzweifeln, soll zwar gehört, indes niemals ohne ernsthafte Prüfung vonseiten des Seniorenkonvents geglaubt werden. Als Beweis des Unwerts ist anzusehen: Wer einen Ehegatten, einen verlobten Bräutigam, auch schon einen heimlichen Versprochenen, einer andern abwendig macht. Wer durch unentwegtes Scharmutzieren, Kokettieren, ja selbst durch herausfordernde Kleidung, den Ehrbaren Anlass zu öffentlichem

Ärgernis gibt. Ausgeschlossen von Gunsterweisungen aller Art sollen ferner sein, die durch öffentliche Schaustellungen in Buden und Zirkussen, sowie andern nicht einwandfreien Schauplätzen laufend Gelder verdienen.‹

Dieser letzte Passus ist wegen einer Gewissen angefügt, die sich im Jahre 1570 des alten ehrenwerten Namens von Ostried durch solche Künste unwert zeigte, ihn abgesprochen bekam und später in Elend und Not endete. Dies als abschreckendes Beispiel unseren lieben Frauen. Ihr Rufname ist ebenfalls ausgelöscht. Ihr Bildnis findet sich in keiner Ahnengalerie vor.«

Walter Wullenweber hatte in den Blicken des älteren Stiftsfräuleins das Aufleuchten des Triumphs deutlich wahrgenommen. Obwohl es ihm lächerlich erschien, empfand er plötzlich eine unerklärliche Angst um eine, die seine Liebe zurückgewiesen hatte; er befürchtete, dass jetzt jemand der hier Versammelten die Erbringung solchen Beweises laut verlangen könne. Und wiederum wünschte er einen Herzschlag lang, dass der Seniorenkonvent die ihm später zweifelsfrei von diesem gehässigen Stiftsfräulein unterbreiteten Ermittlungen bösester Art als zutreffend bestätigen möge. Dann war sie frei und schutzloser, wie je – – und er hätte sie schützen dürfen ...

Als diese zweite stürmische Beratung zu Ende war, trat der Kummersbacher auf ihn zu:

»Haben Sie zehn Minuten Zeit für mich, Herr Rechtsanwalt? Nichts Geschäftliches. Und doch etwas, das von dem soeben Erlebten nicht zu trennen ist.«

So saßen sie denn ein wenig später beisammen, und der Kummersbacher begann: »Was ich eigentlich will, ist so 'ne Sache. Kann verschieden aufgefasst werden. Ich will nämlich auch eine Kleinigkeit von Fräulein Eva von Ostried. Da sind welche, die stehen ihr nicht grade feindlich gegenüber. Der Generalleutnant zum Beispiel; auch den Waldesruher rechne ich dazu. Die andern, mit Ausnahme des kränklichen Herrn, der sich schweigsam verhielt und, wie Dichter das leicht tun, für sie flammt, hassen sie. Einer mehr, einer weniger. Fast hinter jedem Mann steht ein Weib und hetzt ein bisschen. Hinter dem Stiftsfräulein der auf Lebensdauer eingemietete Teufel, der sie völlig regiert. Hinter dem Major außerdem die glühende Angst um das Wohl seines einzigen Sprösslings. Da hat also schon seine Richtigkeit! – Ich habe Eva von Ostried ebenfalls bis zum heutigen Tage nicht persönlich gekannt. Habe mich leider, wie schon zugestanden, auch nicht um sie gekümmert. Ein anständiger Kerl soll die gemachten Fehler, sobald er sie merkt, abzuändern wenigstens versuchen. Und darum habe ich Sie hergebeten. Sie hat es nicht leicht, sich durchzuschlagen. Das fühle ich. Wenn man offene Augen haben will, bringt man das schnell heraus. Direkt von mir nimmt sie aber vorläufig nichts an. Bestimmt hat sie mit Entbehrungen zu kämpfen. Das soll aufhören. Zuerst habe ich daran gedacht, ihr eine regelmäßige Monatsrente durch Ihre freundliche Vermittlung, ohne Nennung meines Namens natürlich, auszusetzen. Sie würde das schnell herausbringen und mit einem dankenden Wort an Sie zurückschicken. Nun ist mir endlich was Besseres eingefallen. Sie leben in Berlin und irgendwelche musikalisch befähigte Jugend mag Ihnen auch bekannt sein?!«

»Zufällig bin ich täglich mit einem jungen Menschen zusammen, dessen ganzes Sehnen danach geht, sein musikalisches Talent in den Freistunden vervollkommnen zu lassen.«

»Das passt großartig. Wer ist's denn?«

»Einer unserer Schreiber.«

»Das dämpft meine Freude allerdings. Dem Kerlchen wird sie kein fürstliches Honorar zutrauen, nicht wahr?«

Endlich begriff Walter Wullenweber. »So war das gemeint?«

»Natürlich! Ich beabsichtige für jede Stunde – na, sagen wir mal – zehn Mark zu zahlen und ihn ungefähr vier bis fünf pro Woche nehmen zu lassen.«

Der junge Anwalt musste lachen. »Da er zu jeder Unterrichtsstunde tüchtig üben muss, dürfte ihm daneben für seine bisherige Tätigkeit kaum noch Zeit übrig bleiben.«

»Vielleicht hat er eine Schwester, die auch ideale Bestrebungen in sich fühlt.«

»Sogar ihrer mehrere. Bescheidene, wohlerzogene Mädchen. Näheres weiß ich allerdings nicht. Ich werde mich jetzt für die Familie interessieren.«

»Ja, tun Sie das! Und wenn es möglich ist, könnten ja besser gleich alle bei ihr antreten. Ihre Adresse kann ich Ihnen sofort geben ...«

Eine Sekunde überlegte Walter Wullenweber. »Lassen Sie, Herr von Ostried«, sagte er dann und sein Ton klang anders wie bisher, »es ist unnötig. Ich kenne sie.«

»So darf ich wissen, woher?«

»Fräulein von Ostried hat mich als ihren Beistand gegen einen ihrer Agenten benötigt. Es galt, einen kleinen Irrtum richtig zu stellen ...«

»Da war sie wohl persönlich bei Ihnen?«

»Ganz recht! Zweimal. Dann hatte sich die Sache zu ihren Gunsten erledigt.«

Dem Kummersbacher war diese Neuigkeit offensichtlich angenehm. Er rückte näher heran und fragte den jungen Anwalt in vertraulichem Ton:

»Und glauben Sie auch nur ein Wort von dem, was das enge Hirn einer, die nicht anders als böse denken und sein kann, über sie ausstreut?«

Bisher hatte sich Walter Wullenweber fest im Zügel gehabt. Jetzt ließ seine Kraft nach.

Der Kummersbacher bemerkte die Veränderung seines Mienenspiels.

»Was haben Sie, Herr Rechtsanwalt? Die verdammte Stickluft hier.«

»Das ist es nicht«, sagte Walter Wullenweber tonlos.

Der Kummersbacher sah ihn fest an, begriff langsam und nickte ein paarmal.

»So steht's also. Und sie? Verzeihen Sie die Frage. Neugier liegt nicht drin. Ich habe das Mädel so lieb wie eine Tochter gewonnen.«

Das Bekenntnis des alten Herrn, dass er sich um sie sorge, ließ keine Ausrede zu.

»Ich – wollte sie zum Weibe. Aber – sie kam nicht ...!«

Es wirkte wie das erschütternde Geständnis eines, der für einen Augenblick die Maske abwirft, und der Kummersbacher fragte kein Wort mehr. Er hatte auch keinen Trost bei der Hand. Kurz und herzlich sagte er:

»Wir beide haben heute nicht das letzte Mal zusammen geredet! Nicht wahr, das Gefühl haben Sie auch?«

20.

Zeit und Arbeit trabten weiter, obwohl Walter Wullenweber in den kommenden Tagen unter der starken Empfindung litt, dass sein Leben stillstehe! Niemals war in dem Weißgerber'schen Büro so heftig zu tun gewesen, wie in diesen vergangenen Oktoberwochen. Dazu kam, dass der Justizrat weiter an einer zunehmenden Körperschwäche litt, bei welcher der Arzt strengste Schonung forderte, und Walter Wullenweber nahm sich, um die Arbeit zu schaffen, jetzt dicke Stöße von Akten mit nach Hause.

Wenn er endlich gegen Mitternacht zur Ruhe ging, den Kopf noch voll schwirrender Berufsgedanken, war er todmüde, verfiel auch schnell in einen tiefen Schlaf, um plötzlich mit dem Gedanken emporzuschrecken: »... nun habe ich gründlich verschlafen.« Und doch war es kaum später als zwei Uhr morgens.

Aber sein Bedürfnis nach Ruhe war gänzlich geschwunden. Er brauchte alle Kraft, um nicht aufzuspringen und von Neuem zu arbeiten ...

Der dauernde Kampf, sich von den schweren, persönlichen Gedanken freizuhalten, drohte ihn aufzureiben ...

Ihre klaren, sprechenden Augen – die ganze Schönheit der jungen stolzen Gestalt – vor allem ihre weiche Stimme, deren Klang ihm verheißungsvoll zärtlich erschienen war.

Kurz! Er kam nicht von ihr frei.

Lange begriff er nicht, wie das möglich sein konnte. Er wollte der immer stärker werdenden Ahnung nicht Gehör schenken. Aber sie wurde ihm zur Gewissheit. »Der Grund ihrer Ablehnung ist ein anderer! Sie liebt dich, wie du sie liebst ...«

Schließlich war er sicher, dass sie sich ihm *um eines Geheimnisses halber* versagte! Die Saat des eigenen Misstrauens, gestreut durch den Bericht der alten, ahnungslosen Pauline von dem stattlichen Päckchen brauner Scheine in der Handtasche – die einwandfreie Feststellung ihrer eigenen Vermögenslosigkeit – dazu das Lockmittel ihrer bezaubernden Schönheit, das augenscheinlich sogar die alten harten Vertreter ihrer Familie auf ihre Seite gebracht, wuchs, seit dem das Stiftsfräulein Hermine den Stab über sie brach. Er wollte nicht daran glauben. Seine Liebe zu ihr war stärker als alles. Und doch, täglich zertrümmerte er seinen Glauben an ihre Reinheit.

Die alte Pauline hatte ihren Namen nicht mehr erwähnt, seitdem er es ihr verboten. Das war damals nach Evas Brief gewesen, als er noch geglaubt hatte, dass sie nun für ihn abgetan sei. Jetzt war er oft auf dem Wege zur Küche, um ihr zu gestehen, dass er ihr Schweigen nicht länger ertragen könne. Hinein ging er niemals. Er blieb vor der geschlossenen Tür und schüttelte den Kopf über seine Schwachheit.

Als er eines Morgens gegen neun Uhr an dem Schreibtisch seiner Arbeitsstätte schaffte, brannte noch die elektrische Lampe. Um diese Stunde durfte, ohne Vereinbarung, kein Klient vorsprechen. Heute meldete der kleine musikalische Schreiber, dem dies Amt bis zur Tischzeit oblag, eine Dame, die ihn ungesäumt in dringendster Angelegenheit zu sprechen wünsche. Mit einem Schlage durchfuhr ihn die Hoffnung, dass es Eva von Ostried sein könne. Er überlegte nichts, sondern starrte der sich öffnenden Tür entgegen. – Es war aber das Stiftsfräulein Hermine, die grau wie der herbe Tag, vor ihm stand.

Er wollte ihr kurz und unfreundlich eröffnen, dass sie sich bis zur angezeigten Sprechstunde zu gedulden habe … aber seine Kehle war wie zugeschnürt. Ungehindert ließ er sie sprechen.

»Ich möchte Sie um meine Unterschriftsbeglaubigung bitten, Herr Rechtsanwalt.« Dabei hatte sie schon mehrere Schriftstücke vor ihn ausgebreitet und wies mit der harten, knöchernen Hand darauf hin. »Es ist nämlich eine außerordentlich dringende Sache. Ich habe mein Geld mit sechs Prozent anlegen können, während ich bisher dumm genug war, es für nur vier einem kleinen Gutsbesitzer zu überlassen.«

Aus ihren Augen leuchtete die Habgier. Er merkte es deutlich, aber es stieß ihn, den sonst Feinfühligen, nicht ab. Sein persönliches Empfinden regte sich nicht.

Die Beglaubigung war schnell getan. Trotzdem blieb das Stiftsfräulein noch. Sie hatte denselben Stuhl inne, wie damals Eva von Ostried. Daran musste Walter Wullenweber plötzlich denken. Die zusammengefalteten Schriftstücke lagen immer noch in seiner Hand, ohne dass die Eigentümerin Miene machte, sie an sich zu nehmen.

»Ich bitte sehr, das gehört Ihnen.«

Sie nickte. Aber sie nahm sie ihm trotzdem nicht ab. Um seinem Blicke einen Ruhepunkt zu geben, senkte er ihn darauf nieder und las mechanisch den Namen eines waghalsigen Unternehmers, der seit Jahren ungeheure Werte an Grund und Boden an sich brachte. Sein Name war ihm vielfach begegnet. Ohne, dass ihm bisher die Gerichte sein Handwerk zu legen vermochten, hatte doch jeder, der sich mit seinen Angelegenheiten beschäftigen musste, das deutlichste Gefühl, dass dies Werk vieler Millionen eines Tages zusammenbrechen und unzählige Vertrauensselige unter sich begraben und zermalmen werde.

Die Verantwortung des Beraters von Rechtswegen regte sich in ihm. Auch dieser Unangenehmen gegenüber!

»Sie haben das Geld doch noch nicht hingegeben?«

»Doch«, nickte sie stolz. »Die Leute drängen ihm ja ihre Mittel förmlich auf und er suchte nur eine bestimmte Summe.«

Walter Wullenweber war auch diese Gepflogenheit bekannt. Um bei kleinen Sparern kein Misstrauen zu erwecken, bezifferte er in seinen Gutachten das Geforderte in der letzten Zeit kaum jemals höher als mit hunderttausend Mark.

»Es machte grade unser gesamtes Vermögen aus«, fügte sie noch hinzu.

»Und Sie haben sich zuvor bei niemand einen Rat geholt? Keinerlei Auskunft über ihn eingezogen?«

»Das war unnötig. Jede der zweiundzwanzig Damen unseres Stiftes war bereit, ihm das ihre, bis auf den letzten Pfennig, ebenfalls anzuvertrauen. Ich war nur schneller wie sie und darum glücklicher.«

So widerwärtig sie ihm auch heute war, eine letzte Frage musste er dennoch an sie richten.

»Wäre es möglich, dass Sie Ihr Geld, vielleicht mit einem kleinen Verlust – noch zurückziehen könnten? Mir ist bekannt, dass solche Leute, wenn sie dabei etwas verdienen können, sich ausnahmsweise dazu bereit erklären.«

»Glücklicherweise ist das ausgeschlossen«, kicherte sie. »Das Terrain ist bereits damit erworben. Ich werde außer den sechs Prozent Zinsen noch zwei weitere Prozent nach der Bebauung vom Reingewinn abbekommen. Denken Sie – also das Doppelte der bisherigen Einkünfte ...«

Er sagte nichts weiter dagegen. Wozu auch? Zu ändern gab es nichts mehr und sie würde es noch früh genug erfahren. Sie deutete sein Verstummen nach ihrer eigenen Veranlagung.

»Die andern Stiftsdamen würden mich steinigen, wenn sie wüssten, dass mir dies rechtzeitig gelungen ist.« Sie sah ihn lauernd an. Der abweisende Ausdruck in seinen Zügen bestärkte sie in der Annahme, dass auch er ihr dies glänzende Geschäft missgönne. Darüber freute sie sich, wollte grade eine hämische Bemerkung machen, unterdrückte sie aber rechtzeitig, weil sie an das andere dachte, um dessentwillen sie in der Hauptsache zu ihm gekommen war.

»Ich habe noch eine Bitte an Sie, Herr Rechtsanwalt.«

»Dafür bin ich zur Sprechstunde von zwölf bis zwei Uhr nachmittags zur Verfügung«, meinte er abweisend. »Dies hier geschah nur ganz ausnahmsweise! Der ungeschulte Schreiber soll keine unangemeldeten Besucher vorlassen.«

»Wenn Sie mich jetzt noch einen Augenblick anhören, wird es nicht Ihr Schade sein«, tuschelte sie vertraulich.

»Ich bitte höflichst, einstweilen zu gehen«, entschied er kurz, von ihrer Vertraulichkeit abgestoßen.

»Es handelt sich nämlich um Eva von Ostried«, fuhr sie fort, als habe sie seine Worte nicht vernommen.

Das entwaffnete ihn!

»Sie waren ja Zeuge meiner Ansichten über sie, Herr Rechtsanwalt. Natürlich habe ich sofort versucht, die nötigen Beweise, von deren Vorhandensein ich mich nach wie vor überzeugt halte, zu erbringen. Es ist mir nicht gelungen. Ich habe keine Berührungspunkte zu den Kreisen, in denen sie lebt. Wie soll ich also das bestimmt vorhandene Material zusammentragen? Sie sind ein Mann und haben als solcher überall Zutritt. Sie sind außerdem noch Jurist und wissen genau, worauf es hier ankommt. Tun Sie mir den Gefallen und bemühen Sie sich in dieser Sache an meiner statt. An dem Tage, an dem Sie mir Vollgültiges bringen, erhalten Sie von mir dreihundert Mark. Das gesetzliche Honorar, das Sie als Anwalt für Ihre Bemühungen fordern können, bleibt davon unberührt.«

»Wenn Sie nicht wollen, dass ich ungesäumt dem Generalleutnant von Ihrem Verlangen Bericht erstatte, entfernen Sie sich auf der Stelle.«

Sie ging mit wutverzerrtem Gesicht. »Gestehen Sie es nur, Sie sind auch einer von denen, der in ihren Netzen zappelt«, zischelte sie, schon auf der Schwelle stehend. –

Er war wieder allein und riss die Fenster weit auf, als schwebe in diesem Raum ein Pestgeruch wahnwitziger Verdächtigung, der ihm Übelkeit erregte. Dann hieb es wie mit Hammerschlägen auf ihn ein. »Er war auch einer ...«

Stimmte das nicht? Kam er von ihr los? Er fühlte, dass er an dieser Sehnsucht und Ungewissheit langsam zugrunde gehen müsse!

An diesem Abend kam er erst gegen neun Uhr nach Hause. Die alte Pauline war seinetwegen in Sorge. Sie wusste sich sein schon seit Wochen verändertes Wesen nicht anders zu deuten, als dass er sich krank fühle. Während er sonst beim Auftragen der Speisen gern einen Scherz machte, saß er jetzt gedankenlos am Tisch und genoss hastig und unfreudig, was sie ihm vorsetzte. Heute wartete der sorgfältig zubereitete Imbiss längst auf ihn.

»Es gibt ein Gläschen Glühwein, Herr Rechtsanwalt«, sagte sie verheißungsvoll, »haben Sie das nicht gerochen? Die Luft geht scharf und Sie sehen immer aus, als ob Sie nie richtig warm werden könnten.«

Er nickte ihr zu, während er die Aktentasche abwarf.

»Sie hätten Mediziner werden sollen, gute Pauline. Ihre Diagnose stimmt aufs Haar.«

»Sie haben also wirklich gefroren und sagen mir keine Silbe davon«, meinte sie vorwurfsvoll. »Wie gern hätte ich ein paar Kohlen in den Ofen gelegt.«

»Der Glühwein wird auch helfen. Bringen Sie ihn nur möglichst schnell.«

Sie blieb nachher noch wie in früheren guten Tagen ein wenig am Tisch stehen und sah ihm zu, in der Hoffnung, dass er sich aussprechen werde. Hastig goss er den dampfenden Trank herunter.

»Kann ich noch eins bekommen, Pauline?«

»Aber gewiss! Nur wär's vielleicht besser, ich brächt' es Ihnen kurz vor dem Schlafengehen. Das nimmt man, soll's helfen, in ganz kleinen Schlückchen – macht die Augen zu und schläft geschwind ein, wenn's sonst auch noch so lange dauern muss.«

»Ich werde ausnahmsweise gehorsam sein. Also – nachher noch eins! Vorher aber und zwar jetzt gleich, bitte, das andere ...«

Sie hantierte kopfschüttelnd in der Küche, um seinen Wunsch zu erfüllen. Er würde sich doch nichts angewöhnen? Neulich war er einmal seltsam wankend nach Hause gekommen.

Auch dies zweite leerte er sehr schnell.

»Ich muss übrigens nachher noch einmal fort, Pauline.«

»Bei diesem Wetter? Hören Sie doch, wie der Regen an die Scheiben klatscht.«

»Es hilft nichts. Ich muss eben. Suchen Sie, bitte, den alten Lodenmantel heraus. Die elektrischen Bahnen werden noch überfüllter wie sonst schon sein.« Sie schlug jammernd die Hände zusammen.

»Jetzt womöglich auch noch eine Stunde oder länger zu Fuß laufen. Lieber Gott, und ich hab's so gut und trocken und warm. Kann ich das nicht für Sie abmachen, Herr Rechtsanwalt? Lachen Sie mich nicht aus. Ich weiß wohl, dass ich viel zu dumm für Ihre Sachen bin. Aber vielleicht ist's nur ein Auftrag oder so was. Es war doch schon mal so. Da durfte ich auch an Ihrer Stelle gehen.«

Er legte gerührt seine Hand auf die ihre.

»Vielleicht machten Sie es diesmal sogar besser, als ich, Pauline. Aber – nein – es darf nicht sein. Ich werde nicht früher ruhig.«

Das war wieder geheimnisvoll und unverständlich, wie jetzt so vieles. Seufzend brachte sie den Mantel, der von den Kletterpartien aus der Studentenzeit herstammte und hing ihn sorglich um seine Schultern.

»Wann werden Sie wohl ungefähr zurück sein, Herr Rechtsanwalt?«

»Sie beabsichtigen doch nicht etwa aufzubleiben ...«

– – – – Das Vorwärtskämpfen durch den dunklen, nassen Abend tat ihm wohl. Der Regen, der jetzt fein und emsig herunterrieselte, netzte seine pochenden Schläfen und beruhigte die wirren Gedanken. Trotzdem fiel es ihm nicht ein, umzukehren – oder das, was er vorhatte, als etwas Sinnloses zu empfinden. Es gestaltete sich im Gegenteil immer klarer in ihm, dass er diesen Weg machen müsse!

Einmal versuchte er einen Platz auf der Plattform des elektrischen Wagens zu bekommen. Es gelang ihm wirklich. Aber nun stand er – eingekeilt von der Masse mürrischer, hastiger Menschen und atmete den Dunst durchnässter Mäntel und Kleider ein. Das dünkte ihn unerträglich.

In den kleinen verlaufenen Pfützen der Straße spiegelten sich die trüben brennenden Laternen, sodass es wirkte, als winke eine Schar abgestürzter Lichtlein, die sich vor dem Ertrinken wehrten, zu ihm herauf. Eine halbe Stunde ertrug er es. Dann sprang er ab und ging das letzte Stück durch Wind, Regen und Kühle. Ohne zu zögern setzte er seinen Weg fort. Als er die neue Kantstraße hinunterschritt und zu beiden Seiten des kunstvollen Brückengeländers den Spiegel des Lietzensees mit der neuen Fülle ertrinkender Lichter sah, beschleunigte er seine Schritte. Ungezählte mal war er denselben Weg in Gedanken gewandert, hatte ihn sich nach der Karte so genau eingeprägt, dass ihm die Gegend vertraut erschien. Nun bog er rechts ab und hielt sich an dem Drahtzaun entlang, der die alten schönen Bäume des Parkes am Königsweg begrenzte.

Das Haus, in dem Eva von Ostried wohnte, war schnell gefunden. Die alte Pauline hatte es ihm, als sie noch darüber berichten durfte, ausführlich und häufig genug beschrieben.

Gänzlich in das Dunkel gedrückt, stand er und starrte nach den Fenstern hinüber, die er als die ihren zu erkennen glaubte. Hinter der Glastür, die auf einen kleinen Balkon hinausführte, sah er den Schein einer rotumhangenen Lampe –, er unterschied die Köpfe zweier Menschen dicht nebeneinander. Der mit dem langgehaltenen fast bis zu den Schultern herunterfallenden Haar war derjenige eines Mannes.

Diese Entdeckung durchzuckte ihn wie ein Stich. Er wollte auch sein Gesicht sehen. Dies gelang ihm nicht. Es musste, in tiefer Versunkenheit, über etwas geneigt sein, das es völlig verbarg.

Auch von der weiblichen Gestalt vermochte er lediglich ein Stückchen des freigetragenen Halses und eine Hand, die sich zuweilen nach einem Gegenstand ausstreckte, mit Sicherheit festzustellen.

Es genügte ihm. Das Blut brauste vor seinen Ohren. Sein ohnmächtiger Zorn löste sich langsam in eifersüchtige Qualen auf.

Nun stand er hier und sah zu, wie sich dort oben unter dem Schein des verführerischen Purpurs, der das junge Blut doppelt erhitzen mochte, eines der vielen Schäferstündchen abspielte. Er versuchte sich einzureden, dass diese Gewissheit das beste Heilmittel für seine Liebe sei, sah nach dem Schienenstrange der Elektrischen hin, der durch Nebel und Nässe in der Ferne aufblitzte, und beschloss, heimwärts zu eilen und traumlos auszuschlafen. Denn er war sehr, sehr müde. Aber er machte keinen Versuch, sich zu entfernen. Er starrte weiter auf das verschwimmende Bild der beiden dicht zusammengeneigten Köpfe.

Die breite Promenade war menschenleer. Nur einmal klappte die niedere Tür der gegenüberliegenden Polizeiwache und ließ zwei stämmige Schutzleute heraus. Ein paarmal drehten sie sich nach ihm herum, dann gingen sie beruhigt weiter. Er fühlte nichts mehr wie das Bild, dessen Gestalten er klar erkennen musste, ehe er von hier schied. Seine Augen brannten. Seine Zunge lag hart und trocken im Munde. Vielleicht war es wirklich schon Mitternacht, denn irgendwo schlug eine Uhr zwölfmal. Seine Taschenuhr war plötzlich stehen geblieben. Er entsann sich dumpf eines Märchens, nach dem dies stets geschah, wenn eines Menschen Liebstes die Augen für immer schloss. Erst später fiel ihm ein, dass es ganz natürlich zuging, weil er vergessen hatte, sie aufzuziehen.

Er musste nun heim!

Da schob sich ächzend die schwere Haustür, von innen geöffnet, auf, und eine Männergestalt trat auf den Bürgersteig hinaus. In dem gleichen Augenblick erlosch oben der rote Lampenschein.

Mit ein paar Sätzen war Walter Wullenweber bei dem andern – – ging neben ihm dahin, starrte ihn an wie ein Irrer ...

Das war doch – –. Das Gefühl der Atemlosigkeit wich der Befreiung, die zu schön erschien, um bedingungslos an sie zu glauben.

»Herr Rechtsanwalt Wullenweber, nicht wahr?«, fragte eine Stimme, die selbst in dem Augenblick gerechtfertigten Erstaunens noch sanft blieb.

Der schweigsame Dichter von der Familientafel der Ostrieds sah erstaunt zu dem Anwalt auf. Walter Wullenweber suchte nach einer glaubhaft klingenden Erklärung.

»Ich hatte in der Gegend zu tun und hoffte nun auf eine zufällig des Weges daherkommende Droschke.«

Die Notlüge war zögernd und ungeschickt hervorgebracht. Aber Edgar von Ostried-Javelingen kannte kein Misstrauen. Langsam tastete er sich, nach den traumhaften Stunden, in die Wirklichkeit zurück und lachte leise auf:

»Dann ist es gut, dass mich der Zufall Ihnen in den Weg geführt hat. Das gibt es hier kaum. Wir erhaschen aber bestimmt noch die letzte Elektrische, wenn wir eilen. Nicht wahr, wir bleiben jetzt zusammen, um später, wenn die Bahn uns heraussetzt, ein Stückchen durch die Nacht zu gehen. Ist Ihnen das recht?«

Walter Wullenweber bejahte fast ungestüm. Ein wenig später saßen sie nebeneinander wie zwei alte Freunde.

Walter Wullenweber wartete, dass ihr Name fallen würde.

»Ich war in Fräulein von Ostrieds kleinem, entzückenden Heim«, begann der Dichter endlich. »Ich weiß nicht, ob Sie ihre Adresse kennen.«

»Doch«, meinte Walter Wullenweber mit mühsamer Beherrschung, »als der Anwalt der Ostrieds ...«

»Richtig. Wir hatten es an jenem großen Familientage ausgemacht, dass ich sie zuweilen an Sonn- oder Feiertagen besuchen dürfe.«

»Aber heute ist doch kein Feiertag«, warf Walter Wullenweber mechanisch ein.

»Nicht im gewöhnlichen Sinne! Für mich bestand er, obwohl sie selbst leider nicht zu Hause war.«

»Fräulein von Ostried ist … abwesend?«

»Seit vier Tagen weilt sie in München, um dort in zwei Konzerten zu singen.«

Walter Wullenweber seufzte tief auf. Wie hatte er das nur vergessen können?! Durch seine Verhandlungen mit Herrn Alois Sendelhuber kannte er die Daten genau.

»Hier habe ich übrigens eine glänzende Rezension aus den Münchener Neuesten Nachrichten über das erste Konzert«, plauderte der Dichter und suchte einen Ausschnitt aus der Brieftasche. »Leider ist es zum Lesen zu dunkel. Der Inhalt bringt eine schrankenlose Anerkennung ihres herrlichen Stimmaterials bei vornehmster und edelster Vortragsweise. Sie wird sicher dies alles ebenso interessieren wie mich, denn, nicht wahr, auch Sie glauben bedingungslos an ihre Reinheit?«

Über Walter Wullenwebers Gesicht lief ein heftiges Zucken. Anfangs wollte er die Frage überhören. Dann vermochte er es doch nicht. Vielleicht blieb dies die einzige Gelegenheit, um sich aus dem offenherzigen Bericht eines großen, guten Kindes, ein klares Bild zu formen.

»Tun Sie es denn?«, fragte er dagegen. Ein erstaunter Blick traf ihn.

»Ich? Allerdings! Ich verehre sie auch um ihrer selbstlosen Güte und Entsagungsfreudigkeit willen, von allen Menschen am meisten. Und ihre Künstlerschaft ist begnadet. Dazu bedurfte ich keine Kritik. Das habe ich sofort in der ersten Viertelstunde gefühlt, die ich ihrem Gesang lauschen durfte. Sie machen ja plötzlich so ein merkwürdiges Gesicht, Herr Rechtsanwalt? Trauen Sie mir keine Urteilskraft zu?«

»Sicher halten Sie sich von Fräulein von Ostrieds Vortrefflichkeiten voll überzeugt!«

»Soll das vielleicht heißen, dass Sie an ihnen zweifeln?«

»Zweifeln? Ich glaube nicht, dass der Ausdruck passt.«

»Auch jetzt bleiben Sie noch Jurist. Wie leid mir das tut. Als ich Sie neulich längere Zeit beobachtet hatte, war ich sicher, dass Sie ein starkes Gefühl für die Angegriffene hatten, obwohl Sie dies nicht zum Ausdruck bringen konnten.«

»Nehmen wir an, dass Sie sich nicht darin getäuscht haben.«

»Dann dürfen Sie nicht an ihr zweifeln!«

»Alles Zweifeln entspringt dem Verstand! Dagegen kann das Gefühl nicht an.«

»Wie sonderbar und hart! – Sie waren wohl nie in ihrem Heim? Hatten keine Gelegenheit sie zu studieren, wie es mir vergönnt war.«

»Nein. Wie wäre das auch möglich gewesen. Sie suchte mich als Anwalt auf, wir lernten uns dabei kennen – verhandelten –«

»Dann sind Sie entschuldbar, obgleich ich sofort einen nachhaltigen Eindruck von ihr empfing. Verstehen Sie mich nicht falsch. Sie ist sehr schön. Vielleicht überhaupt die Allerschönste. Es liegt nahe, dass ich mich blind in sie verliebt haben könnte. Mein schwacher Körper – meine armselige Stellung als Mensch und leider vor der großen Volksmenge auch noch als Dichter wären kein Hindernis. Ich bin aber gar nicht verliebt in sie. Ich liebe sie! Auch das nicht im üblichen Sinne. Wie man das Gute und Schöne lieben und anbeten muss, so fühle ich für sie. Es kommt mir gar nicht in den Sinn, dass dies etwa in den Augen solcher, denen nichts heilig ist, lächerlich erscheinen könnte.«

»Schwärmer«, sagte Walter Wullenweber leise. »Was erscheint Ihnen denn so göttlich an ihr?«

»Vor einer Stunde war ich noch fest überzeugt, dass niemals ein Wort davon über meine Lippen gehen würde. Jetzt fühle ich, dass ich, um ihr einen Dienst zu erweisen, daran rühren muss. Sie sollen ein klares, unverzeichnetes Bild von ihr erhalten. – Sie hat ein junges, sicher dem Tode verfallenes Mädchen bei sich. Bei der habe ich heute gesessen und ihr aus meinen neusten Schöpfungen vorgelesen. Sie ist sehr einsam und muss sehr unglücklich sein und Eva von Ostried hat mich gebeten, während ihres Fernseins nach ihr zu sehen. Völlig hat sie sich nicht zu mir ausgesprochen. Es gibt aber Minuten, in denen eine schreckliche Vergangenheit aus ihren entsetzten Augen redet. –

Was ich über Eva von Ostried an Tatsächlichem weiß, hörte ich von ihr. Eines Tages hat sie das ihr bis dahin fremde Mädchen aufgenommen, die Schwerkranke mit allen Opfern gepflegt und wie eine Schwester gehalten. Der Grund ist mir klar. Sie weiß bestimmt, dass deren Wochen oder Monate gezählt sind – dass niemand das sieche, heimatlose Geschöpfchen aufnehmen würde. Darum machte sie ihr mit dem Sonnenschein ihrer Güte die letzte Stunde leicht ...«

»Dies todkranke, verlassene Mädchen ist eine Gefallene, nicht wahr?«

Der Dichter zuckte zusammen. Über sein Gesicht flammte das helle Rot der Scham oder Empörung.

»Ich weiß nicht, ob sie jemals gestrauchelt oder gar gefallen ist. Und will es auch nicht wissen. Haben Sie allzeit aufrecht dagestanden? Ja? Ich nicht! Ich habe Zeiten hinter mir, in denen ich zu dem Schlechtesten fähig gewesen wäre. Warum ich es nicht ausführte? Ich hatte eine Mutter, die ein Engel war und einen Vater, der ein Held im Ertragen und Entsagen, auch in den opfervollsten Zeiten, blieb. Beide Eltern starben, als ich zwanzig Jahre zählte. Viel zu früh natürlich. Und dennoch spät genug, um mich stark und reif gemacht zu haben. Bei jeder Anfechtung waren sie mein Schutz und Schirm. Wissen Sie denn, ob das kleine, arme Gretchen Müller jemals einen Schutzgeist besitzen durfte? Nun ist auch sie rein und still und sehnsüchtig nach allem Guten. Was ist denn die Hauptsache? Was jemand getan oder versehen hat oder wie er es zuletzt gutmacht? Ich glaube, dies letztere. Ich sage Ihnen, das kranke Mädchen hat sich entsühnt. Und weil Eva von Ostried das genau fühlt, wird ihre Güte und Liebe immer größer!«

»So ist Fräulein von Ostried von ihrem jetzigen Leben also voll befriedigt?«

»Das glaube ich nicht. Sie ist ein verschlossener, starker Mensch, der alles allein trägt. Meinen Sie vielleicht, dass sie sich etwa zu Fräulein Gretchen ausspräche, denn ich darf das für mich noch nicht in Anspruch nehmen. Unsere Bekanntschaft ist zu neu. Sie hat mir gegenüber den Ton einer besorgten älteren Schwester, der neben all meiner Anbetung den unbedingten Respekt keinen Augenblick vergessen macht. Aber die Hausgenossin ahnt ein schweres Geheimnis in diesem Leben und leidet schwer darunter, weil sie nicht zu helfen vermag.«

»Sie ahnt auch nicht, was es sein könnte?«

»Nein! Eva von Ostried vermeidet über sich zu sprechen.« Noch einmal äußerte sich der alte Argwohn in Walter Wullenweber: »Sie wird ihre guten Gründe dafür haben.«

»Wahrscheinlich. Gut sind sie sicher. Ob richtig? Das wäre die Frage. Ich jedenfalls verstehe, dass sie die Todkranke, die von viel Schmerzen gepeinigt wird, nicht noch mehr belasten will.«

»Wie Sie für alles, was sie angeht, irgendeine Entschuldigung oder Erklärung bereithalten.«

»Könnte ich sie sonst wirklich anbeten? Sie lächeln und denken, ein Dichter kann das sehr wohl. O nein, Herr Rechtsanwalt. Wenn ich auch arm und abhängig bleiben muss, meine Begriffe von Frauenehre und Menschenwürde stehen fest. Die lasse ich mir von niemand antasten, geschweige denn rauben. Wenn sich heute ein Dutzend weiser und berühmter Denker die Mühe machen wollten, mich mit anscheinend logisch aufgebauten Beweisen andern Sinnes zu machen, es hilfe ihnen nichts. Wenn meine Seele klingt, wie sie das in Eva von Ostrieds Gegenwart tut, dann irrt mein Gefühl nicht.«

»Sie sind ein beneidenswert glücklicher Mensch.«

Der elektrische Wagen lief nicht mehr. Die wenigen Fahrgäste waren ausgestiegen. Nun kletterten auch die beiden letzten in ihre Gedanken Versunkenen heraus.

»Bleiben wir noch ein wenig zusammen?«, fragte der Dichter wieder sehr schüchtern.

»Es kommt darauf an, wo Sie wohnen.«

Er nannte eine Straße im hohen Osten.

»Dann haben wir noch eine Viertelstunde den gleichen Weg.«

Schweigsam gingen sie durch die Nacht. Der Regen hatte aufgehört. Sterne waren da und ein schmaler, blasser Mond.

»Herr Rechtsanwalt«, sagte der Dichter plötzlich leise.

Walter Wullenweber fuhr zusammen. Er hatte die Gegenwart des andern vergessen.

»Verzeihen Sie mir meine Schweigsamkeit. Mir ging so manches durch den Kopf.«

»Das fühlte ich und würde Sie auch nicht gestört haben, wenn die Viertelstunde nicht bald herum wäre. Eine Bitte hätte ich: Werden Sie Eva von Ostried ein wahrer Freund und Berater, wenn Sie es können. Ja? Sie ist sehr einsam und ich bin doch nicht die Persönlichkeit zum schützen. Wollen Sie?«

Walter Wullenweber hielt die feingliedrige Hand des Dichters und presste sie voller Kraft.

»Ich will es versuchen!«

Nun ging er allein weiter. Die Sterne waren schon wieder verschwunden und der schmale Mond blinkte nur noch wie ein gelber Faden, der zwei dicke, graue, unruhige Wolken zusammen zu nähen versuchte. Ihm war heiß, jung und sehnsüchtig zumute!

21.

Der geräumige, vornehm ausgestattete Blüthnersaal schien bereits eine halbe Stunde vor Beginn des heutigen Konzerts gefüllt. Aber mit dem Glockenschlage strömte nochmals ein neuer Menschenstrom herein, staute sich einen Augenblick und verteilte sich dann nach allen Seiten hin. Wie das Rauschen einer Unruhe lief's durch den Saal, dann schlossen sich die Türen und es wurde ganz still.

Das Künstlertrio begann mit dem tatrischen Tondrama von Tschaikowski. Vielleicht beherrschte der wundervoll reine Klang des Cello ein wenig zu sehr die Melodie, die von der Geige hätte geführt werden müssen. Aber das war nur für die ersten Minuten der Fall. Dann bot das Zusammenspiel einen künstlerischen Genuss von höchster Vollendung und die gewaltige Dramatik des ersten Satzes löste eine beifallslose Ergriffenheit aus.

Nach der ersten Pause kam von einer der Türen Horst Waldemar von Ostried und ging suchend – die Platzkarte in der Hand – die vollbesetzten Reihen auf und ab. Er wusste genau, dass er irgendwo unter einem Pfeiler einen Eckplatz hatte.

Als er endlich die kleine Dame im Schwabinger Künstlerkleidchen und die dazugehörenden braunen Haarschnecken vertrieben hatte, war es gerade der Augenblick, dass Evas stolze, schlanke Erscheinung in dem sehr schlicht gehaltenen Gewand aus weißer, fließender Seide auf dem Podium erschien.

»Hast du jemals etwas so Märchenhaftes gesehen?«, flüsterte hinter seinem Rücken ein begeistertes junges Wesen ihrem älteren, würdigen Nachbar, der offenbar ihr Vater war, zu.

Horst Waldemar lauschte mit gespannter Aufmerksamkeit ihrer Antwort.

»Ausnahmsweise spielst du dich als echter Kindskopf auf«, tadelte die tiefe Stimme. »Befreie dich gefälligst von ihren äußeren Reizen, sonst kannst du unmöglich das genügende Verständnis für sie als Sängerin aufbringen. Und du weißt, dass sie das verdient.«

»Ich empfinde dich als einen merkwürdig gnädigen Kritiker, sobald es sich um sie handelt, Papa.«

»Merkst du nicht, dass sie uns alle durch ihr Talent dazu zwingt, Kind? Dies alles ist nur der Anfang. Eines Tages wird man in der musikalischen Welt nur von ihr sprechen. Dann wird sie ungeheure Honorare bestimmen und erhalten. Man wird sich einfach zerreißen, um sie festzumachen. Das habe ich bereits vor einem Jahre gewusst. Und niemals begriffen, dass sie sich mit dem bescheidenen Lose einer Konzertsängerin begnügt.«

»Sie wird sehr bald einen Prinzen oder einen Doppelmillionär heiraten, Papa, und dann darf sie nur für den einen singen.«

Er lachte leise.

»Beide mögen sich finden lassen! Ob sie aber mag?«

»Ich glaube, ich könnte nicht widerstehen.«

»Diesen Glauben teile ich. Du bist leider im Alltag das nüchternste Geschöpf unter der Sonne, wenn es irgendwie Stellung, Vorteil oder Glanz zu erkaufen gibt.«

Es klang bitter.

»Ich muss doch, seitdem Mama tot ist, sparen. Für uns beide«, sagte sie, als schäme sie sich ein wenig für ihren alten Vater, der das wirtschaftliche Einmaleins so schlecht beherrschte.

Er seufzte verzweifelt auf. »Ach, diese ewigen Geldnöte, Trude.«

Da jauchzte der erste Ton durch die andächtige Stille und löschte die Nöte des Lebens aus. Schuberts tiefergreifende ewig schöne Weihelieder erbrausten. Das Lied vom »Abendrot« umspann die Hörer mit seinem weichen, sehnsüchtigen Ewigkeitszauber.

Den fünf Handschriftliedern war ihre Stimme und die Begleitung voll angepasst und jubelnde Stürme echter Begeisterung lösten sie aus. Eva von Ostried stand, als ginge sie die Raserei der Menge nichts an, und trat schließlich, mit einer Handbewegung auf den Komponisten deutend, bescheiden zurück. Er musste an ihre Seite kommen. Die beiden hochgewachsenen Menschen reichten sich einen Augenblick fest die Hände.

In diesem Augenblick erhob sich Horst Waldemar von Ostried so leise, wie es seine mächtige Figur zuließ und tastete sich nach der Tür. Ihre Mitwirkung war nach der gedruckten musikalischen Beitragsfolge hiermit zu Ende. Noch einmal sah er zu ihr hinüber. Sie hatte die Hände wieder frei und leicht zusammengelegt. Sein Blick war gefesselt. Gewaltsam riss er ihn los. Noch ehe ihm das voll gelungen, hatte sie ihn bemerkt. Eine Sekunde begegneten sich ihre Blicke. In der nächsten wandte sie den Kopf zur Seite.

Ihm flog etwas durch den Sinn. Zusammenhanglos, wie er meinte und töricht genug. Die Worte, die vorher der alte Kritiker über den Prinzen gesagt hatte – »Ob sie aber mag?« Dann reckte er sich noch höher auf und verließ in dem Augenblick den Saal, als die unaufhörlich Klatschenden sich glücklich eine Zugabe erbettelt hatten. Es war das kleine Lied des unbekannten Komponisten, dass sie damals in München gesungen:

Ich hatt' eine weiße Rose
Auf meinem Blumenbrett ...

Eva hatte sich dem nicht endenden Beifall entzogen und war auf der Hintertreppe ins Freie gelangt, denn der Anblick des einen, der sich plötzlich weit vorgebeugt und unverwandt zu ihr herab gestarrt, hatte ihr die Fassung und alle Freude an dem schönen, großen Erfolg geraubt.

Nun sah sie nur ihn, fürchtete ihm irgendwo zu begegnen und stellte doch in dem nächsten Augenblick mit bitterer Angst fest, dass er zu stark und zu stolz sei, um nach dem Geschehenen auch nur einen solchen Versuch zu machen. Die herzliche Einladung des Trios zu einem gemütlichen Beisammensein nach dem Konzert hatte sie, unter irgendeinem törichten Vorwand, abgelehnt. Wie eine Diebin schlich sie sich fort. Der Schwarm der Hörer hatte sich verlaufen. In der Beförderung der elektrischen Bahnen musste vorübergehend eine Stockung eingetreten sein. Es war alles still und tot um sie her.

Plötzlich stand er neben ihr und ging an ihrer Seite weiter. Walter Wullenweber hätte dies noch vor Stunden für unmöglich gehalten. Er wollte nichts, als sie wiedersehen, und danach alles überlegen! Nun zwang ihn etwas zu ihr.

»Woher kennen Sie das kleine Lied?«

»Das Lied? Welches Lied?«, fragte sie.

»Mein Lied.«

»Das von der weißen Rose? – Es ist das Ihre?«

»Ja, ich habe es vertont. Der Text ist von meiner armen, kleinen Schwester.«

»Ich fand es vergessen in einer kleinen Konditorei und nahm es mit mir. Seitdem habe ich es oft gesungen.«

»Eva«, sagte er dicht an ihrem Ohr und alles, was er an Liebe, Leid, Sehnsucht und Angst um sie getragen hatte, lag in diesem einen Worte.

Es riss sie von ihm fort, denn die alte Schuld schlug mit harten Fäusten auf sie ein, aber sie hörte nichts als das eine leise, zärtliche

Wort. Und seine Hand riss die ihre an sich: »Ich liebe dich – weiter über alles.«

Da gab sie den Kampf auf.

»Wo warst du so lange?«, fragte sie voll seliger Scheu.

Nun nahm er auch ihre schlanke stolze Gestalt. Einen Augenblick ruhte sie an seinem Herzen.

»Ich war immer bei dir, Eva.«

»Und ließest mich doch ganz allein.«

»Durfte ich denn kommen? Hast du deinen Brief vergessen, den schrecklichen kalten Brief?«

»Es war alles nicht wahr«, stammelte sie.

»Warum dann aber? Wozu diese unsägliche Qual für uns beide?«

»Frage nichts! Ich weiß es nicht. Ich weiß nur das eine.«

»Was ist das? Sprich es aus!«

»Dass ich dich ebenso liebe, wie du mich!«

Seine Arme umfassten sie – trugen sie beinahe, und mit geschlossenen Augen ließ sie es geschehen. »Du, du«, sagte er nur, »nun hat alle Not eine Ende!«

Da schlug es wieder in ihr wundes Gewissen. »Ich muss noch mit dir sprechen. Morgen, ja?«

Das unheimliche Gespenst des dunklen Geheimnisses, unter dem er bis zur Grenze des Ertragenkönnens gelitten – da war es wieder. Und dennoch nichts mehr von alledem.

»Es ist doch keiner da, der jemals ein Recht an dir gehabt hätte, Eva?«

Stolz und frei blickten ihre Augen in die seinen.

»Niemand! Das schwöre ich dir!«

Nun war alles – alles gut! Keine Frage sollte jemals an seinen Qualen rühren. Er würde ihr bedingungslos vertrauen. Er hob ihre Hände und presste seine Lippen darauf.

Der nächste Tag war ein Sonntag. Mit holdseliger Befangenheit, die ihn rührte und beglückte zugleich, hatte sie seinen Besuch in ihrem Heim abgewehrt. So war es festgelegt, dass sie sich um die Mittagszeit draußen in Wannsee treffen und alles nötige miteinander vereinbaren würden. Denn sie waren im Innern gleich entschlossen, dass sie schon diesen Winter als Mann und Frau durchleben mussten!

Auf dem schmalen Sitzbrett eines Bootes saßen sie und sprachen von sich und ihrer Zukunft.

»Ein glänzendes Los erwartet dich nicht, Liebste«, meinte er. »Siehst du, mein festes Einkommen genügt eigentlich. Aber da ist noch mein Vater. Ich schrieb dir damals alles von ihm. Und dann meine kleine Schwester. Wenn ich sie doch eines Tages wiederfände.«

Fest schmiegte sie sich an ihn.

»Mit mir, die ich leider mit ganz leeren Händen zu dir kommen muss, rechnest du also lediglich als Verbraucherin?«

Er sah sie erschrocken an.

»Anders darf es nicht sein, Eva!«

»O doch! Verstehe mich nicht falsch. Ich werde an dir und deiner Liebe volles Genüge finden. Das weiß ich. Frei von allem Ehrgeiz will ich dir schaffen helfen, indem ich weitere Stunden gebe.«

»Nicht früher, bis es dringend notwendig geworden ist. Versprich mir das schon jetzt.«

»Gut«, sagte sie nach einer Weile. – An ihrem Zaudern merkte er, wie schwer ihr die Zusage wurde.

»Ich glaube, das war von mir allzu egoistisch, Liebling. Ändern wir es darum ungesäumt ab. Wenn deine Sehnsucht dich früher dazu treiben sollte, dann sagst du es mir!«

Sie nickte.

»Wie du mir überhaupt alles – alles anvertrauen musst. Nicht wahr? Aber das ist ja selbstverständlich!«

»Wenn ich dir nun doch eine Kleinigkeit verschweigen würde«, fragte sie mit schmerzhaft zusammengezogenen Brauen.

»Es käme darauf an, was es wäre. Halte mich nicht für kleinlich. Ich will dir immer grenzenlos vertrauen. Aber ein Geheimnis, dass schon bestanden hat, ehe du mein Weib wärst. Siehst du, das müsste ich kennen. Oder?« Er stockte.

»Warum sprichst du nicht zu Ende, Walter?«

»Es war nichts, Liebste«, lenkte er ab.

»Du willst kein Geheimnis dulden und schaffst in demselben Atemzug eins«, klagte sie.

Ihre Augen standen voller Tränen. Der Jammer über ihr Schicksal erpresste sie. Er aber glaubte, sie verletzt zu haben, befreite sich von dem sich selbst gegebenen Versprechen und sagte rasch und klar:

»Du hast einen Anspruch, den Satz zu Ende zu hören. Ich wollte sagen, wenn es das Geheimnis eines Geschehnisses wäre, von dem du wüsstest, dass es nichts in mir änderte – das ich voll begreifen, ja vielleicht sogar nachmachen könnte, dann gestände ich dir ohne Weiteres das Recht zum Verschweigen ein.«

»Also in keinem andern Fall?«

»Nein! Vielleicht könnte ich etwas, das ich nie begreifen lernte, dennoch verzeihen.«

»Du musst mir noch mehr darüber sagen, Walter. Ich verstehe dich noch nicht völlig.«

»Und es ist doch so klar, Liebste! Ein hartes Geheimnis, lediglich durch einen Zufall enthüllt, würde für immer Glauben und Vertrauen in mir vernichten.«

»Auch die Liebe?«, fragte sie mit Aufbietung aller Kraft.

»Meinst, dass die ohne Glauben und Vertrauen möglich ist?«

Einen Augenblick rang sie um Atem. Jetzt musste sie es ihm sagen. Keine Minute durfte es länger nach diesem verschwiegen werden.

Da legte er den Arm um sie und zog ihren Kopf an seine Brust. So ruhte sie aus, während der leichte Kahn fast stillstand, und dachte dumpf und verzweifelt und dennoch über alle Maßen selig: Noch einen Herzschlag lang, und dann – –

Er küsste sie auf Mund und Augen. Ein leiser Wind begann sie ein wenig vorwärts zu treiben. Die Sonne sah ihr warm und strahlend ins Gesicht.

Plötzlich ward sie fest entschlossen, ihr Glück nicht aufs Spiel zu setzen. Denn der Zufall? Er konnte ihr nichts anhaben. Niemand außer ihr wusste darum!

»Wir törichten, dummen Menschen«, flüsterte sie an seinem Herzen und lachte dabei. Wie von einem Alp befreit atmete er auf.

Dass sie jetzt schweigen konnte und lachen war der beste Beweis, dass er sich alle Schatten nur eingebildet hatte!

Sie wurde sprühend ausgelassen.

»Dass hätte ich niemals für möglich gehalten«, wunderte er sich beglückt.

»Du wirst noch viel Seltsames an mir erleben.«

»Sicher aber lauter Schönes und Beseligendes.«

»Möglich! Als deine Frau findet auch das immer noch ausstehende Wunder, das eine Ahne verheißen hat, eine Erfüllung.«

»Worin könnte das wohl noch bestehen?«

»Dass einer Ostried, die gleich einer Nachtigall flötet – verzeih mir diese Anmaßung, aber so steht es geschrieben – eines Tages ein Märchenschloss vom Himmel herabfällt, worin wir beide dann unsere allerreinste, allertiefste Liebe vor den neidischen Menschen verstecken können.«

»Das Schloss mag nahe genug sein. Aber, ich bin das Hindernis. Pass nur auf, du kennst meine Schattenseiten nicht.«

»Ich weiß nur, dass ich glücklich durch dich bin. Was wird nur die alte Pauline sagen, wenn sie alles erfährt.«

»Ich bilde mir ein, sie hat es vorausgewusst, Liebste.«

»Hat sie etwas Derartiges verraten oder gar dir zugeredet.«

Es klang schelmisch und übermütig.

»Gelobt hat sie dich nur immer, bis ich ihr das im vollen Ernst verbieten musste.«

»Und darin ist sie gehorsam gewesen?«

»Aufs Wort.«

»Dann wirst du auch mich völlig beherrschen, Liebster.«

»Und du wirst dich zu deiner Kunst zurücksehnen?«

»Soll ich es dir wirklich wiederholen, du Unersättlicher? Mein Sehnen bist du! Ohne dich wäre mir jenes sagenhafte Märchenschloss nie und nimmer beschert worden.«

»So süß es in meinen Ohren klingt, Liebling. Der Jurist weiß es anders.« Und er erzählte ihr von jener durch Horst Waldemar von Ostried aufgefundenen grundlegenden Erbfolgebestimmung. Sie hörte aufmerksam zu und brach schließlich in ein helles Lachen aus. Diesmal kam es aus einem schattenlos fröhlichen Herzen.

»Nun verstehe ich endlich den Brief des Regierungsassessors und nunmehr entthronten Anwärters. Das heißt«, fügte sie verbessernd ein, »jetzt kann er wieder seine alte langweilige Maske vorstecken. Zwei Tage nach dem Familientag erhielt ich ein Schreiben von ihm. Ach so – ich muss noch etwas voranschicken. Er wollte mich nach jener Sitzung heimbegleiten – aber ich hatte kein Verständnis dafür und schickte ihn fort. Darauf nahm er Bezug. Es war ein schöner Brief. Du musst ihn auch lesen. Inhalt: Ich hätte es ihm angetan und er flehte um meine Huld!«

»Richtig Huld hat er geschrieben?«

»Jawohl! Du, das war sehr diplomatisch. Darunter konnte ich mir allerhand vorstellen. Warte, es geht noch weiter. Wann er kommen dürfe, um sich von meiner Vergebung zu überzeugen und wann vor allen Dingen er mich seinen lieben Eltern bringen könne, die sich herzlich auf mich freuten. Dabei schenkten mir damals besagte liebe Eltern auch nicht die geringste Beachtung.«

»Was hast du ihm geantwortet?«

»Geantwortet? Aber, Liebster?«

»Nun ja –«

»Kein Wort natürlich! Er ist doch auch Jurist und wenn ich ihm ganz klar meine Ansicht über diesen Fall mitgeteilt hätte, würde er mich sicher vor das hohe Gericht geschleppt haben. Denn, du musst bedenken, dass ich bei Abfassung seines Briefes die für ihn ausschlaggebenden Beweggründe noch nicht ahnte. Ich habe ihn einfach für wahnsinnig gehalten. Später änderte ich diese betrübliche Ansicht in eine nicht minder unschöne ab. Er wurde mir langsam zu einem gewissenlosen Betörer, dem jedes Mittel zur Erlangung eines unsaubern Wunsches recht ist.«

»Du hättest also Frau Regierungsassessor und noch viel mehr werden können. Bestimmt aber die Schlossherrin von Waldesruh, wenn auch im reifsten Alter. Der jetzige Majoratsherr scheint keine Lust zur Wiedervermählung zu haben.«

Sie zuckte zusammen, als fröstele sie. »Niemals sah ich ein seelenloseres Gesicht als das seine! Findest du das nicht auch?«

»Sonderlich zu erwärmen vermag auch ich mich nicht für ihn. Aber er ist ein Mann von hochanständiger Gesinnung. Nicht wahr, wie leicht hätte er es gehabt, diese unbequeme Bestimmung aus dem verrosteten Kasten einfach verschwinden zu lassen. Wenn er auch nachträglich ausgeführt hat, dass sie ihn und einen eventuellen Sohn aus einer zweiten Ehe nicht anficht. Immerhin, es brachte ihm Arbeit und Reibereien ein.«

»Natürlich. Ich vergesse immer wieder, dass ich in den Augen der ganzen Familie verfehmt bin. Nein«, verbesserte sie sich, »das wäre undankbar. Der Kummersbacher war herzlich gut mit mir und der kleine Dichter, der mich übrigens treu besucht, hat mir längst zwei Flügel verliehen.«

»Mache dich jedenfalls in allernächster Zeit auf die wichtige Eröffnung gefasst, Evalein, dass deiner späteren Linie bei einer standesgemäßen Heirat die Aussicht zur Wiedererlangung der alten Heimat beschert sein soll!« Sie errötete tief und nestelte sich von Neuem an ihn.

»Ich gehöre dir. Nur dir! Alles andere ist wertlos geworden! Du wirst mir auch diese Mitteilung, die hinfällig geworden ist, ersparen – nicht wahr?«

»Das darf ich als pflichtgetreuer Anwalt, der gar nichts mit deinem Liebsten zu schaffen hat, nicht!«

»Aber, wenn ich nun doch sehr, sehr bald auch vor der Öffentlichkeit deine Braut heiße.«

»Damit bist du leider noch nicht meine Frau!«

»Auch das wird gar nicht mehr so lange auf sich warten lassen?«

»Wären dir endlos lange zwei Monate als Verlobungszeit zu kurz, Liebste?«

»Nein, nein! Das sind ja mehr als sechzig Tage!«

Schweigsam aneinander gelehnt saßen sie, sahen träumerisch nach den silbergrauen Perlen und beschlossen, Hand in Hand, dass in den nächsten Tagen ein ausführlicher Brief über dies Ereignis nach Hohen-Klitzig berichten solle.

Noch einmal jammerte Eva von Ostrieds Gewissen auf. Dann hatte sie auch diese Regung überwunden.

22.

Sie hatte ein Herz aus Glas und der Geliebte sah alles, was darin vorging! Selbst bis dahin ahnungslos, dass es so war, offenbarte ihr erst sein entsetztes Stammeln, dass sich ihm nun doch ihr Geheimnis enthüllt habe. Sie gewann es über sich, um seine Vergebung zu betteln, sie zu gewähren war ihm unmöglich!

Er schüttelte sie ab und floh mit einem Ruf des Abscheus für immer – –

Als Eva von Ostried mit einem wilden Schrei aus diesem Traume emporfuhr, versuchte sie sich zu verhöhnen. Nachmittags, wenn sie sich zum Aussuchen der Verlobungsringe treffen würden, wollte sie ihm davon erzählen. Zugleich erschrak sie über diese Kühnheit, denn lediglich das gläserne Herz war ein Gebilde ihrer aufgepeitschten Nerven. Das Weitere entsprach ja der Wahrheit!

Die Morgensonne leuchtete durch die herbstlichen Bäume des Parkes und trug zu ihrem goldenen Strahlen den Widerschein der gelb und rot gefärbten Blätter ins Zimmer hinein; dabei wurde Evas Herz wieder ruhig.

Gegen zehn Uhr vormittags brachte Gretchen Müller einen Rohrpostbrief.

Eva von Ostried streckte mit glücklichem Lächeln die Hand danach aus. Walter Wullenweber schrieb in großer Eile:

Mein Liebling, werde soeben telegrafisch zur Entgegennahme eines Testaments in die Nähe Berlins aufs Land gerufen. Komme wegen ungünstiger Bahnverbindung jedenfalls erst spätabends zurück. Auf morgen also ...

Ein neuer Tag ohne ihn! Es erschien ihr schmerzlich und doch süß zugleich! Die Tränen kamen ihr vor Glück.

Der Montag Vormittag war ihr sonst wegen der fünf aufeinanderfolgenden Stunden dahingeflogen. Heute dehnte er sich endlos.

Nachdem ihr Tagewerk vollendet, schloss sie sich in das kleine einfenstrige Zimmer ein, wie damals, als sie ihm den Abschiedsbrief geschickt hatte. Ein Berliner Konzertagent kam, verhandelte mit Gretchen Müller und begehrte Eva von Ostried danach ungesäumt zu sprechen. »Er mag wiederkommen«, sagte sie drinnen, ohne zu öffnen. Was ging sie noch die Kunst an? Ihr Glück lag einzig in *ihm*. Mechanisch nahm sie das dünne Päckchen aus dem Schreibtisch und legte es vor sich hin. Ihr graute vor der erneuten Berührung. Mit spitzen Fingern zog sie endlich seinen Inhalt ans Licht. Es enthielt nur noch zwei Scheine. Die letzten! Das andere des Raubes war aufgebraucht. Wenn sie die laufenden hauswirtschaftlichen Ausgaben beglichen haben würde, musste sie von Neuem einen dieser Scheine wechseln. Die letzte unbezahlte Arztrechnung für Gretchen Müller fiel ihr ein. Es waren wiederum dreihundert Mark, trotzdem sie selten genug nach dem Sanitätsrat gesandt hatte.

Es schadete ja auch nichts. Gewechselt musste doch werden. Sie brauchte ein Hochzeitskleid – einen Schleier und den grünen Myrtenkranz. Wovon sollte sie dies und noch viel mehr bezahlen, wenn nicht von diesem Gelde?

Seine Braut, die ihre äußere Schönheit gestohlen haben würde – im wahrsten Sinne des Wortes. Den Treuschwur verachtend und selbst – Verbrecherin!

Aber heimliche Stimmen flüsterten Trost und Hoffnung: »Er lässt dich niemals! Ohne dich ist seine Zukunft schal. Sei ganz ruhig –«

Sie nickte und glaubte es zuletzt! Und spann nun aus, wie es sein würde, wenn Sie ihm alles gesagt hätte. Eine unbeschreibliche Seligkeit musste das werden! Von dieser Vorstellung kam sie nicht mehr los.

Gegen Abend schrieb sie ihm alles, wie es sie dünkte, zu nüchtern. Da sie es überlas, erschien es ihr grausam. Aber es war ihr unmöglich gewesen von ihren Gefühlen dabei zu sprechen; die würde er klar empfinden, ohne dass sie ein Wort verlöre, meinte sie. Unmöglich schien es ihr auch, der Opfer Erwähnung zu tun, die sie gebracht und noch eine Zeit lang weiter bringen musste, weil sie der heimatlosen Schwerkranken eine Zufluchtsstätte bot. Das alles würde Sache der mündlichen Aussprache sein.

Als der Brief fertig war, begriff sie nicht, wie sie jemals zaudern konnte. Sie trug ihn selbst fort, wie damals. – Dann ging sie ihren Tag weiter! – –

Jedes Mal, wenn vierundzwanzig Stunden später die Klingel gellte, glaubte sie zu fühlen, dass er jetzt da sei.

Glaubte es immer wieder, bis dieser Tag sank und ein neuer kam, der ebenso ereignislos verlief wie sein Vorgänger. Erst am dritten Tage packte sie eine fürchterliche Angst. Wenn er nicht darüber fortkäme? – Das währte aber nicht lange. Seine tiefe große Liebe würde niemals sterben können.

Am vierten Tage hatte sie keine Hoffnung mehr! Und am fünften Tage ertrug sie die Qual nicht länger. Ohne ihren Namen zu nennen, fragte sie im Büro an, ob er zu sprechen sei. Darauf erwartete sie ein Nein und erhielt statt dessen den Bescheid, dass er, wie alle Tage, seine juristischen Sprechstunden abhalte.

Da warf sie sich auf einen Stuhl und musste lachen. Es klang schaurig. Sonst hätte sie aber schreien müssen – immer nur schreien – das ganze Haus zusammen und noch weiter zu der Straße hinaus, denn die Fenster waren weit geöffnet.

Er lebte und gab ihr keine Antwort! Was war das?

Ein paar Stunden später wusste sie es. Sie riss seinen Brief gleich vor der Tür auf, als sie ihn empfing. Da sank sie bewusstlos zusammen, und Gretchen Müller fand sie, den Brief in der Hand.

Gretchen Müller hatte noch niemals einen Blick in fremde Post getan. Jetzt las sie, nach kurzem Zaudern, bewusst Wort um Wort, begriff nicht alles, aber wusste doch, dass der Strenge nun auch bereit war, sein eigenes Herz zu Tode zu foltern.

»Du wirst viel gelitten haben, ehe dir dieser Brief möglich war«, schrieb er. »Das fühle ich deutlich. Was du tatest, mag dir damals einen Augenblick als der einzige Ausweg erschienen sein. Leichtsinnig hast du es nicht tun können. Es wird sich auch hundertfach gerächt haben. Alles das wiederhole ich mir seit Tagen. Dein erster Brief war eine Folge davon und wie vieles andere wohl noch, das du unerwähnt ließest. Ich glaube sogar, dass ich eine andere verteidigen könnte. Eine, die ich nicht liebe als meines Wesens Heiligstes. Um deine Freisprechung habe ich vor meinem Gott gerungen und sie doch nicht finden können. Es ist unaussprechlich grausam, auch für dich. Aber daran lässt sich vorläufig nichts ändern.

Ich ringe weiter. Habe Geduld mit mir und mit dem dumpfen Schrecken, der mich nicht loslassen will.«

Nach überraschend kurzer Zeit konnte Eva von Ostried sich allein auf das Ruhebett begeben. Suchend irrte ihr Blick umher.

»Ich habe den Brief auf Ihren Schreibtisch gelegt«, sagte Gretchen Müller.

Am nächsten Tage raffte sich Eva von Ostried auf und stand plötzlich vor der Hausgenossin. »Wenn Sie mir schnell etwas Warmes bereiten könnten, Gretchen. Ich muss nämlich zu dem Agenten, den ich neulich durch Sie abweisen ließ. Wie gut, dass Sie sich seine neue Adresse geben ließen.«

Es klang ruhig. Auch das Gesicht war, obgleich immer noch sehr blass, wieder ebenmäßig schön, wie zuvor. Entsetzt wehrte Gretchen Müller ab:

»Sie dürfen auf keinen Fall heraus. Hören Sie nur, wie scharf der Wind pfeift.«

»Es war leichtsinnig, dass ich den Agenten nicht anhörte«, sagte Eva. »Erinnern Sie sich noch, was er sagte?«

»Ganz genau. Er käme, um eine Reihe Winterkonzerte mit Ihnen zu vereinbaren und wenn es möglich sein könnte, auch über das andere zu reden.«

»Welches andere? Mir ist nichts bekannt!«

»Ich wagte nicht danach zu fragen. Er war eilig und beleidigt, weil Sie ihn nicht vorließen.«

»Nun also, wie steht's jetzt mit der Wegzehrung, Gretchen?«

»Sie ist längst bereit. Aus dem Hause lasse ich Sie aber nicht.«

»Seien Sie nicht kindisch.«

»Ich flehe Sie an. Hören Sie nur dies eine Mal auf mich.«

Eva von Ostried fühlte ein inneres Erschrecken.

Es musste einen Grund haben, dass Gretchen Müller sie zurückhalten wollte. Sollte sie etwas ahnen?

Aber was war denn überhaupt geschehen? Zwei Menschen, die sich auf seltsame Art gefunden, hatten sich ebenso wieder getrennt. Ein Teil war schuldig, der andere schneeweiß. Noch besser. Eins rang mit der Nacht des Wahnsinns; das andere hielt unentwegt seine juristischen Sprechstunden ab.

Bedurfte es eines klareren Beweises, wer mehr litt?

Sie biss die Zähne zusammen. Und wenn sie auf dem Wege niederfallen sollte, sie würde jetzt doch den Agenten aufsuchen und sich von ihm anwerben lassen, wohin er sie haben wollte.

Und Toiletten würde sie anschaffen. Nicht mehr weiße, unschuldsvolle Nonnenkleider, sondern prunkvoll schimmernde, wie es sich für eine große Sünderin ziemte.

Und kostbare Steine mussten Arme und Hals in Zukunft ebenfalls schmücken. Man bekam sie schon, wenn man es nur erlaubte!

Ihre Augen brannten dunkel aus dem wieder erblassten Gesicht. Heiß und rot lockten die Lippen.

Sie suchte nach ihrem Mantel und vermochte ihn doch nicht zu fassen, trotzdem er vor ihr am Ständer hing. Es schwebte und wogte plötzlich alles um sie herum.

»Ich gehe doch«, stieß sie hervor, als stände der mächtige Feind neben ihr, der ihren Willen band.

Sie fühlte ein Knäul aufsteigen, an dem sie zu ersticken drohte.

»Wasser – einen Schluck Wasser«, keuchte sie atemlos.

Sie netzte die Lippen, aber das Würgen blieb. Eine erbarmungslose Faust stieß sie auf den nächsten Stuhl. Ihre Hand fuhr an die Stirn. Wie leer das da war. Wie tot. Der Fahrt auf dem Wannsee erinnerte sie sich, als sein Mund sich auf den ihren presste. »Ohne Glauben und Vertrauen keine Liebe möglich«, sagte er – –

Irgendetwas löste sich in ihr; ein Schrei, ein Schluchzen; Tränen stürzten aus ihren Augen.

Gretchen Müller sah starr geradeaus, als merke sie von alledem nichts. Jedes Trostwort war sinnlos. Nur eins konnte helfen. Und dies eine blieb zu schwer für sie! Sie dachte an alle Güte, welche sie durch die jetzt namenlos Leidende erfahren hatte. Noch einmal durchlitt sie die Qualen der Armut und des erschütternden Erkennens eigenen Unwerts. Nichts blieb ihr erspart. Die Demütigungen, die sie als Stellungssuchende erfahren, die Ansinnen, die ihr noch jetzt das Blut vor Scham in die Wangen trieben – die Liebe zu dem Unwürdigen, die nicht sterben wollte, obwohl sie ihn verachten musste. Und zuletzt der nagende, jammervolle Hunger. Wie hatte das alles monatelang in ihrem Körper gewühlt, bis sie endlich entschlossen gewesen, das elende Leben von sich zu werfen.

Erst jetzt war sie imstande eine Kleinigkeit für ihre Retterin zu tun.

Sie hatte lediglich nötig ihm zu sagen: »So ist es und nicht anders. Mag sie selbst in den Augen der Welt das Schlimmste getan haben. Ich weiß nichts und will nichts davon wissen. Es ist alles aufgewogen durch ihre Güte und Größe. Ich habe doch Augen zu sehen. Wie viel Männer hätten ihren Reichtum willig hingegeben für ihr Lächeln, für das Dulden reicher Gaben. Sie hat nie etwas angenommen. Ich weiß, dass sie alle Schätze für einen aufgespart hat. Und nun richtet er sie. Wer darf das tun?«

Mehr brauchte sie kaum zu sagen.

Fast gierig prüfte Gretchen Müller das Gesicht, das ihr doch längst mit jedem Zug vertraut geworden. Seine Schönheit erfüllte sie in diesem Augenblick mit unsagbarer Freude. Es war unmöglich, dass einer, der sie liebte, hier freiwillig entsagte.

»Vielleicht entschließe ich mich sehr bald zur Bühne. Vielleicht auch nicht! Es hat ja noch Zeit«, sagte Eva nach längerer Zeit des Besinnens.

– – Eine Woche später ging ihr, aus dem Büro in der Markgrafenstraße, von einer fremden kritzlichen Handschrift, deren Name unleserlich blieb, unterzeichnet, nachstehende Eröffnung zu:

Gemäß einer durch Herrn Horst Woldemar von Ostried, derzeitigen Majoratsherrn auf Waldesruh, aufgefundenen grundlegenden Familienbestimmung aus dem Jahre 1701 wäre auch das weibliche eheliche Kind eines ohne männliche Nachkommenschaft verstorbenen Majoratsherrn von Waldesruh insoweit am Majorat erbberechtigt, als ein aus ihrer ebenbürtigen Ehe hervorgegangener Sohn mit dem vollendeten achtzehnten Lebensjahr, besagtes Majorat mit allen darauf ruhenden Rechten und Verbindlichkeiten übernehmen soll. Bedingung wäre, dass diese Tochter in jeder Beziehung einen einwandsfreien Lebenswandel geführt hat. Sie haben nach Ansicht des Seniorenkonvents bisher dies Recht nicht verwirkt und werden deshalb hiermit vorgemerkt. Aus der abschriftlich beigefügten, später aufgenommenen Bestimmung, die sich auf Seite 56 des Familienstatuts aus dem Jahre 1830 vorfindet, ersehen Sie die genausten Bedingungen für diese Vormerkung ebenso, wie auch dasjenige, was unter einer ebenbürtigen Ehe im Sinne der grundlegenden Bestimmung zu verstehen ist.

Die Mitteilung, dass Sie von dieser Nachricht Kenntnis genommen und mit Ihrer Vormerkung resp. Eintragung vor dem Regierungsassessor von Ostried sich einverstanden erklären, erbitten wir gefälligst umgehend.

Ohne auch nur einen Augenblick zu überlegen, antwortete Eva von Ostried:

Ich verzichte ausdrücklich auf dieses Recht und bitte, mich mit ähnlichen sich etwa in Zukunft noch neu ergebenden Mitteilungen zu verschonen.

Dann musste sie lachen. Es entsprang der Bitterkeit und Verachtung über alle Satzungen, die Menschen gemacht hatten. Langsam begriff sie das eine:

Walter Wullenweber hatte die vorliegende Mitteilung nicht mit seinem Namen decken können, weil sie in seinen Augen nicht dasjenige »untadlige Weibsbildn« war, das sie zu sein hatte, um als Stammmutter eines zukünftigen Majoratsherrn in Betracht zu kommen. Es regte sie nicht mehr auf!

Ihr Gesicht wurde hart wie ihre Seele. Ihre Hand zitterte nicht, als sie jetzt zum zweiten Mal die Feder eintauchte, um einen unwiderruflich letzten Brief an Walter Wullenweber zu schreiben. Sie tat es wie eine Fremde:

»Ich will dein Ringen, wenn es inzwischen nicht aufgegeben sein sollte, kurz beenden. Quäle dich nicht mehr damit, für mein Verbrechen Entschuldigung oder gar Vergebung zu finden. Dazu ist es zu spät geworden. Ich wüsste mir nichts mehr damit anzufangen. Der Rausch, dem ich mich hingab, wirkt nicht mehr. Dass ich dir für Deine spätere würdigere Ehe das Beste wünsche, sei dir ein Beweis, wie ruhig und empfindungslos mein Herz für dich geworden ist.«

Sie überlas das Geschriebene nicht. Eilig verschloss sie den Umschlag und fühlte nichts dabei, außer der staunenden Verwunderung, dass sie ihm erst heute geschrieben hatte.

Erst als er mit dem andern zusammen besorgt war, erschrak sie plötzlich so sehr, dass sie sich setzen musste, weil ihre Knie zitterten. Wie war es möglich geworden, dass sie ihm darin noch das »du« gegeben hatte?

Pah, sie wollte nicht mehr darüber nachdenken. Ihre Seele sollte endlich frei werden. Und als müsse sie diesen Entschluss ungesäumt bekräftigen, drückte sie auf den Knopf der elektrischen Klingel, die zur Küche hinausführte. Ihre Stimme klang aber fest, beinahe kalt, als sie zu der Eintretenden sagte:

»Meine Verlobung, liebes Gretchen, war nicht von Bestand. Sie ist wieder gelöst. Und zwar endgültig!«

Dann sprach sie hastig, ohne eine Antwort zu ermöglichen, von gleichgültigen Dingen.

– – Die nächste Zeit brachte viel Hast und Abwechslung. Der emsige Agent hatte von Eva von Ostrieds augenscheinlich eingetretenen Bekehrung zur Vernunft einem ihm bekannten Direktor Mitteilung gemacht. Das wiederum ergab vertrauliche Anfragen, die eine ausführliche Antwort erheischten. In irgendwelcher Weise band sich Eva von Ostried vorläufig nicht.

Mitten in diese Unruhe hinein kam eines Tages der Brief des Waldesruher Majoratsherrn, der zwecks mündlicher Rücksprache in der bekannten Neuregelung und ihrer Ablehnung im Auftrage des Seniorenkonvents um die Gewährung einer mündlichen Aussprache an einem von ihr zwischen dem Zwanzigsten und Fünfundzwanzigsten zu bestimmenden Tage höflichst bat.

Der Vorwand wäre für jede andere, wie Eva von Ostried, durchsichtig gewesen. Seine Anwesenheit neulich im Blüthnersaal – eine vor Tagen stattgefundene zufällige Begegnung mit ihm, bei welcher er deutlich die von ihr vereitelte Absicht einer Annäherung zu erkennen gab, hätten sie zum Nachdenken bringen müssen.

Ihr lag dies alles viel zu weit ab. Sie mochte ihn nicht wiedersehen. Die Vorstellung seines kalten, ausdruckslosen Gesichts brachte ihr ein unbehagliches Gefühl. Kurz, wenn auch nicht unfreundlich, lehnte sie sein Ersuchen mit dem Hinweis ab, dass eine Aussprache ihren unabänderlich feststehenden Entschluss nicht umzustoßen vermöge.

An einem der nächsten Tage kam, nach längerer Pause diesmal, der Vetter Javelingen wieder.

Eva von Ostried sah ihm erstaunt entgegen. »So feierlich? Ja, was gibt es denn? Hat der neue Operntext seinen Komponisten gefunden und bringen Sie mir schon die weibliche Hauptrolle zum Studium?«

Er schüttelte den Kopf.

»Das ist es nicht! Ich komme als Abgesandter des Kummersbacher.« Er sah, dass sie die Lippen verzog, als schmecke sie einen unangenehm bitteren Trank.

»Augenscheinlich mochten Sie ihn damals sehr gern«, wunderte er sich. »Und jetzt plötzlich? Wirklich, ich merkte längst die Umwandlung.« Es klang hilflos.

»Von solchen Kleinigkeiten sollten Sie sich nicht quälen lassen«, mahnte sie sanft.

»Es schmerzt mich, dass Sie sich so fest verschließen, Eva.«

»Tue ich das? Dann ist es jedenfalls nichts Neues. Sie kennen mich nur noch nicht von dieser meiner eigentlichen Seite. Gewiss, der Kummersbacher war sehr gut zu mir und ich habe auch nicht das Geringste gegen ihn. Ich bin aber wider alles Gewaltsame. Warum soll ich jetzt plötzlich einer Verwandtschaft wegen, die mir bisher nichts war, in einen neuen Kreis hineinlaufen? Denn, nicht wahr, mit dem Kummersbacher allein hätte es in Zukunft nicht sein Bewenden.«

»Ich belästige Sie ja ohnehin schon«, meinte er.

»Halten Sie mich für so unehrlich, dass ich mir eine Belästigung gefallen ließe? Wenn Sie kommen, bringen Sie mir Freude mit. Wenn auch nicht in allen Fällen für mich, die Vielbeschäftigte, so doch für das liebe, kranke Mädchen, das ihrer dringender bedarf als ich, die körperlich Gesunde. Schon darum sind Sie mir stets willkommen. Sie wissen, meine Zeit gehört der Arbeit. Wenn es mir aber möglich wird, lausche ich Ihnen herzlich gern.«

Er zog ihre Hand ehrerbietig an die Lippen. Sie musste denken, ob er das wohl auch tun würde, wenn er wüsste.

»Ich komme also heute mit einem Auftrage«, gestand er fast schüchtern.

Ihr Gesicht nahm einen hochmütigen Ausdruck an. »In Wahrheit schickt Sie gar nicht der Kummersbacher, sondern der Waldesruher, nicht wahr?«

»Nein ... wirklich nicht! Aber - wissen Sie schon davon?«

»Dass er mich im Auftrage des hohen Seniorenkonvents zur Einwilligung jener mich lächerlich anmutenden Eintragung bewegen will? Nun, das hat er mir geschrieben!«

»Ich dachte an das ... andere.« Ein unbewusster Neid ließ seine sanfte Stimme schärfer als sonst werden.

»Davon weiß ich nichts. Mag auch nichts hören. Verzeihen Sie diese Offenheit.«

»Ich fürchte aber, Sie werden ihm nicht mehr entgehen.«

»Dann ist es immer noch Zeit, dass ich mich darüber ärgere oder freue.«

»Sie dürfen sich nicht freuen«, sagte er leidenschaftlich.

»Ich glaube selbst, dass dies mein Schicksal ist.«

»Nicht so! Freude sollen Sie haben, so viel es nur irgend gibt ... Aber ... Warum sind Sie so bitter geworden?«

»Sie irren, mein lieber Dichter. Nur abgearbeitet bin ich. Und ... werde es in Zukunft noch viel mehr sein. Sehen Sie hier - mein Büchlein ist voller Pflichten. In nächster Woche singe ich zweimal in Dresden. Danach in Weimar. Verhandlungen mit Dessau schweben gleichfalls. Berlin will mich auch. Die Vorbesprechungen, dies ängstliche Aufpassen, dass der Agent nicht den Löwenanteil in die eigene Tasche senkt, ist sehr anstrengend.«

»Ich könnte es nicht.«

»Wenn man ein bestimmtes Ziel vor Augen hat, geht auch dies!«

»Sehnen Sie sich denn nach Reichtum, Eva?«, fragte er.

»Ja, das tue ich!«

Er erblasste und sah auf seine schmalen, nervösen Hände nieder. »Reich ist er. Sehr reich sogar! Der Kummersbacher sprach von mehreren Millionen ...«

»Nun also … hübsch für ihn! Wer der Glückliche ist, will ich nicht wissen. Ich gönne jedem sein Schäfchen. Nur Sie sollen jetzt endlich zum Ziel kommen. Was ist es für ein geheimnisvoller Auftrag, den Sie da übernommen haben.«

»Der Kummersbacher lässt Sie innig um Ihren Besuch bitten, so bald es sich einrichten lässt.«

»Hat er vielleicht gehört, dass ich gerade für die nächsten Monate täglich voll besetzt bin?«

»Wie misstrauisch Sie geworden sind.«

»Das gehört zu meinem Geschäft! Denn, wenn ich nach dem Beschlusse des hohen Familienrats auch keine Bänkelsängerin bin, aber eine, die sich von zwei Mark an von jedem anstarren lassen muss, die bin ich nun doch mal.«

»Ihnen muss etwas Hartes geschehen sein«, forschte er.

»Vielleicht! – Machen Sie ein Sonett darüber. Aber am Schluss muss man lachen können. Hören Sie?«

Sie wurde ihm unheimlich.

»Also, der gute Kummersbacher erinnert sich seiner freundlichen Einladung von dazumal?«, fuhr sie fort. »Sagen Sie ihm mit einem schönen Gruß meine Dankbarkeit und ich käme bestimmt in der Zeit von Januar bis April …«

»Dann beanspruchen ihn die Sitzungen im Herrenhaus und die Nachberatungen in Berlin.«

»Eben darum«, meinte sie ruhig. »Und nun kein Wort mehr davon. Ich bitte Sie herzlich darum. Kleiden Sie meinetwegen die Ablehnung auf Ihre zarte Weise ein. Ich will nicht die Gastfreundschaft der Familie, von keinem Einzigen …«

»Ohne Ausnahme?«, fragte er mit eigenem Nachdruck.

»Ausnahmslos«, bestätigte sie. »Und jetzt kommen Sie. Ich werde Sie begleiten. Gretchen Müller wird sehnsüchtig warten … Eine Stunde kann ich mich ebenfalls von Ihnen fortreißen lassen. Dann muss ich wieder arbeiten und Briefe schreiben. Ach, diese ewigen Geschäftsbriefe …«

– – – Er las leise und bescheiden, wie auch sonst am Anfang!

Die Eröffnung des Kummersbacher klang ihm in den Ohren. »Pass auf, es kommt. Für so was habe ich einen feinen Riecher … Darum beeile dich gefälligst, dass wir sie möglichst bald in meine ländliche Stille kriegen. Ihre Nerven, die deiner Ansicht nach reichlich runter sind, müssen erst in die Höhe, ehe er seinen Mund zu der entscheidenden Frage auftut ...«

23.

Es kam wirklich ... und zwar erheblich schneller, wie es der Kummersbacher nach der mit heimlicher Schadenfreude von ihm festgestellten Umwandlung des bis dahin scheinbar temperamentlosen Vetters erwartet hatte. Eva von Ostried stand noch im Schmuck eines weinroten Samtkleides, das die Schneiderin erst soeben abgeliefert und zum letzten Mal angeprobt hatte, als die Klingel tönte.

Es war der Waldesruher Majoratsherr, der um die Ehre bat, die gnädige Base sprechen zu dürfen.

Sie dachte lange nach, während er zuerst ungeduldig, danach empört über das rücksichtslose Wartenlassen auf dem schmalen Korridor hin und her ging. Warum erweckte dieser Besuch ihren Unmut? Er brachte ihr doch eine ehrenvolle Genugtuung. Denn, wenn es sich nicht um eine solche handelte, würde sich ein eiskalter, untadliger Ehrenmann wie dieser solcher Mühe nicht unterziehen. Eine feine Falte stand zwischen ihren Brauen, als sie sich endlich entschlossen hatte.

»Führen Sie ihn in das Musikzimmer, Gretchen.«

»Aber das Kleid«, gab die andere zu bedenken.

»Es wird bei der kurzen Unterredung nicht stören.«

Horst Waldemar von Ostried sah eine Sekunde verblüfft auf. Sie reichte ihm nicht die Hand entgegen. Nur den feinen Kopf neigte sie und deutete höflich auf einen Polsterstuhl.

»Warum kommen Sie, Herr von Ostried?«

»Sie werden sich erinnern ... mein Brief ...«

»Also darum«, machte sie gedehnt, »ich dachte, das sei längst abgetan. Sie haben gehört, dass ich nicht will ...«

»Darauf kommt es nicht an, gnädigste Base.«

»Soll das ein Scherz sein? Aber der läge Ihnen nicht ...«

»Sie haben etwas bei der ganzen Sache übersehen«, meinte er belehrend, »oder vielleicht unser Anwalt?! Die von mir aufgefundene Bestimmung hat ausdrücklich das Wort ›soll‹ bei der jetzt neu durchzuführenden Erbfolge vorgesehen.«

»Niemand kann über den Willen eines Menschen bestimmen, als er allein«, wandte sie kühl ein.

»Das ist ein großer Irrtum. Es gibt Höheres und Stärkeres, dem wir alle uns beugen müssen.«

»Was könnte das sein«, fragte sie ungläubig.

»In der Hauptsache ... das Gesetz ...«

»Jetzt wird er mir bestimmt alle Paragrafen aufzählen, die wir beachten müssen«, fürchtete sie dumpf und ergeben.

»Zuerst dasjenige, was in uns selber ist«, begann er wieder.

»Das meine will, dass ich mit gleicher Münze heimzahle. Verachtung gegen Verachtung.«

»Sie dürfen nicht abschweifen. Sonst werden wir uns nie verstehen.«

»Ich lege auch keinen Wert darauf.«

»Aber ich tue es. Sehen Sie, das Gesetz, welches ich meine, ist etwas Ehrfurchtgebietendes, denn es kommt aus der Schmiede der Ehre! Wie es sichtbare Orden und Ehrenzeichen für Heldentaten gibt, so sind unsichtbare da, deren Fehlen mehr wie Strafen reden. Dass Sie laut der jetzt zu Kraft erklärten Bestimmung vorgemerkt sind, ist ein solches unsichtbares Ehrenzeichen.«

»Wenn Sie es so auffassen und gekommen sind, um mich zu Ihrer Ansicht zu bekehren, danke ich Ihnen«, sagte sie um vieles wärmer.

»Wie stellen Sie sich also jetzt zu unserer Frage?«

»Nicht anders wie zuvor.«

»Das heißt, Sie sehen auch jetzt noch ab?«

»Natürlich. Es liegt mir nichts daran ... Ich will frei sein. Ich will ...« Sie wollte hinzufügen, dass sie keinen persönlichen Verkehr wünsche, empfand dies aber einen Augenblick später als taktlos und verstummte.

Er schien die Streifen des Teppichs, der weich und dunkel am Boden hinkroch, zu zählen.

»Ich bitte Sie um Ihre Einwilligung«, sagte er plötzlich.

Sie musste ein Lächeln unterdrücken. »Was hätten Sie davon, Herr von Ostried?«

Er zuckte nervös zusammen. »Warum nennen Sie mich hartnäckig mit diesem ... steifen Namen?«

»Erlassen Sie mir die Antwort. Sie sind zur Zeit unter meinem Dach und, wenn ich auch kein Edelfräulein in Ihrem Sinne sein mag, das ist mir stets heilig gewesen.«

»Ich möchte den sehen, der sich niemals irrt ...«

»Gut! Wir wollen es nicht in Worte kleiden ... Ich fühle es und danke Ihnen nochmals. Sagen Sie den andern auch davon, denn, nicht wahr, der – wie nennen Sie ihn doch? – Seniorenkonvent weiß um Ihr Kommen.«

»Nein«, sagte er kurz und sehr laut.

Das begriff sie nicht. »Ich habe mich niemals mit all diesen Bestimmungen beschäftigt«, entschuldigte sie sich.

»Ich will haben, dass Sie in den Augen der gesamten Familie rein und makellos dastehen. Dass wir Sie dafür befunden haben, bewirkt das noch nicht. Die Hämischen könnten behaupten, es habe sich inzwischen etwas ihnen Verborgenes herausfinden lassen, das Ihre Unwürdigkeit dennoch dartäte. Der Vetter Regierungsassessor hat Sie neulich auf dem Familientag bereits auffallend genug übersehen.«

Jetzt musste sie lachen.

»Stimmt das etwa nicht«, fragte er gereizt. »Hat er Sie begrüßt oder Ihnen auch nur ein verbindliches Wort gesagt?«

»Aber ... nachgelaufen ist er mir und hat mir seine Begleitung angeboten.«

»Und Sie?«

»Ich habe ihn fortgeschickt, wie man das auch ohne Ihre Familiengesetze zu kennen, eben tut ...«

»Darum wird er Sie jetzt umso mehr mit seiner Abneigung verfolgen.«

»Daran liegt mir auch nicht das Geringste.«

»Aber mir liegt daran!«

Sie sah ihn erschrocken an und stellte fest, dass er sehr rot und erregt geworden war.

»Ihnen? Sie hören ja, dass ich mich auch weiter allein zu schützen gedenke. Ja ... und hören Sie weiter. Ich muss Ihnen einen Vorschlag machen. Vielleicht ist es Ihnen allen unangenehm, dass ich den alten Namen Ostried führe. Bitte, seien Sie ganz ehrlich mit mir. Ich bin Künstlerin und kann ihn, ohne, dass es besonders auffällt, jederzeit ablegen. Einmal war ich bereits dazu entschlossen ...«

»Sie sollen ihn behalten! Aber der Vetter Regierungsassessor darf Sie nicht verächtlich machen.«

Sie legte den Kopf ein wenig auf die Seite und blinzelte in die Schatten, die jetzt dunkelblau und lila getönt den Raum erfüllten.

»Leider verachtet er mich durchaus nicht. Fast wäre mir das lieber gewesen, als das andere ...«

»Was ist das?«, fragte er.

»Wenn ich ihn nicht ... sehr tief einschätzte, würde ich darüber schweigen. Ich missachte ihn aber. Darum ...«, und sie erhob sich, ging in das Nebenzimmer und nahm aus dem Mittelfach ihres Schreibtisches seinen Brief.

»Lesen Sie ihn. Dies Schreiben ging mir zu, nachdem die Anschlusssitzung über meine oder besser meines künftigen Sohnes Erbfolge stattgefunden hatte.«

Horst Waldemar von Ostried las erstaunlich lange an den kurzen Zeilen.

»Es ist eine Gemeinheit«, sagte er dann kurz und scharf. Sie nickte.

»Man könnte es wohl als solche bezeichnen! Dass Sie so ehrlich sind, freut mich doppelt ...«

»Könnten Sie mir den ungefähren Wortlaut Ihrer Antwort an ihn mitteilen?«

»Nein ... das möchte ich nicht.«

»Hätte ich mich in Ihnen getäuscht?!«

»Möglich! Vielleicht missverstehen wir uns aber. Weil ich nämlich keine Antwort gab, kann ich auch keinen Wortlaut wiederholen.«

Er atmete auf. »Das war gut!« Dann saß er stumm und schweigsam da.

»Warum geht er jetzt nicht«, dachte sie erstaunt und sagte laut: »Verzeihen Sie diese Dunkelheit. Ich will jetzt Licht machen ... Ich liebe die weichen, unbestimmbaren Farben der Dämmerung sehr.«

»Lassen Sie es!«, bat er.

Gehorsam nahm sie wieder ihren Platz ein. Die drückende Stille begann sie unruhig zu machen.

»Fühlen Sie den Zweck meines Besuches nicht endlich heraus?«, fragte er.

Sie dachte nach und schüttelte den Kopf.

»Und dennoch ist es gut, dass er ihn geschrieben hat«, meinte er aus tiefem Sinnen heraus. Ihre Anschauungen mussten erdenweit auseinander gehen ... sonst hätte sie ihn doch wenigstens einmal ohne Erklärung verstehen müssen.

»Mir gilt er nicht mehr, als der Beweis, dass der Name allein noch lange nicht adelt ...«

Er ließ diesen Einwurf unbeachtet. »Können Sie mir dies Schreiben anvertrauen«, fragte er.

»Wozu? Ich will nicht haben, dass er etwa zur Rechenschaft gezogen wird.«

»Eine Beleidigung in diesem Sinne enthält er nicht! Dass er den Wunsch ausspricht, Sie seinen Eltern zuzuführen, beweist ja gerade, dass er Sie respektiert. Er hätte noch etwas damit warten müssen. Aber er mag wohl gefürchtet haben, ein anderer käme ihm zuvor ...«

»Sie baten um den Brief«, lenkte Eva von Ostried hastig ab, »darf ich wenigstens wissen, zu welchem Zweck das geschah?«

»Um eine Handhabe zu besitzen.«

»Verstehe ich Sie recht? Glauben Sie, dass er unklug genug ist, um diese Sache vielleicht falsch wiederzugeben?«

»Das nicht. Seines Schweigens hierüber sind wir sicher. Nur etwas anderes steht zu befürchten. Vor jedem lauten Wort wird er sich hüten. Er ist in jeder Beziehung ein leiser, vorsichtiger Herr. Es könnte sich aber ereignen, dass er Sie aus dem Hinterhalt angriffe. Sagen wir mal, der Kummersbacher, der seine Augen und Ohren überall hat, würde etwas erfahren und mir wieder erzählen?«

»Warum grade Ihnen?«

»Untersuchen wir das jetzt nicht. Unterstellen wir es als sicher. Dann könnte ich diesen Brief vorzeigen und ihn bloßstellen, wie er es verdient hat ...«

»Eigentlich sind wir beide uns doch sehr fremd«, meinte sie zögernd.

»Soll das heißen, dass Sie kein Vertrauen zu mir haben?«

»Vertrauen ...« Sie dehnte das Wort aus, überlegte ein wenig und sah dann wieder und diesmal – bewusst – zu ihm hinüber. Seine kalten farblosen Augen hatten sich auffallend belebt. »Wir wollen den Begriff nicht zerlegen. Behalten Sie den Brief. Ich danke Ihnen für Ihre gute Absicht. Nicht wahr, wenn er etwa ein Jahr geschwiegen haben sollte, dann vernichten Sie ihn. Ein Zurückschicken ist unnötig.«

Als er ihn in die feine helle Ledertasche versenkt hatte, tat er die Frage, die er seit Wochen immer wieder überlegt und nach allen Seiten erwogen und nun endgültig beschlossen hatte:

»Weil Sie es nicht fühlen, muss ich es klar aussprechen. Könnten Sie sich entschließen, meine Frau zu werden, Eva?« Er sah, dass es sie gänzlich überraschend traf und fuhr fort: »Ich werde im nächsten Monat vierundfünfzig Jahr und gelte als ziemlich gefühllos. Vielleicht bin ich es auch. Meine erste Ehe war durchaus korrekt. Wie sich die zweite gestalten wird, liegt in Ihrer Hand. Sie werden enttäuscht sein, dass ich Ihnen kein Wort von Liebe spreche. Ich kann das nicht. Schon als kleiner Junge wäre ich lieber gestorben, ehe ich ein Gefühl verraten hätte. Es ist Vererbung. Meine Mutter war ebenso.«

Sie saß wie erstarrt und konnte nur denken … »Möchte er doch weitersprechen. Wenn er aufhört, muss ich ihm antworten.« Dass er ihr noch vor Kurzem unangenehm, ja widerlich gewesen, begriff sie nicht mehr. Zur Zeit war er ihr nicht unleidlicher wie jeder andere!

Und was sang und klang plötzlich vor ihren Ohren? Sanfte, verführerische Stimmen tönten! Und jede verhieß das nämliche! Erlösung – Sühne – Ruhe! Ihm würde sie kein Wort davon sagen. Kein inneres Drängen erzwang dies. Ihr ferneres Leben würde auf das eine, Große, Letzte eingestellt sein. Untadlig zu werden und weiter Gutes zu tun, wo irgend sich nur die Gelegenheit bieten wollte.

Und vor allem – den Raub könnte sie zurückzahlen.

Er war ja schwerreich. Der Dichter hatte von mehreren Millionen gesprochen. Denn jetzt war es ihr klar, dass er diesen und keinen anderen gemeint hatte. Sie wollte von ihrem Nadelgelde und seinen gewiss sehr reichlich fließenden Geschenken Pfennig um Pfennig zusammenraffen, bis sie endlich alles an den Justizrat Weißgerber, als eine sich an die Stiftung der Präsidentin anschließende Schenkung, zurückzuzahlen vermochte …

Jetzt schwieg er und sah sie erwartungsvoll an. Eine furchtbare Angst begann sie zu foltern, dass er aufstehen und gehen könne … beleidigt, weil sie ihn keiner schnellen Antwort würdigte.

»Haben Sie sich bereits gebunden – dann allerdings«, sagte er undeutlich, wie ihr schien.

»Nein, ich bin frei.« Das war keine Lüge.

»Wie lange soll ich warten«, fragte er. Es klang fast demütig.

»Zwei Wochen«, bat sie. »Ich habe ein paar Verpflichtungen in Dresden und Weimar übernommen. Dann werde ich auch mit mir fertig sein.«

In seinen Zügen arbeitete es. Aber er verriet nicht seine Gedanken. Er sah sie noch einmal an, als müsse er die Erinnerung an ihre stolze Schönheit mit fortnehmen für diese beiden Wochen. Später würde er sie nicht mehr nötig haben. Er wünschte keine lange Verlobungszeit.

Langsam stand er auf, küsste ihre Hand und schied ohne ein weiteres Wort.

Eva von Ostried zeigte sich die nächsten Tage gelassen, fast heiter. Sie erschien wohl und frisch, als habe sie nicht über schlaflose Nächte zu klagen. Dass ein wenig künstliches Rot über die tiefe Blässe und den scharfen Leidenszug hinwegtäuschte, ahnte Gretchen Müller nicht. Sie trat nie mehr, ohne zuvor feierlich anzuklopfen, in das kleine einfenstrige Zimmer ein. Die unbestimmte Angst, eine Zusammengebrochene oder doch Verzweifelte zu sehen, hielt sie zu dieser Vorsicht an. Einmal, als sie Eva von Ostried ausgegangen wähnte, sah sie sie mit eingewühltem Kopf auf dem Ruhebett liegen und hörte ein ersticktes, jammervolles Schluchzen.

Der Kummersbacher saß vor seinem alten Zylinderbüro, sah abwechselnd in das Wirtschaftsbuch seines Beamten und auf die kotbespritzten, von aufgeweichten Lehmwegen zeugenden Stiefeln herab, dachte aber weder an das eine noch das andere, sondern ärgerte sich mit verbissenem Ingrimm, weil der Doktor, der seines Rheumas wegen die Ritte im Regen streng untersagt hatte, wieder mal recht behielt. Denn es zwickte und quälte ganz abscheulich.

Draußen lief seit Tagen durch das graue Himmelssieb ein gleichmäßiger Regen nieder und verwandelte Straßen, Äcker und Gärten in einen zähen Brei von unappetitlicher Farbe. In solchen Zeiten merkte der Kummersbacher, dass er ein lediger Mann war.

Er schielte nach den derben Jungen seines Hofmeisters, die unter dem Fenster des Arbeitszimmers mit krampfhaft hochgezogenen Hosenleder über die Pfützen sprangen.

Dieser Anblick verbesserte seine schlechte Laune nicht. Als Hermann, der Getreue, seinen grauen Kopf zur Tür hineinsteckte, polterte er los:

»Was störst du mich fortwährend. Ich habe zu tun. Verstanden?«

»Eine Dame ist draußen«, meldete er unerschrocken und setzte vertraulich hinzu: »Sie war neulich auch in Berlin beim Familientag.«

Im Nu war der Kummersbacher auf den Beinen.

»Wenn es die Eva wäre ...« Natürlich war sie es! Des kleinen Javelingens Antwort stand immer noch aus. Vielleicht hatte sie dies gewünscht und kam nun selbst, um sie zu bringen und ... bei ihm zu bleiben.

»Hol' andere Stiefel«, kommandierte er. »Aber ein bisschen pausen-
los – und … das gnädige Fräulein führe solange in das Esszimmer.«

Dann dachte er gerührt und ärgerlich, dass dies Gerenne vom
Bahnhof durch Wind, Regen und Brei eigentlich ein unverantwortlicher
Leichtsinn von ihr gewesen sei … Hermann stand immer noch vor
seinem Gebieter.

»Was fällt dir ein. So lauf doch …«

»Gnädiger Herr«, sagte er plötzlich und ein Lachen flog um seinen
faltigen glatt rasierten Mund, »die Stiebel vom gnädigen Fräulein sind
noch viel dreckiger …«

Der Kummersbacher brummte etwas. Dann schob er sich an seinem
Diener vorbei und lief humpelnd auf die Diele heraus.

Hier stand etwas unendlich Gebücktes, Demütiges.

Bei diesem Anblick erlosch seine Freude. Er stutzte und schüttelte
den Kopf … Wo hatte der Hermann seine Augen gehabt? Das war
doch gar keine Dame. Ein bis auf die Haut durchnässtes armes, hei-
matloses Geschöpf war's, das sich vor Hunger und Übermüdung wohl
nicht weiter zu schleppen vermocht hatte.

»Gehen Sie in die Küche und lassen Sie sich allerlei Gutes von dem
Koch verabreichen«, sagte er mit der unbewussten Weichheit und
Milde, die ihn stets beherrschte, sobald jemand seine Hilfe brauchte.

Aber die Demütige blieb, richtete sich nur ein wenig empor und
sagte leise:

»Ich bin doch Klausine von Ostried …«

Es fuhr ihm in die Knochen. Er begriff nicht, wie sie sich zu ihm
durchgefunden hatte.

»Tritt, bitte, hier ein«, sagte er endlich. »Du kannst auch im Zimmer
ablegen … und nachher musst du dir wohl trockene Sachen anziehen.«

Sie trug nichts in der Hand wie eine kleine, abgegriffene Tasche
mit einstmals kunstvoller Perlenstickerei. Der Kummersbacher überlegte kurz, dass sich darin kaum alles, was eine Frau für ihren äußeren
Menschen gebraucht, vorfinden könnte, wurde einen Augenblick verlegen und sagte zu dem Diener gewandt:

»Was machen wir jetzt? Weiß der Himmel, nun haben wir nicht
mal was zum Anziehen für sie bei der Hand. Sie muss also vorläufig
sehr bald in die Federn. Na, nun geh, du kannst einen Grog für sie
bringen und für mich zur Gesellschaft auch einen. Dann richte das
wärmste Fremdenzimmer … Hoppla!«

Klausine von Ostried, das Stiftsfräulein, hatte indessen ihre triefenden Hüllen über den Kaminofen ausgebreitet, in dem ein lustiges Feuer prasselte.

»Setz dich einstweilen nahe an die Glut«, kommandierte der Kummersbacher mitleidig. »So, aber verbrenne dir nicht die Hüfe ...«

»Es ist himmlisch warm«, flüsterte sie dankbar und hielt nun auch die mageren Hände an die durchhitzten Stäbe.

Eine Weile gönnte er ihr diese Behaglichkeit. Dann tippte er ihr auf die Schulter und fragte langsam:

»Jetzt möchte ich endlich wissen, weshalb du das gemacht hast, Klausine?«

Der freudige Ausdruck ihres verkümmerten, spitzen Gesichts erlosch. Sie begann zu weinen. Wie bei einem Kinde liefen auch ihr schließlich die Tränen stromweise über die eingefallenen Wangen. Er erinnerte sich, dass sie in beständiger Furcht vor der Schwester leben sollte und meinte endlich selbst die Erklärung für ihren Besuch gefunden zu haben. Hatte er ihr nicht, in einer Aufwallung von Mitleid, bei dem letzten Beisammensein in Berlin gesagt, dass sie jederzeit ein ruhiges Fleckchen bei ihm finden werde, wenn sie es im Stift etwa nicht mehr ertragen könne?

»Du willst jetzt lieber hierbleiben?«, fragte er weich.

Sie nickte nur und saß dann weiter – hilflos und ängstlich – neben der Glut.

»Sage frei heraus, was passiert ist«, forderte er nach neuem, geduldigen Warten. Sie begann stärker zu zittern.

»Hunger«, stotterte sie, als schäme sie sich dieses Geständnisses.

Da ging der Kummersbacher selbst – an dem verdutzten alten Melchers vorüber – in die Speisekammer, schnitt von der freihängenden Seite eine Handbreit Speck herunter, riss das Schwarzbrot in den einen, die angebrochene Kümmelflasche in den andern Arm und ging wieder in das Speisezimmer zurück. Die Geschichte mit dem Tablett und den übrigen Zubehörteilen für ein richtiges Mahl dauerte ihm hierfür zu lange.

»Iss tüchtig«, nötigte er und schnitt ihr mit seinem derben Jagdmesser, das er niemals aus der Tasche ließ, selbst die Bissen zurecht.

Gierig schlang sie alles herunter, bekam feuerrote Fleckchen und trank auch einen tüchtigen Schluck von dem alten, scharfen Kümmel, obwohl ihre Augen danach noch mehr tränten. Dann saß sie mit andächtig zusammengelegten Händen und blinzelte in die knackenden Holzscheite.

»Jetzt wirst du reden, Klausine«, befahl er nach geraumer Weile. »Was also ist geschehen?«, fragte er ungläubig und rüttelte sie ein wenig am Arm.

»Sie hat unser ganzes Geld verloren und das konnte sie nicht überwinden.«

»Ja, wie hat sie das denn, in drei Deibels Namen, angefangen? Weißt du Genaueres darüber?«

»Gesagt hat sie mir kein Wort. Aber ich habe es aus den Briefen zusammengelesen. Du kannst dich selbst überzeugen. Ich habe sie dir mitgebracht.«

Er überflog die zerknitterten Schriftstücke, ballte sie zusammen und schleuderte sie endlich zornig in die äußerste Ecke des Zimmers.

»Auf diesen plumpen Schwindel ist sie so einfach glatt reingefallen?«

»Das weiß ich nicht. Sieh, hier ist noch ein Brief. Er kam vor vier Tagen. Danach hat sie es getan ...«

Er las auch diesen.

»Richtig! Da teilt ihr ein anderer sauberer Vogel höflichst mit, dass ihr auf Grundstück soundso – im Grundbuch Blatt soundso – eingetragenes Geld in Summe 104.000 Mark bei der Zwangsversteigerung ausgefallen sei. Also mit andern Worten, alles hops.«

»So habe ich es auch aufgefasst.«

Das wunderte ihn, weil er sie für einfältiger gehalten hatte. »Was also hat sie getan, nachdem sie diesen Wisch gelesen?«

»Mich mit zwei Telegrammen zur Post weggeschickt. Ganz heimlich musste ich mich fortschleichen. Die andern im Stift durften nichts davon ahnen.«

»Nun, und die Antwort? Sagtest du nicht, dass du sie gleich auf dem Amt erwarten musstest?« Sie nickte wieder.

»Die hat sie in der Küche verbrannt. Wir haben nämlich jede unsere besondere«, erzählte sie wichtig.

»Lass jetzt die Nebensachen«, verwies er streng. Sie hörte nicht darauf.

»In der Küche ist es doch geschehen«, fuhr sie eintöniger fort und begann schon wieder zu zittern.

»Was ist geschehen? – Nimm dich zusammen, Klausine. So weit warst du schon vorhin ...«

»Genaues weiß ich nicht. Als ich dazukam, waren schon alle Stiftsdamen bei ihr und schrien und jammerten. Sie lag mitten auf den Fließ. Der Gasschlauch hing herunter und die Luft war schrecklich, trotzdem überall die Fenster offen standen ...«

Nun begriff er! – Sie hatte den Verlust des Geldes nicht verwinden können und wollte sich einfach aus dem für sie wertlos gewordenen Leben stehlen.

»Sie ist tot?«, fragte er mit gedämpfter Stimme.

»Sie haben gleich nach dem Arzt geschickt ... Noch eine kleine Viertelstunde, hat der zu mir gesagt, dann wäre er zu spät gekommen.«

»Sie lebt also ...«

»Sie hat mich doch zu dir geschickt ...«

»Und der Auftrag?«

Da lag ihm plötzlich die schmale, verängstigte, durchnässte Heimatlose zu Füßen. »Du sollst uns einen Winkel geben, wo uns kein Mensch sehen und finden kann«, bettelte sie ...

»Ihr habt doch Euern Platz im Stift nach wie vor.«

»Sie kann nicht mehr dableiben. Sie müsse vor Scham sterben, hat sie gesagt. Und sie schickt dir auch was, damit du es tust ... Es wäre ihr Letztes, lässt sie sagen ...«

Es waren, mehrfach in einen kleinen schmutzig gewordenen Leinenbeutel eingenäht, zweiundachtzig Mark.

Ein Würgen stieg in die Kehle des Kummersbachers hoch. Unsicher langte er nach der Kümmelflasche und füllte einen kleinen Becher, der irgendwo umherstand.

Verdient hatte sie durch ihre Härte, Geldgier und Verleumdungssucht mancherlei. Aber dies war eine zu harte Strafe.

»Du wirst vorläufig hierbleiben«, entschied er nach kurzem Überlegen. »Ihr werde ich ausführlich schreiben.« Ihr kleines Gesicht leuchtete in seliger Freude auf. »Und jetzt klingle ich nach Hermann. Er wird dir dein Zimmer anweisen. Lege dich aufs Ohr und versuche zu schlafen. Nötig hast du's. Deine Sachen lege auf einen Stuhl draußen vor die Tür, damit sie richtig getrocknet werden können. Deine übrigen sollen nachkommen. Ich veranlasse das schon.«

Als er allein war und wieder an seinem Schreibtisch saß, stand er auf und schritt lange ruhelos auf und ab.

Als er mit sich einig war, schrieb er an Hermine:

Deine Schwester wird so lange bei mir bleiben, bis sie frisch und gesund ist. Du aber wirst dich innerhalb zweier Wochen bereithalten, meinem zu dir entsandten Diener Hermann dorthin zu folgen, wohin er dich bringen wird. Er ist treu wie Gold und zuverlässig – auch im Schweigen. Verlass dich also ganz auf ihn. In mein Haus kann ich dich leider nicht bitten. Vielleicht setze ich Dir die Gründe auseinander, wenn du erst wieder deine Nerven in der Hand hast. Jetzt nur das eine: Des Daseins Not wird nicht, solange Ihr lebt, an Euch herankommen, weil Ihr denselben Namen tragt wie auch ich. Nur dieser Grund und das grenzenlose Mitleid mit deiner Schwester treibt mich hierzu. Zwanzig Kilometer von Schloss Kummersbach kaufte ich vor Jahresfrist für zwei inzwischen auch alt und grau gewordene, treue, brave Menschen, die in meinen Diensten durch einen Unfall das Gehör verloren, einen kleinen schmucken Bauernhof. Das geräumige Wohnhaus hat drei unbenutzte hübsche, helle Stuben, die ich sogleich für Euch herrichten lasse. An barem Gelde sollen dir, außer allem, was Ihr dort kostenfrei bezieht, monatlich 50 Mark überwiesen werden. Kommst du mit dieser Summe nicht aus, bin ich, nach Prüfung zu weiterem bereit.

Es war ihm unmöglich, ein Trostwort oder auch nur einen warmen Gruß anzufügen.

Nach alter Gewohnheit siegelte er den Brief und übergab ihn seinem Diener. Dann holte er noch einen Kümmel, obwohl er sich sonst nur einmal in der Woche etwas Derartiges zu leisten pflegte.

24.

Gretchen Müller saß allein im Zimmer und hielt Rückerinnerungen. Ihre seltsam aufregende Kindheit baute sich leuchtend klar vor ihr auf: Der Vater, der sie, wenn er bei guter Laune war, mit Schmeichelnamen und Süßigkeiten überschüttete - dem sie zuweilen noch am späten Abend einen Brief ganz heimlich forttragen oder aus dem feinen Geschäft an der nächsten Ecke eine Flasche Wein besorgen musste, streichelte ihr anerkennend das weiche Gesichtchen. Der Bruder, der dauernd über ihr und allen Ausgängen wachte, erschien ihr trotz des unaufhörlich zwischen ihnen bestehenden Kampfes als der Stab, der sie stützte und leitete. Wenn sie abends in ihrem Bettchen lag und die Hände zu dem von ihm gelehrten Gebet faltete, dachte sie seiner als letzten Gedanken.

Er half bereits von der Tertia an für den Haushalt mit zu verdienen. Eine Anzahl Jungen, kaum älter als sie selbst, waren ins Haus gekommen. Ihnen allen hatte er mit nie versagendem Eifer in schwachen Fächern nachgeholfen. Zuweilen fiel von diesen Einnahmen eine Kleinigkeit für sie ab. Ein gutes Buch oder ein Blumenzwiebelchen, dessen Entwicklung sie eifrig zu überwachen hatte. Immer wieder hatte sie seiner gedenken müssen.

Ihres Vaters, der sie bis auf das letzte unerhörte Quälen, das sie schließlich dem Verführer in die Arme getrieben, nur immer verwöhnte und bewunderte, gedachte sie längst als eines armen Verirrten, der auch seinen eigenen, richtigen Weg niemals erkannte.

Und jetzt sollte sie – vielleicht sehr bald – sterben, ohne dem Bruder gedankt, seine Vergebung erfleht und ohne ihn vor allem auf die Straße zu seinem Glücke geführt zu haben! Bisher war sie sicher gewesen, dass der Tod, wenn er endlich käme, von ihr als heißersehnter Erlöser empfunden werde.

Seit Tagen grübelte sie unaufhörlich! Sie suchte allein zu sein, denn sie wollte ungestört bleiben, um nur zu einem vernünftigen Entschluss zu kommen.

Da klopfte es. – Zuerst wollte sie nicht öffnen. Schließlich tat sie es, vor der Tür stand nur die schwächliche Sechzehnjährige des Hausmeisters.

»Ich brauche Sie heute nicht«, sagte Gretchen Müller leise und enttäuscht.

»Fräulein von Ostried hat mir heute eine feine Ansichtskarte von Dresden geschrieben«, erzählte jene wichtig. »Ich soll alle Tage raufgehen und mich ja nicht von Ihnen wegschicken lassen. Sie hätte so viel Angst um Sie und darum gar keine rechte Ruhe.«

Gretchen Müller hatte sich nachdenklich an das Fenster neben Eva von Ostrieds Schreibtisch gesetzt. Es gab wirklich jemand, der sich um sie sorgte? Wie schön das war! Sie hätte es eigentlich nach aller empfangenen Güte wissen und daher keinen Augenblick vergessen dürfen.

»Sie sollen auch ordentlich essen und trinken«, tuschelte die Sechzehnjährige geheimnisvoll, indem sie auf einen freien Winkel neben dem Schreibtisch zeigte. »Da in der Ecke stände was ganz Feines für Sie, wenn Sie es noch nicht gefunden haben sollten.«

Eine Flasche stärkenden Weines, ein gebratenes Hühnchen und ein paar andere Leckerbissen. Am Halse der Flasche war ein Zettelchen befestigt, das Eva von Ostrieds klare Handschrift trug: Meinem lieben Gretchen, damit ich sie frisch und wohl wiederfinde.

Daran hatte Eva von Ostried in ihrem Schmerz und in dem Kampf um die Antwort der schwersten Zukunftsfrage denken können!

In diesem Augenblicke kam Gretchen Müller zum ersten Male die Frage an, wie viel sie ihrer Wohltäterin wohl gekostet haben mochte. Eine genaue Vorstellung besaß sie nicht davon. Sie hatte aber die bestimmte Ahnung, dass es eine große Summe sein müsse.

Da lag die Mappe, in welche Eva von Ostried gewissenhaft alle Rechnungen einzuheften pflegte. Sie hatte die sonst, nach jedem Gebrauch ängstlich verschlossen, sicherlich über dem Schweren der letzten Zeit vergessen. Mechanisch klappte Gretchen Müller sie auf und überflog die einzelnen Posten. Immer wieder begegnete sie ihrem Namen als Veranlasserin der Ausgaben. Entsetzt zuckte sie zusammen, rieb die Augen, als wollte sie um jeden Preis aus diesem Traum erwachen und vertiefte sich von Neuem.

Dies alles waren Dinge, die sie benötigt hatte. Hier die langen Rechnungen des Apothekers und das erste beglichene Arzthonorar, die Kosten für die Pflegerin und Stärkungsmittel. Dort die Neuanschaffungen für Wäsche und Kleider. Mit bebenden Fingern tupfte sie auf die einzelnen Reihen und zählte sie umständlich zusammen:

Dreitausend und fünfhundert Mark für sie. Und wovon?

Um Gottes willen! Wenn Eva von Ostried darum jene Schuld, die der Mann ihrer Liebe nicht vergeben konnte, auf sich geladen hätte? Täglich hatte sie doch an dem ängstlichen Erwägen jeder Ausgabe gemerkt, dass Eva von Ostried nicht mit irdischen Schätzen gesegnet sein konnte!

Ihre abgezehrten Hände hatten sich zusammengekrampft, als flehten sie um die Kraft zu dem schwersten, entsühnenden, letzten Schritt!

Wenn sie aber noch einmal gesundete? Wozu dann die neue, jammervolle Qual? Dann würde sie gewiss nicht früher ruhen, bis sie alles zurückgezahlt hatte.

Müde dämmerte sie ein. Wundervoll ruhig, wie seit Monaten nicht mehr, gestaltete sich ihr Schlummer. Als sie nach Stunden daraus erwachte, war sie frei von Schmerzen. Die Nacht durchschlief sie gleichfalls traumlos tief bis zum Morgen, an dem sie die gellende Pfeife des Novembersturms wachheulen musste.

Ihr war so wohl und leicht, wie seit Langem nicht.

»Ich werde bestimmt noch einmal gesund«, dachte sie und tastete sich auf, um etwas zu genießen.

Aber plötzlich – sickerte es warm und purpurn, wie ein eiliges Bächlein, über ihre Lippen. Das war der fliehende Strom des Lebens; dagegen gab es nun nichts mehr. Morgen war sie vielleicht schon tot!

Sie versuchte sich emporzurichten. Es schlug fehl. So rief sie mit lauter Stimme, wie sie fest überzeugt war, den Namen der Hausmeisterstochter. Es war aber nur ein heiseres Stammeln, das ungehört verklang.

In höchster Angst begann sie zu beten.

Als sie eine Stunde später noch einmal versuchte, sich zu erheben, schien ihre Kraft gewachsen zu sein. Sie brachte es fertig, zum Schreibtisch zu taumeln. Mit kaum leserlicher Hand malte sie wenige Zeilen:

Lieber, guter Bruder! Komme sogleich zu mir. Ich soll sterben und muss dich zuvor noch gesprochen haben. Frage die Botin nichts. Du wirst alles aus meinem Munde erfahren, auch warum ich bei Eva von Ostried bin. Fürchte keine Begegnung mit ihr. Sie weilt in Dresden. Die Schlüssel zur Wohnung schicke ich dir mit. Es könnte sein, dass ich nicht mehr zu öffnen imstande wäre.

Dann versuchte sie die Treppe herunter zu schleichen. Als sie endlich vor der gutmütigen Hauswartfrau stand, schrie diese laut auf.

»Mein Je … wat ist denn mit Ihnen? Sie sehen ja wie ein Geist aus.«

»Ich bin sehr krank«, sagte Gretchen Müller kaum verständlich. »Dieser Brief muss sofort an die Adresse hier. Bitte, rufen Sie Ihre Tochter ...«

»Amanda? Die ist leider nicht da! Kann ich nicht meinen Max schicken?«

»Wie alt ist er?«

»Ostern wird er acht.«

»Nein. Bitte, gehen Sie selbst! Hier, nehmen Sie – für Ihre Tochter.«

Es war ein Halskettchen aus feinstem Silberfiligran.

– – – Mit einem Ächzen sank sie dann auf das Ruhebett ihres einfenstrigen Zimmers, und ihre fieberglänzenden Augen verfolgten gespannt den gleichmäßig vorwärtsrückenden Zeiger der Uhr. Schließlich schlief sie vor Schwäche ein.

Die alte Pauline stand, noch schneeweiß bis in die Lippen, vor Walter Wullenweber und berichtete von dem Unglück, das sie am Vormittag betroffen hatte.

»Wie es gekommen ist? Ich hatte mir einen heißen Stein ins Bett geschoben. Wenn man alt ist, kann man nicht mehr so recht warm werden. Hundertmal hab ich das schon gemacht und nie ist was passiert. Nun heute grade. Die Betten sind verkohlt und das schöne Kleiderspind ist ganz hin. Alle Sachen drin sind zu Fetzen verbrannt. Nur ein Kleid ist wie durch ein Wunder verschont, das gute Schwarzseidene, in dem unsere Frau Präsident gestorben ist ...«

»Grämen Sie sich nicht darüber, Pauline«, tröstete Walter Wullenweber.

»Wäre die Flurnachbarin nicht so beherzt gewesen, hätt ich Ihnen die ganze Wohnung ausgeräuchert ...«

»Freuen wir uns also des günstigen Ausgangs –«

»Nun hab ich richtig nichts anzuziehen. Und ich muss doch an ihr Grab. Ihr Geburtstag is ...«

»Ich denke, das gute Schwarzseidene ist verschont geblieben? Sagten Sie das nicht soeben?«

Erschrocken wehrte sie ab. »Wo denken Sie hin, Herr Rechtsanwalt?! Das ist mir heilig. Nein, nein ...«

»Ihre Frau Präsidentin würde Sie auslachen, wenn sie das gehört hätte ...«

»Meinen Sie wirklich?« Es klang, als leuchte eine scheue Hoffnung durch alle Trostlosigkeit.

»Auch nach meinem Empfinden wäre es kindisch, wenn Sie aus diesem Grunde fernblieben. Nach allem, was Sie mir von ihr erzählt haben, kann ich mir unmöglich denken, dass sie dies billigen würde.«

»Ich glaube beinahe auch nicht recht dran ...«

»Wie können Sie noch überlegen? Der Schaden ist gewiss schmerzlich für Sie, aber viel schmerzlicher würde es sein, wenn auch dies letzte Kleid – dies Heiligtum in Ihren Augen – mitverbrannt wäre.«

»Darüber könnt' ich bestimmt nicht wegkommen ...«

»Sehen Sie wohl? Also Kopf hoch! Und Hand her. – Vielleicht hat Ihre Frau Präsidentin aus der Höhe den ganzen Brand überhaupt bestellt, damit ihre alte, überbescheidene Pauline wenigstens einmal im Leben in Seide rauscht.«

»Zuzutrauen wär' ihr das schon ...«

»Na also. Nachher werden Sie mir jedes verbrannte Stück genau aufzählen und möglichst beschreiben, damit ich ordnungsgemäß Anzeige von dem Brand machen kann. Einstweilen sehen Sie, bitte, nach, wer draußen Sturm läutet.«

Es war die Hausmeistersfrau, die Gretchen Müllers Brief brachte.

»Lieber, guter Bruder ...« Walter Wullenweber wischte mechanisch über die schrägliegenden Buchstaben, die ihm in zitternden Wellenlinien entgegensahen. Er rief nach der alten Pauline. Seine Füße waren plötzlich zu schwer zum Aufstehen, seine Hand zu unsicher zum Klingeln.

»Ich möchte die Botin sprechen, die dies soeben gebracht hat. Schicken Sie sie herein«, sagte er mit schwerer Zunge.

»Ach Gott, Herr Rechtsanwalt.« Er wehrte ab.

»Die Frau ist sehr eilig gewesen; gleich ist sie wieder weg.«

»Hm –« – »Da liegt noch was Eingewickeltes, Herr Rechtsanwalt«, erinnerte Pauline. »Es sind Schlüssel, hat die Frau gesagt. Sie möchten sich selbst die Wohnung aufschließen. Das Fräulein wäre nämlich ein bisschen kränklich ...«

Der Name auf dem Schild und der Schlüssel in seiner Hand ... Nein, nein, es war kein Traum! Schon stand er mit einem unsäglichen Gefühl von Verwirrtheit auf dem schmalen Korridor.

»Lieselott!«, rief er laut und erschrak über den Klang der eigenen Stimme.

Dann tappte er weiter. Das Musikzimmer kannte er aus Eva von Ostrieds Schilderungen. Er sah auch im Geist die hohe, stolze Gestalt der Besitzerin und fühlte, dass seine heiße Liebe zu ihr niemals sterben konnte. Jeder weitere Schritt war eine Qual für ihn. Wie ein Einbrecher kam er sich vor und ging doch weiter ... bis er in dem kleinen, einfenstrigen Raume stand, dessen Fenster einen Ausschnitt der sommermüden Bäume zeigte ...

Auf dem Ruhebette lag eine schmale, zusammengekrümmte Mädchengestalt. Das Gesicht war wachsbleich. Die Lippen farblos. Der Goldton ihres Haares das einzig Lebendige an diesem starren Bilde.

Mit einem dumpfen Aufschluchzen warf er sich über sie. »Kleine Lieselotte!«

Seine Arme hoben sie ein wenig empor. »Lieselott, ich bin bei dir.«

Da zuckten die Lider endlich und ihre Augen wachten auf: »Walter ... Bruder ...« Nichts weiter vermochte sie zu sagen.

Er fragte nichts. Er lag auf den Knien und hatte seinen Kopf in ihre Hände gebettet. Sanft lehnte sie ihre Wange an sein dichtes, blondes Haar.

»Wie schön ist das, Walterle ...« Und dann wie ein Hauch: »Der Vater ... unser Vater ... weiß er schon?«

Er machte eine verneinende Bewegung.

»Walterle«, sagte sie dicht an seinem Ohr, »ich habe mich halb tot vor dir geschämt. Jetzt ist alles, alles gut! Aber, es dauert nicht mehr lange. Und ich muss dir doch so viel erzählen.«

Zuerst sprach sie von sich, während er einen Stuhl neben ihr Lager geschoben hatte und ihre Hände festhielt. Sie musste häufig Pausen machen. Sonst reichte ihr Atem nicht aus. Und er musste doch so unendlich viel wissen.

»Du wirst geahnt haben, wohin ich ging, als ich Euch verließ?«, begann sie in bebender Scham.

»Ja«, nickte er und verhüllte seine Augen mit der Rechten, »zu dem Mann, vor dem ich dich schützen wollte.«

»Lass mir deine Hände, Walter.«

Er fühlte die Eiseskälte ihrer Finger und schauerte zusammen, weil er daraus die Nähe des Todes zu spüren meinte. Ihre Stimme war so leise, dass er sich zu ihren Lippen herabneigen musste, um sie überhaupt zu verstehen.

»Er hatte geschworen, mich zu seiner Frau zu machen.«

»Das hast du geglaubt?«

»Wäre ich sonst zu ihm gegangen? Konntest du das auch nur einen Augenblick von mir glauben, Bruder?«

Er schwieg. Das war das Härteste gewesen, dass er davon überzeugt war.

»Ich schwöre es dir! Als ich die untrüglichen Beweise seiner Treulosigkeit hatte, als ich wusste, dass bereits eine andere seinen Namen trug, ohne dass mir eine Ahnung davon gekommen war, verließ ich ihn.«

»Wie habe ich dich gesucht, Lieselott ...«

»Finden lassen durfte ich mich nicht von dir. Nicht wahr, das verstehst du auch. Gelernt hatte ich nichts wie das bisschen Harfenspiel. Und in ein Nachtkaffee wollte ich nicht! - Dein Name, Walter, hat mich vor vielem zurückgehalten. Mit diesem Namen durfte ich auch nicht in der Öffentlichkeit arbeiten. Du hättest mich gefunden. Ein Zufall half mir. Als ich wieder einmal umsonst nach Beschäftigung gegangen war, fand ich, neben mir, in einem Abteil der Stadtbahn eine Tasche mit Ausweispapieren ... Ich nahm sie an mich. Es ging doch nicht anders. Seitdem bin ich ›Gretchen Müller‹. Aber er fand mich auch als solches und ließ mir keine Ruhe. In dem Geschäft, das mich angenommen, machte er mich unmöglich. Ich wollte sterben ... Da war aber eine, die es verhindert hat. Eine Schülerin von Eva von Ostried. Sie hat mich zu ihr gebracht ...«

»Wie lange schon«, fragte er heiser.

»Länger als zwei Jahre. Ohne Eva von Ostried wäre ich verhungert. Ihr verdanke ich alles. Nicht nur, dass ich wieder anständige Kleider und eine Heimat erhielt, das sie mich pflegte und umsorgte. Ach, das war wohl schön ... Aber das andere war das Wunder, das meine Seele gereinigt hat. Wie eine Schwester ist sie allzeit zu mir gewesen. Sieh her, diese Sachen hat sie für mich gekauft, damit ich auch in ihrer Abwesenheit nicht darbe. Und hier in dieser Mappe steht's, wie viel Geld sie für mich geopfert hat. Woher sie das konnte? - Walterle, ich weiß es nicht, wie so vieles. Aber ich las deinen harten, letzten Brief an sie. Er bestätigte meine Ahnung, die mich nicht verlassen, seitdem ich das erste Mal einen Umschlag mit deiner Handschrift bei ihr sah. Sie ahnt nicht, dass ich deine Schwester bin, wie sie mir auch deinen Namen nicht verraten hat. Nur, dass sie Braut geworden und nachher – – das andere – – dass alles aus sei – – hat sie mir gesagt. Walterle, hör zu – – sie hat mich in die Arme genommen, auch damals, als der Verführer bei ihr eindrang und sie wissen musste ... Lass - frage nichts – – fluche ihm auch nicht. Er ist tot – – Vielleicht tat sie es, weil sie auch um sich litt – – Und um dich. Am allermeisten. Nun hast du ihre heiße Liebe, die nur für dich fühlt und bangt, zurückgestoßen ...«

Er stöhnte auf. »Was mich das gekostet hat – – –«

»Ich weiß es, denn ich kenne dich, Bruder! Du hättest mich nie wiedergefunden, wäre sie nicht in mein Leben getreten. – Nicht um mich – – nein um ihretwillen fand ich die Kraft, dich zu rufen ...«

»Sie liebt mich nicht mehr«, wendete er ein.

»Ach du! Ihre Liebe ist so stark, dass sie sich vor ihr fürchtet. Darum wird sie es auch vielleicht tun.«

»Wovon sprichst du?«

»Ich habe mit eigenen Ohren gehört, wie ein Verwandter von ihr – ein Majoratsherr – der denselben Namen wie sie führt, um sie geworben hat.«

»Und sie ...? Ist sie schon seine Braut?«

»Noch nicht. Aber die beiden Wochen Bedenkzeit, die sie sich erbeten hat, sind bald verstrichen ...«

»Wann sind sie vorüber?«

»Es war vor neun Tagen ...« Er stand auf.

»Glaubst du, Lieselotte, dass sie nach allem mir noch einmal vertrauen kann?«

»Ich weiß nicht, was Euch getrennt hat und will es nicht wissen. Nur, dass sie dich weiter über alles liebt, weiß ich als einzig Gewisses.«

»Und ich sie ebenfalls –!«

»Also wirst du sie aufsuchen?«

»Es wird mich zwingen ...«

»Dabei sollst du ihr diesen Brief geben. Ja, Bruder? Ehe du kamst, habe ich ihn geschrieben. Es steht nur eine Zeile darin.«

»Und warum willst du nicht selbst – –?«

Sie lächelte ihn an. »Ich werde sterben. Es ist nur der Wein, der mir diese letzte Kraft gab, auszuhalten. Jetzt darfst du mich nicht allein lassen. Hörst du? Erst, wenn es ganz dunkel geworden ist, sollst du heimgehen ...«

Ein langes Schweigen kam. Er hatte sie aufgerichtet.

»Wo wohnt dein Arzt, Lieselotte«, forschte er.

»Lass ihn, Walter. Was soll er mir noch? Sieh mich an. Du bist mein Arzt und Erlöser ... Und nun erzähle vom Vater – –«

Er tat es, und sie nickte zuweilen.

»Jetzt wird er sich über meinen Gruß freuen, Bruder ...«

»Ich werde ihm telegrafieren, Lieselott!«

»Morgen, ja! Nicht heute! Es tut so bitterlich weh – hier – hier – –« und sie zeigte auf die Brust.

Fest bettete er sie in seinen Armen.

»Glaubst du, Walter, dass mich eine andere, wie sie, damals aufgenommen hätte – mit dem Schimpf der Verlassenen und Geächteten. Todkrank. Kaum ein anständiges Stück Zeug auf dem Leibe – –«

»Hör auf!«, flehte er gequält.

»Du musst genau wissen, wie es damals um mich stand. Sonst begreifst du ihr großes, warmes Opfer nicht voll.«

»Doch, ich fühle es in seiner ganzen Tragweite, Lieselott.«

»Du hast sie vorher eine Heilige genannt. Das ist sie wirklich … Sieh, ich weiß am besten, wie rein sich ihre Seele hält. Darin ist lauter Licht und Keuschheit. Alles nur für dich!«

»Und ich konnte sie richten«, dachte er dumpf.

Ihr leichter Körper wurde schwer in seinen Armen. Das Gesicht veränderte sich auffallend. Es nahm spitze, fremde Züge an. Der Atem setzte aus. – Es ging aber wieder vorüber.

»Tag und Nacht hat sie um dich geweint, Walter!«

Dann sprach sie lange nichts mehr. Nur der Atem kämpfte verzweifelter, bis wieder ein rosenrotes Bächlein über ihre Lippen quoll. Danach wurde ihr leichter wie zuvor. Nur die Stimme gehorchte nicht mehr, und die Gedanken waren weit – weit weg.

»Meine Harfe«, verlangte sie mit einem röchelnden Lachen, »lasst sie mir doch!«

Er dachte daran, dass er sie ihr zuweilen verschlossen gehalten, weil sie ihre Aufgaben für die Schule und später für die Häuslichkeit darüber vernachlässigte. Überall empfand er seine Missgriffe.

»Herr Tebecke konnte keine Musik vertragen«, träumte sie erschauernd.

Das war der Name des Mannes, dessen Reichtum den Vater geblendet und sie aus dem Hause dem andern entgegen gehetzt hatte.

Auf ihren eingefallenen Wangen erblühte ein Röslein. Die Augen glänzten. Sie wusste nichts mehr von der Gegenwart …

Sie lag, die Hände fromm gefaltet und lächelte.

Mit einem Wehlaut warf er sich über ihre Hülle …

Die kleine weiße Rose, aus dem Heimatsboden gerissen, durch den Strom sündiger Leidenschaft blutrot gefärbt, im Staub der Straße zertreten, – nun war sie wieder schneeweiß und würdig für den himmlischen Garten des allmächtigen Vaters!

Schluss

Eva von Ostried war einen halben Tag eher, wie sie zuerst gedacht, aus Dresden zurückgekehrt, hatte von jeder telegrafischen Benachrichtigung abgesehen, weil sie der kleinen, aufmerksamen Hausgenossin keine Mühe machen wollte und sich durch den mitgenommenen Schlüssel mühelos Zutritt verschafft. Die verworrene Erzählung der Hausmeistersfrau unten im Hausgange war ihr unverständlich geblieben. Nun stand sie, Sorge und Zärtlichkeit auf dem Gesicht, vor – – Walter Wullenweber – –

Als sie ihn erkannte, streckten sich ihre Arme in stummer entsetzter Abwehr aus. – Nichts begriff sie, als dass er da war. Alles andere wurde ihr unfassbar. Erst nach geraumer Weile merkte sie, was geschehen, und schrie in grauenhafter Furcht auf, dass die Todkranke, als sie ihrer letzten Stunde gewiss wurde, ihn gerufen haben musste.

Aber warum? Hatte sie alles gewusst und wollte für sie bitten? Ja – so war es! Durch diese Erkenntnis kam sie zur Kraft!

»Sie hat es gut gemeint«, sagte sie endlich leise und weich, »und es war auch gütig, dass du gekommen bist. Aber, nicht wahr, nun wollen wir uns nicht länger quälen. Ich werde mein nächstes Konzert abtelegrafieren und sie zur Ruhe betten lassen. Lebe wohl ...«

Er war dicht neben ihr.

»Eva!«

Sie hob nur die Hand.

»Lass alles schlafen. Das ist meine letzte Bitte.«

Da stieß er heraus, was sie erst allmählich erfahren sollte. »Sie ist meine Schwester, Eva! Die arme kleine Lieselotte, von der ich dir schrieb ... damals – –«

»Deine – Schwester – die du so lange vergeblich gesucht hast?«

»Ja. Hier ist der Brief, mit dem sie mich rief.«

Sie starrte darauf hin, als begriffe sie seinen Sinn nicht. »Deine Schwester?«, wiederholte sie nur immer wieder.

»Nicht wahr, das ändert alles!«

Sie sah mit wirrem Blick umher, an ihm vorbei und endlich auf das bleiche, lächelnde Gesicht der Toten.

»Was könnte es wohl ändern? Doch, die Bitterkeit! Ich will dir wenigstens die Hand reichen.« Wie einst riss er ihre Rechte an sein

Herz. »Nicht so! Es ist nur um ihretwillen. Sie hat mir ja auch dies Opfer gebracht.«

»Fühlst du es als Opfer, Eva? Vergiss doch! Ich liebe dich noch immer über alles.«

Sie schüttelte den Kopf. »Nichts mehr davon. Es ist alles längst vorbei und überwunden.«

»Bei ihrem Andenken schwöre ich dir, dass ich nie aufgehört habe, dich zu lieben. Nur das andere ...« Er stockte.

»Es war sehr hart, aber ich habe es begreifen gelernt.«

»Jetzt musst du begreifen, dass ich nicht ohne dich leben kann, Eva.«

»Du bildest dir nur ein, dass es so sein müsse. Begreiflich. Glaubst, mir um deiner Schwester willen Dankbarkeit zu schulden. Der Schmerz um sie – – ein wenig wohl auch die Reue – haben dich, den sonst unbestechlich Ehrlichen so weit getrieben. Ich verstehe auch das. Und will – vergessen – –«

»Du sollst nicht, Eva!«

»Wenn ich schon – – vorher vergessen hätte – –?«

Er sah sie fassungslos an. »Lieselott hat mir auch von der Werbung des Waldesruher gesprochen. Solltest du dich bereits vor Ablauf der beiden Wochen für ihn entschieden haben?«

»Ich wollte es tun«, erwiderte sie sanft. »Aber – – nun wird es wohl doch nicht gehen.«

»Warum nicht?«, drängte er mit neu erwachender Hoffnung.

»Warum? Ach – – das lässt sich schwer ausdrücken. Vielleicht, weil ich mich auch seiner nicht wert fühle.«

Er umklammerte ihre Handgelenke. »Du sprichst nicht die Wahrheit – –«

»Ich könnte nichts anderes sagen – – im Augenblicke.«

»Soll das heißen, dass ich später – – morgen, übermorgen – –«

»Nein«, wehrte sie erschrocken ab. »Es soll heißen, dass ich niemals wieder – –«

»Wen? Den andern?«

»Nein, dich«, sagte sie, immer noch wie im Traum.

»Eva, ich flehe dich an. Denke daran, dass es das letzte Mal sein kann.«

»Das wäre gut! Ich will ruhig werden und sühnen. Gönne mir diese Ruhe.«

»Du hast hundertmal gutgemacht. Ich danke dir – –«

Sie ließ ihn nicht zu Ende kommen.

»Nur an mein Glück hat sie gedacht, deine kleine Schwester. Das sieht ihr ähnlich. Ich habe sie sehr lieb gehabt. Vielleicht – –«

»Sei barmherzig. Vergib mir meine Härte und Ungerechtigkeit.«

»Steh auf – – ich allein bleibe die Schuldige. Es hilft nichts, ich – – habe gestohlen. Siehst du, jetzt zum ersten Mal geht das fürchterliche Wort aus meinem Munde. Das Gespenst lässt sich nicht vertreiben. Die Präsidentin hatte mir nichts zugedacht und ich habe es nicht glauben wollen. Ich habe dir nie von meinem Verhältnis zu ihr gesprochen. Jede ihrer Handlungen bewies mir, dass sie mich lieb hatte. Selbst, wenn sie unzufrieden mit mir war, wurde sie nicht hart. Ich merkte vielmehr, dass sie darunter litt. Und sie – – hat es mir auch versprochen. Klipp und klar. Da ist es mir unfassbar gewesen, dass sie, die nie ein gegebenes Versprechen brach, nicht an mich gedacht haben sollte. Bei Gott! Mein Gefühl hat unablässig dagegen geeifert, immer noch, bis vor ganz kurzem. Nicht wahr, wenn sich schließlich doch ein Nachsatz, der mich bedacht hätte, vorfand, dann – ja dann – –. Das wirst du gewiss auch nicht verstehen. Wirst meinen, an meiner Schuld ändere das nichts. Mich hätte es losgesprochen. Ich hätte mir einbilden können, ich wäre nun nicht länger schuldig! So aber, wenn ich vergessen wollte – wie damals – in deinen Armen – nachher kam es doch wieder. Ein Satz nur, aber ein fürchterlicher, strenger noch wie du – – ›Der Übel größtes … aber ist die Schuld …‹«

»Wir werden gemeinsam arbeiten und sparen, damit wir alles zurückerstatten«, flehte er erschüttert. »Denn so grausam, dass du mich nun zu deinem Schuldner auf Lebenszeit machst, der nicht abtragen darf, was du seiner Schwester gegeben, kannst du nicht sein.«

»Das Geld – – das schreckliche Geld – –« klagte sie. »Wie es dich schon drückt, dass du es schuldest – –«

»Nein, das andere ist mir die Hauptsache. Deine Liebe, die selbstverständliche Güte, dein Verstehen und Vergeben, mit dem du meine Schwester überschüttet hast – –«

»Sollte ich, die schuldig Gewordene, sie verurteilen?«

»Ich war auch schuldig an ihr und habe dich doch gepeinigt.«

»Das tust du erst jetzt und ich kann es nicht länger ertragen. Lass uns das Nötige ruhig miteinander besprechen. Ich überlasse dir natürlich die Bestimmung über alles, was sie angeht. Willst du es lieber allein besorgen, weil doch auch wohl dein Vater kommen wird ... so begebe ich mich für diese kurze Zeit in eine Pension. Wirklich, es macht mir nichts. Du denkst, dass dies hier die Heimstätte deiner kleinen Schwester sei, aus der, hinweggetragen zu werden, ihr gutes Recht ist. Wenn alles vorüber ist, kehre ich schon zurück. Wohl kaum mehr für lange ... Ich weiß das alles noch nicht.«

Er stand hoch und stark neben ihr, als habe er die Last, die ihn zu ihren Füßen niederzwang, endlich abgeworfen.

»Noch einmal. Ich liebe dich! Sei barmherzig. Stoße mich nicht zurück.«

»Weil ich es sein muss, sage ich: Mache ein Ende! Glaubst du, dass du mir dankbar zu sein hast, dann habe ich ja auch die Erfüllung einer Bitte gut.«

»Sprich sie aus. Was du willst, soll geschehen!«

»Ich danke dir. Vergiss mich, Walter!«

»Kannst du dir das wirklich erbitten?«

»Ja, das kann ich!«

Er griff an die Stirn. Sein Gesicht wurde von einer schmerzhaften Angst verzerrt.

»Eine Erklärung verlange ich wenigstens ...«

Sie sann ein wenig. »Wie soll ich das erklären? Fühlst du es nicht?«

Er schüttelte wild den Kopf.

»Nein? Du hast doch empfunden, dass ich dein Leben verdorben hätte ... wenn ...«

»Empfunden? Doch nicht! Nur einen Augenblick lang gefürchtet. Das, was dir gehört, hatte gar nichts damit zu schaffen. Das andere in mir, das für das Recht steht und fällt, schrieb dir den Brief. Mein Herz hat dich auch in diesem Augenblick keinen Deut weniger geliebt als zu Anfang und jetzt!«

Mit leicht geschlossenen Augen lauschte sie ihm. »Es klingt schön. – Ich glaube es aber nicht!«

»Dann muss ich vollenden. Ich verstehe, dass du mich niemals geliebt hast wie ich dich ...«

In ihrem Gesicht begann es zu zucken. Sie war am Ende ihrer Kraft.

Noch ein Wort – eine Wiederholung der alten Bitte – ein Entgegenrecken seiner Arme und ... Sah er denn ihre große, heiße Liebe, dass er nicht müde wurde, sie zu verlangen? Er durfte sie nicht gewahr werden. Nie mehr … Sein Leben musste hell und rein bleiben. Würde sie sein Weib, machte sie ihn zum Mitschuldigen und vernichtete ihn langsam damit. Was lag an ihr? Mochte sie nachher zusammenbrechen. Bis sie es ausgesprochen hatte, würde sie sich aufrecht erhalten.

»Ich gehe also. Du und die alte Pauline, Ihr werdet alles nach deinem Willen einrichten. Den Schlüssel kannst du danach unten bei der Hausmeistersfrau abgeben. Ich hole ihn mir später schon ...«

»Soll das deine Antwort auf meine Anschuldigung sein?«

»Verlangst du wirklich eine?«

»Eva«, stöhnte er, »lass es genug der Folter sein. Ich bitte dich nach diesem nicht mehr!«

Sanft streichelte sie die gefalteten Hände der Toten. Und es war, als bringe ihr die eisige Kühle die Besinnung zurück – – als sei sie nun gegen alle Sehnsucht gefeit.

»Ich kann nicht«, gestand sie leise, »und wenn ich mich halb tot quälen würde.«

»Quälen sollst du dich nicht. Nein – das hast du nicht um uns verdient.« Es klang hart und fest. »Du hast uns genug geopfert. – Noch heute Abend werde ich meine kleine Schwester zu mir holen. Verzeih dies Letzte. Ich muss dich solange aus deiner eigenen Wohnung vertreiben. Danach aber – ich hoffe gegen zehn Uhr – ist jede Spur von uns verwischt.«

Sie fühlte mit kaltem Schrecken, wie sie zu taumeln begann. Wenn er sie jetzt noch einmal ansehen würde – – Seine Augen mieden ihr Gesicht, während er, nach kurzer Pause, wieder zu sprechen begann.

»Du hast mir am Schluss deines letzten Briefes etwas schreiben können, was ich lange nicht begriffen habe. Vielleicht hast du es wirklich so gemeint. Dass ich glücklich werden soll ohne dich. Jetzt beginne ich deinen Wunsch zu begreifen. Du wirst und willst ohne mich glücklich werden. Das weiß ich nun – –«

Sie widersprach ihm nicht. Einen Herzschlag lang wartete er darauf. – »Lebe wohl, Eva.«

Hatte sie den gleichen Abschiedsgruß für ihn gehabt? Mit vorgeneigtem Oberkörper stand sie und lauschte, wie sein Schritt auf dem teppichlosen Stückchen Parkett zwischen Sterbezimmer und Musikraum hörbar wurde – – wie er über den langen Korridor tappte – die Hand auf den Drücker schlug, der stets ein wenig schwer gehorchte und die Tür hinter sich zuklappte.

Dann erst brach sie mit einem wilden verzweifelten Aufschrei, der nichts als unsterbliche, ewige Liebe nach ihm war, in die Knie.

Major a. D. Wullenweber hatte nicht zur Bestattung seiner Tochter kommen können. Noch bevor der Eilbrief seines Sohnes in Hohen-Klitzig angekommen war, packte ihn ein neuer Schlaganfall. Lebensgefahr bestand auch diesmal nach dem Urteil des Arztes nicht. Immerhin war die größte Schonung und Ruhe erforderlich. Der Amtsrat verschwieg ihm daher den Inhalt des zur Vorbereitung des Vaters an seine Adresse gerichteten Briefes. So lag der Kranke – ahnungslos – mit leise röchelndem Atem, ohne zu ahnen, dass in derselben Stunde, in welcher er nach drei Tagen wieder mit Genuss einer schmackhaften Suppe zusprach, seine kleine Lieselott an der Seite ihrer Mutter zur letzten Ruhe gebettet wurde.

Die alte Pauline war von Walter Wullenweber so weit ins Vertrauen gezogen, wie es sich um das traurige Geheimnis seiner kleinen Schwester handelte. Mehr hatte er ihr auch nicht sagen wollen! Und sprach ihr dann, als alles vorüber war, doch davon, dass er Eva von Ostried liebte und sie, nach kurzem unaussprechlichen Glück, verlieren musste.

»Sie dürfen morgen nun doch nicht zum Geburtstag Ihrer Frau Präsidentin heraus«, sagte er am dritten Abend nach der Beisetzung.

»Warum denn nicht, Herr Rechtsanwalt?«

»Weil Sie von rechtswegen längst ins Bett gehören ...«

»Da halte ich es gar nicht aus. Mir ist, als müsste ich laufen und immer bloß laufen, um einzuholen, was mir sonst wegflitzt.«

»Ich habe einen schönen großen Kranz bestellt, Pauline. Lauter tiefrote Astern, von denen Sie mir mal sagten, dass sie Frau Präsidentin von allen Blumen am liebsten hatte«, versuchte er sie zu beruhigen.

»Wie gut Sie sind«, dankte sie gerührt.

»Gut?!«, lachte er gerührt auf. »Sie dürften eigentlich so was nicht sagen. Versprechen Sie mir jetzt feierlich, dass Sie sich mit meinem Vorschlag einverstanden erklären.«

»Was soll ich denn, Herr Rechtsanwalt?«

»Morgen brav daheimbleiben und hier den Tag im Gedächtnis an Ihre Frau Präsidentin verbringen. Den schönen Kranz trage ich ihr selbst ans Grab. Es macht mir nichts aus ...«

Sie wurde rot wie ein junges Mädchen, das eine Not nicht länger verbergen kann. »Und wenn Sie mich festbänden, bliebe ich nicht zu Hause. So gut Sie es wieder mal meinen. Das geht nicht. Wie eine Meineidige käme ich mir vor. Ich hab ihr in die Hand versprochen, dass ich jedes Jahr, solange ich am Leben bin, ihr Grab an dem Tage schmücken wollt, denn sie konnte keine Unordnung leiden. Und wenn ich mir gleich den Tod holen müsst – jawohl … hin würde ich doch machen.«

Da sagte er kein weiteres Wort dagegen, sondern ließ sie gewähren, als sie am nächsten Tage in dem feierlichen Schwarzseidenen, mit dem Kranz auf dem Arm vor ihm stand und leise und beschämt wegen ihres Ungehorsams um Entschuldigung bat. –

Walter Wullenweber hielt sich mit eisernem Willen aufrecht. Seine stark entwickelte Pflichttreue, die unermüdlich die angehäufte Arbeit abtrug, unterstützte ihn. Nur in den kurz bemessenen Freistunden gab er sich seinen trostlosen Gedanken hin.

Ob sie ihn wirklich nicht mehr liebte? Tagelang hatte er es als sicher angenommen. Wie durch ein aufregendes Ereignis Gesicht und Gehör verloren gehen konnten, mochte auch wohl ihre Liebe dieser Erschütterung nicht standgehalten haben. Jetzt begann er ihre Scham und ihren Stolz richtig einzuschätzen. Begriff, sosehr es auch gegen das starre Gesetz ging, dass eine nachträglich aufgefundene Bestimmung der Präsidentin zu ihren Gunsten die Last der Tat von ihr abgewälzt hätte.

Damit ward ihm auch das andere klar. Dass sie mit diesem Augenblick wieder sein und diesmal auf ewig gewesen wäre. Nun dies unmöglich geworden war, hatte er keinen Anteil mehr an ihr! Er hatte den Kopf auf die Platte des Schreibtisches gelegt und litt weit über alle Kraft unter der Unmöglichkeit, dies jemals zu ändern – –

Das ungestüme Aufreißen der Korridortür, ihr heftiges Zuschlagen, das Hereinstürzen der feierlich angetanen, alten Pauline, ließ ihn erschrocken emporfahren. Selbst nach dem Brande war sie nicht so fassungslos erschienen. Sie stand vor ihm, wie er sie noch nie gesehen hatte. Ihre welken Lippen zittern.

Augenscheinlich wollte sie etwas berichten und brachte doch nichts heraus, als ein Aufschluchzen der Freude!

»Das habe ich in der Tasche von unserer Frau Präsidentin Schwarzseidenem gefunden«, konnte sie endlich herausbringen.

Er las den Inhalt des gelblich gewordenen Zettels. Ihn voll zu begreifen, war ihm noch versagt. Es war zu neu, zu gewaltig und zu schön. Als er sich endlich dazu zwingen konnte und sich auch überzeugte, dass Unterschrift und Datum diesen Zeilen volle Gültigkeit verliehen, steckte er ihn zu sich und sprang auf.

Bescheiden, auch jetzt noch, wartete die alte Pauline auf das erste seiner Worte.

Er presste nur stumm ihre Hände zwischen den seinen, sodass sie Mühe hatte, einen Aufschrei zu unterdrücken und stürzte fort - - -

Mit stillem Lächeln sah sie ihm nach. Ihr war nicht verborgen, wohin ihn jetzt sein Weg führen musste.

Seit zwei Tagen weilte Eva von Ostried wieder in ihrem Heim. Es kam ihr grenzenlos öde vor. Der jubelnde Beifall, der ihr ebenso in Dresden wie in Weimar geworden, lag weit hinter ihr. Ihr Blick galt der Zukunft. Morgen in der Frühe würde sie den Vertrag unterzeichnen, der sie auf die Dauer von drei Monaten in die verschiedensten Großstädte führen sollte. Und dann - -

Ja - dann kam endlich doch wohl noch alles, wie sie es einst so heiß gewünscht und nun längst nicht mehr erstrebt hatte - - -.

Wahrscheinlich zum kommenden Herbst würde sie einer schon jetzt ergangenen dringenden Einladung des Dresdner Intendanten folgend, dort auf Engagement singen.

Sie kämpfte nicht mehr. Alles schien überwunden zu sein. Das einzige Gefühl, dessen sie sich für fähig hielt, bestand in einem brennenden Neid auf die Tote.

Das kleine einfenstrige Zimmer, aus dem sie hinausgetragen war, blieb seither unbenutzt. Furchtsam wurde es von Eva von Ostried gemieden. Nicht die Tote allein wehrte ihr den Eintritt, sondern vor allem der Lebende, der erst langsam für sie sterben musste.

Sie saß vor dem Flügel, aber sie dachte nicht an das, was einst ihr höchstes Sehnen gewesen. Wie längst durchlesene Bücher, die kein Interesse mehr erwecken konnten, betrachtete sie die Stöße von Noten. Es gab nur noch ein Lied für sie, das sie niemals vergessen würde, das kleine Lied von der weißen Rose ...

Sein Lied! Vorläufig hatte sie sich am Fenster einen Tisch mit allem Nötigen zum Schreiben zurechtgestellt. Sinnend ruhte ihr Blick auf dem großen weißen Bogen, der gespenstisch zu ihr hinwinkte. Ehe es Abend geworden war, wollte sie einen Brief schreiben ...

Sie ging hinüber und tauchte die Feder ein. Wenn er fort sein würde, hatte sie keine Anwartschaft mehr auf das alte stille Schloss in Waldesruh! Trotzdem schrieb sie ihn hastig! Er wurde kurz.

Ich kann nicht Ihre Gattin werden. Aber ich danke Ihnen warm für die mir zugedachte Ehre ...

Warum konnte sie es nun doch nicht? – Auf dem Tischchen lag ein Stoß geöffneter Briefe, die sie in Dresden und Weimar erhalten hatte. Schwärmerische Ergüsse – –

Nun brach sie wieder hervor, die alte heiße, wilde Sehnsucht nach dem Geliebten. Das mühsame Versteckspiel mit den eigenen Gefühlen war nutzlose Marter. Ihre Seele gehörte ihm auf ewig.

Wie erlöst atmete sie auf, als draußen die Klingel ging. »Wirklich kommt er«, dachte sie befriedigt, während sie hinausging.

Sie konnte den Eintretenden in dem Zwielicht nicht sogleich erkennen und ahnte doch sofort, wer er sei! Ihr Herz begann wie rasend zu pochen.

– – – Gehorsam blickte sie auf ein beschriebenes Blatt nieder, das er vor sie hingelegt hatte, als sie sich im Musikzimmer gegenüberstanden.

»Ich kann nicht«, flüsterte sie, als sie die Handschrift sah. Da las ihr Walter Wullenweber vor:

Nach einem Anfall großer Herzschwäche, den ich zwar überwunden habe, dessen Wiederkehr ich aber fühle, bestimme ich hiermit als Nachtrag zu meinem bereits gemachten Testament, dass meine geliebte Pflegetochter Eva von Ostried bei meinem Ableben Einhundertundfünfzigtausend Mark durch Herrn Justizrat Weißgerber ausgezahlt erhalten soll. Und zwar ist diese Summe von derjenigen für die Stiftungen festgelegten abzuziehen. An den ausgesetzten Legaten soll nichts geändert werden. Meine treuesten Grüße gehören meiner lieben Eva.

Zur Zeit Belgard a. d. Persante, Hinterpommern, im Wartesaal der 2. Klasse, den 24. August 1918.

Frau Präsident Hanna Melchers.

Als Walter Wullenweber zu Ende gelesen hatte, sah er sie an. Und sah, dass sie ihre Hände, wie bittend, zu ihm erhoben hatte. Nun lag sie an seinem Herzen.

»Eva – jetzt – bleibst du mein?«

»Ja«, flüsterte sie, »dein, nur dein!«

Er ließ den Brief der kleinen toten Schwester in ihren Schoß gleiten, während er sie küsste.

»Den musst du selbst lesen.«

Wie kurz er war! Die Zeichen fast unleserlich. Und doch der einzige Satz wundervoll freisprechend – an dem endlich errungenen Glück vollendend, was ihm im Augenblick – vielleicht noch unbewusst – fehlte.

»Der Übel größtes ist die *ungesühnte* Schuld!«

In dieser heiligen Stunde streifte Eva von Ostried alle Bitterkeit ab. Die Zeit des Leidens erschien ihr als eine Gnade, durch welche sie pilgern musste, um des Geliebten würdig zu sein. Während sie ihre Wange an die seine schmiegte, sagte sie dankbar und demütig:

»Unsere kleine Schwester hat recht! Aber ich will noch weiter in ihrem Sinne sühnen, um meines großen Glückes auch würdig zu bleiben!«